Arthur Rimbaud

Poésies
Une saison en enfer
Illuminations

Préface de René Char

Édition établie et annotée
par Louis Forestier
Professeur à la Sorbonne

Gallimard

COLLECTION
FOLIO CLASSIQUE

Avant d'approcher Rimbaud, nous désirons indiquer que de toutes les dénominations qui ont eu cours jusqu'à ce jour à son sujet, nous n'en retiendrons, ni n'en rejetterons aucune (R. le Voyant, R. le Voyou, etc.). Simplement, elles ne nous intéressent pas, exactes ou non, conformes ou non, puisqu'un être tel que Rimbaud – et quelques autres de son espèce – les contient nécessairement toutes. Rimbaud le Poète, cela suffit, cela est infini. Le bien décisif et à jamais inconnu de la poésie, croyons-nous, est son invulnérabilité. Celle-ci est si accomplie, si forte que le poète, homme du quotidien, est le bénéficiaire après coup de cette qualité dont il n'a été que le porteur irresponsable. Des tribunaux de l'Inquisition à l'époque moderne, on ne voit pas que le mal temporel soit venu finalement à bout de Thérèse d'Avila pas plus que de Boris Pasternak. On ne nous apprendra jamais rien sur eux qui nous les rende intolérables, et nous interdise l'abord de leur génie. Disant cela, nous ne songeons même pas au juste jeu des compensations qui leur appliquerait sa clémence comme à n'importe quel autre mortel, selon les oscillations des hommes et l'odorat du temps.

Récemment, on a voulu nous démontrer que Nerval n'avait pas toujours été pur, que Vigny fut affreux dans une circonstance niaise de sa vieillesse. Avant eux, Vil-

*lon, Racine... (Racine que son plus récent biographe
admoneste avec une compétence que je me suis lassé de
chercher). Ceux qui aiment la poésie savent que ce n'est
pas vrai, en dépit des apparences et des preuves étalées.
Les dévots et les athées, les procureurs et les avocats
n'auront jamais accès professionnellement auprès
d'elle. Étrange sort! Je est un autre. L'action de la justice est éteinte là où brûle, où se tient la poésie, où s'est
réchauffé quelques soirs le poète. Qu'il se trouve un
vaillant professeur pour assez comiquement se repentir, à
quarante ans, d'avoir avec trop de véhémence, admiré,
dans la vingtième année de son âge, l'auteur des* Illuminations, *et nous restituer son bonheur ancien mêlé à son
regret présent, sous l'aspect rosâtre de deux épais volumes
définitifs d'archives, ce labeur de ramassage n'ajoute
pas deux gouttes de pluie à l'ondée, deux pelures d'orange
de plus au rayon de soleil qui gouvernent nos lectures.
Nous obéissons librement au pouvoir des poèmes et
nous les aimons par force. Cette dualité nous procure
anxiété, orgueil et joie.*

*

Lorsque Rimbaud fut parti, eut tourné un dos
maçonné aux activités littéraires et à l'existence de ses
aînés du Parnasse, cette évaporation soudaine à peine
surprit. Elle ne posa une véritable énigme que plus tard,
une fois connues sa mort et les divisions de son destin,
pourtant d'un seul trait de scie. Nous osons croire qu'il
n'y eut pas rupture, ni lutte violente, l'ultime crise traversée, mais interruption de rapport, arrêt d'aliment entre
le feu général et la bouche du cratère, puis desquama-
tions des sites aimantés et ornés de la poésie, mutisme et
mutation du Verbe, final de l'énergie visionnaire, enfin
apparition sur les pentes de la réalité objective d'autre
chose qu'il serait, certes, vain et dangereux de vouloir
fixer ici. Son œuvre, si rapidement constituée, Rimbaud

l'a, à la lettre, oubliée, n'en a vraisemblablement rien souffert, ne l'a même pas détestée, n'en a plus senti à son poignet basané la verte cicatrice. De l'adolescence extrême à l'homme extrême, l'écart ne se mesure pas. Y a-t-il une preuve que Rimbaud ait essayé, par la suite, de rentrer en possession des poèmes abandonnés aux mains de ses anciens amis? À notre connaissance, pas une. L'indifférence complète. Il en a perdu le souvenir. Ce qui sort maintenant de la maigreur de la branche en place des fruits, du temps qu'il était un jeune arbre, ce sont les épines victorieuses, piquants qui furent annoncés par l'entêtant parfum des fleurs.

*

L'observation et les commentaires d'un poème peuvent être profonds, singuliers, brillants ou vraisemblables, ils ne peuvent éviter de réduire à une signification et à un projet un phénomène qui n'a d'autre raison que d'être. La richesse d'un poème si elle doit s'évaluer au nombre des interprétations qu'il suscite, pour les ruiner bientôt, mais en les maintenant dans nos tissus, cette mesure est acceptable. Qu'est-ce qui scintille, parle plus qu'il ne chuchote, se transmet silencieusement, puis file derrière la nuit, ne laissant que le vide de l'amour, la promesse de l'immunité? Cette scintillation très personnelle, cette trépidation, cette hypnose, ces battements innombrables sont autant de versions, celles-là plausibles, d'un événement unique: le présent perpétuel, en forme de roue comme le soleil, et comme le visage humain, avant que la terre et le ciel en le tirant à eux ne l'allongeassent cruellement.

Aller à Rimbaud en poète est une folie puisqu'il personnifie à nos yeux ce que l'or était pour lui: l'intrados poétique. Son poème, s'il fascine et provoque le commentateur, le brise aussitôt; quel qu'il soit. Et comme son unité il l'a obtenue à travers la divergence des choses et des êtres dont il est formé, il absorbera sur un plan dérisoire les reflets appauvris de ses propres contradictions. Aucune objection à cela puisqu'il les comprend toutes: «J'ai voulu dire ce que ça dit, littéralement et dans tous les sens.» Parole qui, prononcée ou non, est vraie, qui se remonte indéfiniment.

Il faut considérer Rimbaud dans la seule perspective de la poésie. Est-ce si scandaleux? Son œuvre et sa vie ainsi se découvrent d'une cohérence sans égale, ni par, ni malgré leur originalité. Chaque mouvement de son œuvre et chaque moment de sa vie participent à une entreprise que l'on dirait conduite à la perfection par Apollon et par Pluton: la révélation poétique, révélation la moins voilée qui, en tant que loi nous échappe, mais qui, sous le nom de phénomène noble, nous hante presque familièrement. Nous sommes avertis: hors de la poésie, entre notre pied et la pierre qu'il presse, entre notre regard et le champ parcouru, le monde est nul. La vraie vie, le colosse irrécusable, ne se forme que dans les flancs de la poésie. Cependant l'homme n'a pas la souveraineté (ou n'a plus, ou n'a pas encore) de disposer à discrétion de cette vraie vie, de s'y fertiliser, sauf en de brefs éclairs qui ressemblent à des orgasmes. Et dans les ténèbres qui leur succèdent, grâce à la connaissance que ces éclairs ont apportée, le Temps, entre le vide horrible qu'il sécrète et un espoir-pressentiment qui ne relève que de nous, et n'est que le prochain état d'extrême poésie et de voyance qui s'annonce, le Temps se partagera, s'écoulera, mais à notre profit, moitié verger, moitié désert.

Rimbaud a peur de ce qu'il découvre; les pièces qui se jouent dans son théâtre l'effrayent et l'éblouissent. Il craint que l'inouï ne soit réel, et, par conséquent, que les périls que sa vision lui fait courir soient, eux aussi, réels, lourdement ligués en vue de sa perte. Le poète ruse, s'efforce de déplacer la réalité agressive dans un espace imaginaire, sous les traits d'un Orient légendaire, biblique, où s'affaiblirait, s'amoindrirait son fabuleux instinct de

*mort. Las! la ruse est vaine, l'épouvante est justifiée, le
péril est bien réel. La Rencontre qu'il poursuit et qu'il
appréhende, voici qu'elle surgit comme une double
corne, pénétrant de ses deux pointes «dans son âme et
dans son corps».*

*

*Fait rare dans la poésie française et insolite en cette
seconde moitié du XIXᵉ siècle, la nature chez Rimbaud a
une part prépondérante. Nature non statique, peu appré-
ciée pour sa beauté convenue ou ses productions, mais
associée au courant du poème où elle intervient avec fré-
quence comme matière, fond lumineux, force créatrice,
support de démarches inspirées ou pessimistes, grâce.
De nouveau, elle agit. Voilà ce qui succède à Baudelaire.
De nouveau, nous la palpons, nous respirons ses étran-
getés minuscules. L'apercevons-nous en repos que déjà
un cataclysme la secoue. Et Rimbaud va du doux tra-
versin d'herbe où la tête oublieuse des fatigues du corps
devient une eau de source, à quelque chasse entre possé-
dés au sommet d'une falaise qui crache le déluge et la
tempête. Rimbaud se hâte de l'un à l'autre, de l'enfance
à l'enfer. Au Moyen Âge la nature était pugnace, intraitable, sans brèche, d'une grandeur indisputée. L'homme
était rare, et rare était l'outil, du moins son ambition.
Les armes la dédaignaient ou l'ignoraient. À la fin du
XIXᵉ siècle, après des fortunes diverses, la nature, encer-
clée par les entreprises des hommes de plus en plus nom-
breux, percée, dégarnie, retournée, morcelée, dénudée,
flagellée, accouardie, la nature et ses chères forêts sont
réduites à un honteux servage, éprouvent une diminu-
tion terrible de leurs biens. Comment s'insurgerait-elle,
sinon par la voix du poète? Celui-ci sent s'éveiller le
passé perdu et moqué de ses ancêtres, ses affinités gardées
pour soi. Aussi vole-t-il à son secours, éternel mais lucide
Don Quichotte, identifie-t-il sa détresse à la sienne, lui*

redonne-t-il, avec l'amour et le combat, un peu de son
indispensable profondeur. Il sait la vanité des renais-
sances, mais plus et mieux que tout, il sait que la Mère
des secrets, celle qui empêche les sables mortels de
s'épandre sur l'aire de notre cœur, cette reine persécutée,
il faut tenir désespérément son parti.

*

Avec Rimbaud la poésie a cessé d'être un genre littéraire, une compétition. Avant lui, Héraclite et un peintre,
Georges de La Tour, avaient construit et montré quelle
Maison entre toutes devait habiter l'homme : à la fois
demeure pour le souffle et la méditation. Baudelaire est
le génie le plus humain de toute la civilisation chrétienne.
Son chant incarne cette dernière dans sa conscience,
dans sa gloire, dans son remords, dans sa malédiction,
à l'instant de sa décollation, de sa détestation, de son
apocalypse. « Les poètes, écrit Hölderlin, se révèlent
pour la plupart au début ou à la fin d'une ère. C'est par
des chants que les peuples quittent le ciel de leur
enfance pour entrer dans la vie active, dans le règne
de la civilisation. C'est par des chants qu'ils retournent
à la vie primitive. L'art est la transition de la nature à
la civilisation, et de la civilisation à la nature*. » Rimbaud est le premier poète d'une civilisation non encore
apparue, civilisation dont les horizons et les parois ne
sont que des pailles furieuses. Pour paraphraser Maurice Blanchot, voici une expérience de la totalité, fondée
dans le futur, expiée dans le présent, qui n'a d'autre
autorité que la sienne. Mais si je savais ce qu'est Rimbaud pour moi, je saurais ce qu'est la poésie devant moi,
et je n'aurais plus à l'écrire...

*

---

* Traduction de Denise Naville

L'instrument poétique inventé par Rimbaud est peut-être la seule réplique de l'Occident bondé, content de soi, barbare puis sans force, ayant perdu jusqu'à l'instinct de conservation et le désir de beauté, aux traditions et aux pratiques sacrées de l'Orient et des religions antiques ainsi qu'aux magies des peuples primitifs. Cet instrument, dont nous disposons, serait notre dernière chance de retrouver les pouvoirs perdus ? D'égaler les Égyptiens, les Crétois, les Dogons, les Magdaléniens ? Cette espérance de retour est la pire perversion de la culture occidentale, sa plus folle aberration. En voulant remonter aux sources et se régénérer, on ne fait qu'aggraver l'ankylose, que précipiter la chute et punir absurdement son sang. Rimbaud avait éprouvé et repoussé cette tentation : « Il faut être absolument moderne : Tenir le pas gagné. » La poésie moderne a un arrière-pays dont seule la clôture est sombre. Nul pavillon ne flotte longtemps sur cette banquise qui, au gré de son caprice, se donne à nous et se reprend. Mais elle indique à nos yeux l'éclair et ses ressources vierges. Certains pensent : « C'est bien peu ! Et comment distinguer ce qui se passe là-dessous ? » Ces pointilleux auraient-ils songé à tailler un silex, il y a vingt mille ans ?

*

Rimbaud s'évadant situe indifféremment son âge d'or dans le passé et dans le futur. Il ne s'établit pas. Il ne fait surgir un autre temps, sur le mode de la nostalgie ou celui du désir, que pour l'abattre aussitôt et revenir dans le présent, cette cible au centre toujours affamé de projectiles, ce port naturel de tous les départs. Mais de l'en deçà à l'au delà, la crispation est extraordinaire. Rimbaud nous en fournit la relation. Dans le mouvement d'une dialectique ultra-rapide, mais si parfaite qu'elle n'engendre pas un affolement, mais un tourbillon ajusté

*et précis qui emporte toute chose avec lui, insérant dans
un devenir sa charge de temps pur, il nous entraîne, il
nous soumet, consentants.*

Chez Rimbaud, la diction *précède d'un adieu la*
contradiction. *Sa découverte, sa date incendiaire, c'est
la rapidité. L'empressement de sa parole, son étendue
épousent et couvrent une surface que le verbe jusqu'à lui
n'avait jamais atteinte ni occupée. En poésie, on n'habite
que le lieu que l'on quitte, on ne crée que l'œuvre dont on
se détache, on n'obtient la durée qu'en détruisant le temps.
Mais tout ce qu'on obtient par rupture, détachement et
négation, on ne l'obtient que pour autrui. La prison se
referme aussitôt sur l'évadé. Le donneur de liberté n'est
libre que dans les autres. Le poète ne jouit que de la
liberté des autres.*

*À l'intérieur d'un poème de Rimbaud, chaque strophe,
chaque verset, chaque phrase vit d'une vie poétique
autonome. Dans le poème* Génie, *il s'est décrit comme
dans nul autre poème. C'est en nous donnant congé, en
effet, qu'il conclut. Comme Nietzsche, comme Lautréamont, après avoir tout exigé de nous, il nous demande de
le «renvoyer». Dernière et essentielle exigence. Lui qui
ne s'est satisfait de rien, comment pourrions-nous nous
satisfaire de lui? Sa marche ne connaît qu'un terme: la
mort, qui n'est une grande affaire que de ce côté-ci. Elle
le recueillera après des souffrances physiques aussi
incroyables que les illuminations de son adolescence.
Mais sa rude mère ne l'avait-elle pas mis au monde
dans un berceau outrecuidant entouré de vigiles semblables à des vipereaux avides de chaleur? Ils s'étaient
si bien saisis de lui qu'ils l'accompagnèrent jusqu'à la
fin, ne le lâchant que sur le sol de son tombeau.*

                                        René Char
                                          1956.

Premiers écrits

CHARLES D'ORLÉANS À LOUIS XI[1]

Sire, le temps a laissé son manteau de pluie; les fourriers d'été sont venus: donnons l'huys au visage à Mérencolie! Vivent les lays et ballades! moralités et joyeulsetés! Que les clercs de la basoche nous montent les folles soties: allons ouyr la moralité du Bien-Advisé et Mal-Advisé, et la conversion du clerc Théophilus, et come alèrent à Rome Saint Père et Saint Pol, et comment furent martirez! Vivent les dames à rebrassés collets, portant atours et broderyes! N'est-ce pas, Sire, qu'il fait bon dire sous les arbres, quand les cieux sont vêtus de bleu, quand le soleil cler luit, les doux rondeaux, les ballades haut et cler chantées? *J'ai ung arbre de la plante d'amours*, ou *Une fois me dites ouy, ma dame*, ou *Riche amoureux a toujours l'advantage*... Mais me voilà bien esbaudi, Sire, et vous allez l'être comme moi: Maistre François Villon, le bon folastre, le gentil raillart qui rima tout cela, engrillonné, nourri d'une miche et d'eau, pleure et se lamente maintenant au fond du Châtelet! Pendu serez! lui a-t-on dit devant notaire: et le pauvre folet tout transi a fait son épitaphe pour lui et ses compagnons: et les gratieux gallans dont vous aimez tant les rimes, s'attendent danser à Montfaulcon, plus becquetés d'oiseaux que dés à coudre, dans la bruine et le soleil!

Oh! Sire, ce n'est pas pour folle plaisance qu'est là Villon! Pauvres housseurs ont assez de peine! Clergeons attendant leur nomination de l'Université, musards, montreurs de synges, joueurs de rebec qui payent leur escot en chansons, chevaucheurs d'escuryes, sires de deux écus, reîtres cachant leur nez en pots d'étain mieux qu'en casques de guerre*; tous ces pauvres enfants secs et noirs comme escouvillons, qui ne voient de pain qu'aux fenêtres, que l'hiver emmitoufle d'onglée, ont choisi maistre François pour mère nourricière! Or nécessité fait gens méprendre, et faim saillir le loup du bois: peut-être l'Escollier, ung jour de famine, a-t-il pris des tripes au baquet des bouchers, pour les fricasser à l'Abreuvoir Popin ou à la taverne du Pestel? Peut-être a-t-il pipé une douzaine de pains au boulanger, ou changé à la Pomme du Pin un broc d'eau claire pour un broc de vin de Baigneux? Peut-être, un soir de grande galle au Plat-d'Étain, a-t-il rossé le guet à son arrivée; ou les a-t-on surpris, autour de Montfaulcon, dans un souper conquis par noise, avec une dixaine de ribaudes? Ce sont les méfaits de maistre François! Parce qu'il nous montre ung gras chanoine mignonnant avec sa dame en chambre bien nattée, parce qu'il dit que le chappelain n'a cure de confesser, sinon chambrières et dames, et qu'il conseille aux dévotes, par bonne mocque, parler contemplation sous les courtines, l'escollier fol, si bien riant, si bien chantant, gent comme esmerillon, tremble sous les griffes des grands juges, ces terribles oiseaux noirs que suivent corbeaux et pies! Lui et ses compagnons, pauvres piteux! accrocheront un nouveau chapelet de pendus aux bras de la forêt: le vent leur fera chandeaux dans le doux feuillage sonore: et vous, Sire, et tous ceux qui

---

* Olivier Basselin, *Vaux-de-Vire*.

aiment le poète, ne pourront rire qu'en pleurs en lisant ses joyeuses ballades : ils songeront qu'ils ont laissé mourir le gentil clerc qui chantait si follement, et ne pourront chasser Mérencolie !

Pipeur, larron, maistre François est pourtant le meilleur fils du monde : il rit des grasses souppes jacobines : mais il honore ce qu'a honoré l'église de Dieu, et madame la vierge, et la très sainte trinité ! Il honore la Cour de Parlement, mère des bons, et sœur des benoitz anges ; aux médisants du royaume de France, il veut presque autant de mal qu'aux taverniers qui brouillent le vin. Et dea ! Il sait bien qu'il a trop gallé au temps de sa jeunesse folle ! L'hiver, les soirs de famine, auprès de la fontaine Maubuay ou dans quelque piscine ruinée, assis à croppetons devant petit feu de chenevottes, qui flambe par instants pour rougir sa face maigre, il songe qu'il aurait maison et couche molle, s'il eût estudié !... Souvent, noir et flou comme chevaucheur d'escovettes, il regarde dans les logis par des mortaises : «– Ô, ces morceaulx savoureux et frians ! ces tartes, ces flans, ces grasses gelines dorées ! – Je suis plus affamé que Tantalus ! – Du rost ! du rost ! – Oh ! cela sent plus doux qu'ambre et civettes ! – Du vin de Beaulne dans de grandes aiguières d'argent ! Haro, la gorge m'ard !... Ô, si j'eusse estudié !... – Et mes chausses qui tirent la langue, et ma hucque qui ouvre toutes ses fenêtres, et mon feautre en dents de scie ! – Si je rencontrais un piteux Alexander, pour que je puisse, bien recueilli, bien débouté, chanter à mon aise comme Orpheus le doux ménétrier ! Si je pouvais vivre en honneur une fois avant que de mourir !...» Mais, voilà : souper de rondeaux, d'effets de lune sur les vieux toits, d'effets de lanternes sur le sol, c'est très maigre, très maigre ; puis passent, en justes cottes, les mignottes villotières qui font chosettes mignardes pour attirer les passants ; puis le regret des tavernes flamboyantes, pleines du cri des buveurs heurtant les

pots d'étain et souvent les flamberges, du ricanement
des ribaudes, et du chant aspre des rebecs mendiants;
le regret des vieilles ruelles noires où saillent follement,
pour s'embrasser, des étages de maisons et des poutres
énormes; où, dans la nuit épaisse, passent, avec des
sons de rapières traînées, des rires et des braieries abo-
minables... Et l'oiseau rentre au vieux nid: Tout aux
tavernes et aux filles!...

Oh! Sire, ne pouvoir mettre plumail au vent par ce
temps de joie! La corde est bien triste en mai, quand
tout chante, quand tout rit, quand le soleil rayonne sur
les murs les plus lépreux! Pendus seront, pour une
franche repeue! Villon est aux mains de la Cour de
Parlement: le corbel n'écoutera pas le petit oiseau!
Sire, ce serait vraiment méfait de pendre ces gentils
clercs: ces poètes-là, voyez-vous, ne sont pas d'ici-bas:
laissez-les vivre leur vie étrange; laissez-les avoir froid
et faim, laissez-les courir, aimer et chanter: ils sont
aussi riches que Jacques Cœur, tous ces fols enfants,
car ils ont des rimes plein l'âme, des rimes qui rient et
qui pleurent, qui nous font rire ou pleurer: Laissez-les
vivre: Dieu bénit tous les miséricords, et le monde
bénit les poètes.

LES ÉTRENNES DES ORPHELINS[1]

I

La chambre est pleine d'ombre; on entend vaguement[2]
De deux enfants le triste et doux chuchotement.
Leur front se penche, encore alourdi par le rêve,
Sous le long rideau blanc qui tremble et se soulève...
5   – Au dehors les oiseaux se rapprochent frileux;
Leur aile s'engourdit sous le ton gris des cieux;

Et la nouvelle Année, à la suite brumeuse,
Laissant traîner les plis de sa robe neigeuse,
Sourit avec des pleurs, et chante en grelottant[1]...

II

Or les petits enfants, sous le rideau flottant, 10
Parlent bas comme on fait dans une nuit obscure.
Ils écoutent, pensifs, comme un lointain murmure...
Ils tressaillent souvent à la claire voix d'or
Du timbre matinal, qui frappe et frappe encor
Son refrain métallique en son globe de verre... 15
– Puis, la chambre est glacée... on voit traîner à terre
Épars autour des lits, des vêtements de deuil:
L'âpre bise d'hiver qui se lamente au seuil
Souffle dans le logis son haleine morose!
On sent, dans tout cela, qu'il manque quelque chose... 20
– Il n'est donc point de mère à ces petits enfants,
De mère au frais sourire, aux regards triomphants?
Elle a donc oublié, le soir, seule et penchée,
D'exciter une flamme à la cendre arrachée,
D'amonceler sur eux la laine et l'édredon 25
Avant de les quitter en leur criant: pardon.
Elle n'a point prévu la froideur matinale,
Ni bien fermé le seuil à la bise hivernale?...
– Le rêve maternel, c'est le tiède tapis,
C'est le nid cotonneux où les enfants tapis, 30
Comme de beaux oiseaux que balancent les branches,
Dorment leur doux sommeil plein de visions
        [blanches!...
– Et là, – c'est comme un nid sans plumes, sans
        [chaleur,
Où les petits ont froid, ne dorment pas, ont peur;
Un nid que doit avoir glacé la bise amère... 35

III

Votre cœur l'a compris : – ces enfants sont sans mère,
Plus de mère au logis ! – et le père est bien loin[1]!...
– Une vieille servante, alors, en a pris soin.
Les petits sont tout seuls en la maison glacée ;
40   Orphelins de quatre ans, voilà qu'en leur pensée
S'éveille, par degrés, un souvenir riant...
C'est comme un chapelet qu'on égrène en priant :
– Ah ! quel beau matin, que ce matin des étrennes !
Chacun, pendant la nuit, avait rêvé des siennes
45   Dans quelque songe étrange où l'on voyait joujoux,
Bonbons habillés d'or, étincelants bijoux,
Tourbillonner, danser une danse sonore,
Puis fuir sous les rideaux, puis reparaître encore !
On s'éveillait matin, on se levait joyeux,
50   La lèvre affriandée[2], en se frottant les yeux...
On allait, les cheveux emmêlés sur la tête,
Les yeux tout rayonnants, comme aux grands jours de
                                  [fête,
Et les petits pieds nus effleurant le plancher,
Aux portes des parents tout doucement toucher...
55   On entrait !... Puis alors les souhaits... en chemise,
Les baisers répétés, et la gaîté permise[3].

IV

Ah ! c'était si charmant, ces mots dits tant de fois !
– Mais comme il est changé, le logis d'autrefois :
Un grand feu pétillait, clair, dans la cheminée,
60   Toute la vieille chambre était illuminée ;
Et les reflets vermeils, sortis du grand foyer,
Sur les meubles vernis aimaient à tournoyer...
– L'armoire était sans clefs !... sans clefs, la grande
                                    [armoire !

Ouais ! je comprends.

On regardait souvent sa porte brune et noire...
Sans clefs!... c'était étrange!... on rêvait bien des fois   65
Aux mystères dormant entre ses flancs de bois,
Et l'on croyait ouïr, au fond de la serrure
Béante, un bruit lointain, vague et joyeux murmure[1]...
– La chambre des parents est bien vide, aujourd'hui:
Aucun reflet vermeil sous la porte n'a lui;   70
Il n'est point de parents, de foyer, de clefs prises:
Partant, point de baisers, point de douces surprises!
Oh! que le jour de l'an sera triste pour eux!
– Et, tout pensifs, tandis que de leurs grands yeux bleus
Silencieusement tombe une larme amère,   75
Ils murmurent: «Quand donc reviendra notre mère?»
. . . .

V

Maintenant, les petits sommeillent tristement:
Vous diriez, à les voir, qu'ils pleurent en dormant,
Tant leurs yeux sont gonflés et leur souffle pénible!
Les tout petits enfants ont le cœur si sensible!   80
– Mais l'ange des berceaux[2] vient essuyer leurs yeux,
Et dans ce lourd sommeil met un rêve joyeux,
Un rêve si joyeux, que leur lèvre mi-close,
Souriante, semblait murmurer quelque chose...
– Ils rêvent que, penchés sur leur petit bras rond,   85
Doux geste du réveil, ils avancent le front,
Et leur vague regard tout autour d'eux se pose...
Ils se croient endormis dans un paradis rose...
Au foyer plein d'éclairs chante gaîment le feu...
Par la fenêtre on voit là-bas un beau ciel bleu;   90
La nature s'éveille et de rayons s'enivre...
La terre, demi-nue, heureuse de revivre,
A des frissons de joie aux baisers du soleil...
Et dans le vieux logis tout est tiède et vermeil:
Les sombres vêtements ne jonchent plus la terre,   95

La bise sous le seuil a fini par se taire...
On dirait qu'une fée a passé dans cela!...
– Les enfants, tout joyeux, ont jeté deux cris... Là,
Près du lit maternel, sous un beau rayon rose,
100 Là, sur le grand tapis, resplendit quelque chose...
Ce sont des médaillons argentés, noirs et blancs,
De la nacre et du jais aux reflets scintillants[1];
Des petits cadres noirs, des couronnes de verre,
Ayant trois mots gravés en or: «À NOTRE MÈRE!»

. . . .

UN CŒUR SOUS UNE SOUTANE[2]

INTIMITÉS D'UN SÉMINARISTE

... Ô Thimothina Labinette! Aujourd'hui que j'ai
revêtu la robe sacrée, je puis rappeler la passion,
maintenant refroidie et dormant sous la soutane, qui
l'an passé, fit battre mon cœur de jeune homme sous
ma capote de séminariste!...

1er mai 18...

... Voici le printemps. Le plant de vigne de l'abbé***
bourgeonne dans son pot de terre: l'arbre de la cour a
de petites pousses tendres comme des gouttes vertes
sur ses branches; l'autre jour, en sortant de l'étude,
j'ai vu à la fenêtre du second quelque chose comme le
champignon nasal du sup... Les souliers de J*** sentent un peu; et j'ai remarqué que les élèves sortent fort
souvent pour... dans la cour; eux qui vivaient à l'étude
comme des taupes, rentassés, enfoncés dans leur
ventre, tendant leur face rouge vers le poêle, avec une

haleine épaisse et chaude comme celle des vaches! Ils restent fort longtemps à l'air, maintenant, et, quand ils reviennent, ricanent, et referment l'isthme de leur pantalon fort minutieusement, – non, je me trompe, fort lentement, – avec des manières, en semblant se complaire, machinalement, à cette opération qui n'a rien en soi que de très futile...

2 mai. Le sup*** est descendu hier de sa chambre, et, en fermant les yeux, les mains cachées, craintif et frileux, il a traîné à quatre pas dans la cour ses pantoufles de chanoine!...

Voici mon cœur qui bat la mesure dans ma poitrine, et ma poitrine qui bat contre mon pupitre crasseux! Oh! je déteste maintenant le temps où les élèves étaient comme de grosses brebis suant dans leurs habits sales, et dormaient dans l'atmosphère empuantie de l'étude, sous la lumière du gaz, dans la chaleur fade du poêle!... J'étends mes bras! je soupire, j'étends mes jambes... Je sens des choses dans ma tête, oh! des choses!...

... 4 mai... Tenez, hier, je n'y tenais plus: j'ai étendu, comme l'ange Gabriel, les ailes de mon cœur. Le souffle de l'esprit sacré a parcouru mon être! J'ai pris ma lyre, et j'ai chanté:

> Approchez-vous,
> Grande Marie!
> Mère chérie!
> Du doux Jhésus!
> Sanctus Christus!
> Ô Vierge enceinte
> Ô mère sainte
> Exaucez-nous!

Ô! si vous saviez les effluves mystérieuses[1] qui secouaient mon âme pendant que j'effeuillais cette rose poétique! Je pris ma cithare, et comme le psalmiste, j'élevai ma voix innocente et pure dans les célestes altitudes!!! *O altitudo altitudinum!*...

. . . .

7 mai... Hélas! ma poésie a replié ses ailes, mais, comme Galilée, je dirai, accablé par l'outrage et le supplice: Et pourtant elle se meut! – lisez: elles se meuvent! – J'avais commis l'imprudence de laisser tomber la précédente confidence. J*** l'a ramassée, J***, le plus féroce des jansénistes, le plus rigoureux des séides du sup***, et l'a portée à son maître, en secret, mais le monstre, pour me faire sombrer sous l'insulte universelle, avait fait passer ma poésie dans les mains de tous ses amis!

Hier, le sup*** me mande: j'entre dans son appartement, je suis debout devant lui, fort de mon intérieur[2]. Sur son front chauve frissonnait comme un éclair furtif son dernier cheveu roux: ses yeux émergeaient de sa graisse, mais calmes, paisibles; son nez semblable à une batte était mû par son branle habituel: il chuchotait un *oremus*: il mouilla l'extrémité de son pouce, tourna quelques feuilles de livre, et sortit un petit papier crasseux, plié...

> Grananande Maarieie!. .
> Mèèèree Chééérieie!

Il ravalait ma poésie! il crachait sur ma rose! il faisait le Brid'oison, le Joseph, le bêtiot[3], pour salir, pour souiller ce chant virginal! Il bégayait et prolongeait chaque syllabe avec un ricanement de haine concentré: et quand il fut arrivé au cinquième vers,... *Vierge enceinteinte!* il s'arrêta, contourna sa nasale, et! il éclata!

Vierge enceinte! Vierge enceinte! il disait cela avec un ton, en fronçant avec un frisson son abdomen proéminent, avec un ton si affreux, qu'une pudique rougeur couvrit mon front. Je tombai à genoux, les bras vers le plafond, et je m'écriai: Ô mon père!...

. . . .

«Votre lyyyre! votre cithâre! jeune homme! votre cithâre! des effluves mystérieuses! qui vous secouaient l'âme! J'aurais voulu voir! Jeune âme, je remarque là dedans, dans cette confession impie, quelque chose de mondain, un abandon dangereux, de l'entraînement, enfin!»

Il se tut, fit frissonner de haut en bas son abdomen: puis, solennel:

«Jeune homme, avez-vous la foi?...

– Mon père, pourquoi cette parole? Vos lèvres plaisantent-elles?... Oui, je crois à tout ce que dit ma mère... la Sainte Église!

– Mais... Vierge enceinte!... C'est la conception, ça, jeune homme; c'est la conception!...

– Mon père! je crois à la conception...

– Vous avez raison! Jeune homme! C'est une chose...»

... Il se tut... – Puis: Le jeune J*** m'a fait un rapport où il constate chez vous un écartement des jambes, de jour en jour plus notoire, dans votre tenue à l'étude; il affirme vous avoir vu vous étendre de tout votre long sous la table, à la façon d'un jeune homme... dégingandé[1]. Ce sont des faits auxquels vous n'avez rien à répondre... Approchez-vous, à genoux, tout près de moi; je veux vous interroger avec douceur; répondez: vous écartez beaucoup vos jambes, à l'étude?

Puis il me mettait la main sur l'épaule, autour du cou, et ses yeux devenaient clairs, et il me faisait dire des choses sur cet écartement de jambes... Tenez, j'aime mieux vous dire que ce fut dégoûtant, moi qui

sais ce que cela veut dire, ces scènes-là!... Ainsi, on
m'avait mouchardé, on avait calomnié mon cœur et
ma pudeur, – et je ne pouvais rien dire à cela, les rapports, les lettres Anonymes des élèves les uns contre
les autres, au sup***, étant autorisées, et comman-
dées, – et je venais dans cette chambre, me f... sous la
main de ce gros!... Oh! le séminaire!...

. . . .

10 mai. Oh! mes condisciples sont effroyablement
méchants et effroyablement lascifs. À l'étude, ils savent
tous, ces profanes, l'histoire de mes vers, et, aussitôt
que je tourne la tête, je rencontre la face du poussif
D***, qui me chuchote: Et ta cithare? et ta cithare? et
ton journal? Puis l'idiot L*** reprend: Et ta lyre? et ta
cithare? Puis trois ou quatre chuchotent en chœur:
Grande Marie... Mère chérie!

Moi, je suis un grand benêt: – Jésus, je ne me donne
pas de coups de pied! – mais enfin, je ne moucharde
pas, je n'écris pas d'anonymes, et j'ai pour moi ma
sainte poésie et ma pudeur!...

12 mai...
Ne devinez-vous pas pourquoi je meurs d'amour?
La fleur me dit: salut: l'oiseau me dit bonjour:
Salut; c'est le printemps! c'est l'ange de tendresse?
Ne devinez-vous pas pourquoi je bous d'ivresse?
Ange de ma grand-mère, ange de mon berceau,
Ne devinez-vous pas que je deviens oiseau,
Que ma lyre frissonne et que je bats de l'aile
Comme hirondelle?...

J'ai fait ces vers-là hier, pendant la récréation; je
suis entré dans la chapelle, je me suis enfermé dans un

confessionnal, et là, ma jeune poésie a pu palpiter et s'envoler, dans le rêve et le silence, vers les sphères de l'amour. Puis, comme on vient m'enlever mes moindres papiers dans mes poches, la nuit et le jour, j'ai cousu ces vers en bas de mon dernier vêtement, celui qui touche immédiatement à ma peau, et, pendant l'étude, je tire, sous mes habits, ma poésie sur mon cœur, et je la presse longuement, en rêvant...

15 mai – Les événements se sont bien pressés, depuis ma dernière confidence, et des événements bien solennels, des événements qui doivent influer sur ma vie future et intérieure d'une façon sans doute bien terrible !

      Thimothina Labinette, je t'adore !
      Thimothina Labinette, je t'adore ! je t'adore !
laisse-moi chanter sur mon luth, comme le divin Psalmiste sur son Psaltérion, comment je t'ai vue, et comment mon cœur a sauté sur le tien pour un éternel amour !

Jeudi, c'était jour de sortie : nous, nous sortons deux heures ; je suis sorti : ma mère, dans sa dernière lettre, m'avait dit : «... tu iras, mon fils, occuper superficiellement ta sortie chez M. Césarin Labinette, un habitué à ton feu père, auquel il faut que tu sois présenté un jour ou l'autre avant ton ordination ;...»

... Je me présentai à M. Labinette, qui m'obligea beaucoup en me reléguant, sans mot dire, dans sa cuisine : sa fille, Thimothine, resta seule avec moi, saisit un linge, essuya un gros bol ventru en l'appuyant contre son cœur, et me dit tout à coup, après un long silence : Eh bien, monsieur Léonard ?...

Jusque-là, confondu de me voir avec cette jeune créature dans la solitude de cette cuisine, j'avais baissé les yeux et invoqué dans mon cœur le nom sacré de

Marie : je relevai le front en rougissant, et, devant la beauté de mon interlocutrice, je ne pus que balbutier un faible : Mademoiselle ?...

Thimothine ! tu étais belle ! Si j'étais peintre, je reproduirais sur la toile tes traits sacrés sous ce titre : La Vierge au bol ! Mais je ne suis que poète, et ma langue ne peut te célébrer qu'incomplètement...

La cuisinière noire, avec ses trous où flamboyaient les braises comme des yeux rouges, laissait échapper, de ses casseroles à minces filets de fumée, une odeur céleste de soupe aux choux et de haricots ; et devant elle, aspirant avec ton doux nez l'odeur de ces légumes, regardant ton gros chat avec tes beaux yeux gris, ô Vierge au bol, tu essuyais ton vase ! les bandeaux plats et clairs de tes cheveux se collaient pudiquement sur ton front jaune comme le soleil ; de tes yeux courait un sillon bleuâtre jusqu'au milieu de ta joue, comme à Santa Teresa[1] ton nez, plein de l'odeur des haricots, soulevait ses narines délicates ; un duvet léger, serpentant sur tes lèvres, ne contribuait pas peu à donner une belle énergie à ton visage ; et, à ton menton, brillait un beau signe brun où frissonnaient de beaux poils follets : tes cheveux étaient sagement retenus à ton occiput par des épingles ; mais une courte mèche s'en échappait... Je cherchai vainement tes seins ; tu n'en as pas : tu dédaignes ces ornements mondains : ton cœur est tes seins !... Quand tu te retournas pour frapper de ton pied large ton chat doré, je vis tes omoplates saillant et soulevant ta robe, et je fus percé d'amour, devant le tortillement gracieux des deux arcs prononcés de tes reins !...

Dès ce moment, je t'adorai : j'adorais, non pas tes cheveux, non pas tes omoplates, non pas ton tortillement inférieurement postérieur : ce que j'aime en une femme, en une vierge, c'est la modestie sainte ; ce qui me fait bondir d'amour, c'est la pudeur et la piété ; c'est ce que j'adorai en toi, jeune bergère !...

Je tâchais de lui faire voir ma passion; et, du reste,
mon cœur, mon cœur me trahissait! Je ne répondais
que par des paroles entrecoupées à ses interrogations;
plusieurs fois, je lui dis Madame, au lieu de Mademoiselle, dans mon trouble! Peu à peu, aux accents
magiques de sa voix, je me sentais succomber; enfin je
résolus de m'abandonner, de lâcher tout: et, à je ne
sais plus quelle question qu'elle m'adressa, je me renversai en arrière sur ma chaise, je mis une main sur
mon cœur, de l'autre, je saisis dans ma poche un chapelet dont je laissai passer la croix blanche, et, un œil
vers Thimothine, l'autre au ciel, je répondis doulou-
reusement et tendrement, comme un cerf à une biche:
«Oh! oui! Mademoiselle... Thimothina!!!!»
Miserere! miserere! – Dans mon œil ouvert délicieusement vers le plafond tombe tout à coup une goutte
de saumure, dégouttant d'un jambon planant au-
dessus de moi, et, lorsque, tout rouge de honte, réveillé
dans ma passion, je baissai mon front, je m'aperçus
que je n'avais dans ma main gauche, au lieu d'un chapelet, qu'un biberon brun; – ma mère me l'avait confié
l'an passé pour le donner au petit de la mère chose! –
De l'œil que je tendais au plafond découla la saumure
amère: – mais, de l'œil qui te regardait, ô Thimothina,
une larme coula, larme d'amour, et larme de douleur!...

. . . .

Quelque temps, une heure après, quand Thimothina
m'annonça une collation composée de haricots et
d'une omelette au lard, tout ému de ses charmes, je
répondis à mi-voix: «J'ai le cœur si plein, voyez-vous,
que cela me ruine l'estomac!» Et je me mis à table;
Oh! je le sens encore, son cœur avait répondu au mien
dans son appel: pendant la courte collation, elle ne
mangea pas:
«Ne trouves-tu pas qu'on sent un goût?» répétait-

elle; son père ne comprenait pas; mais mon cœur le comprit: c'était la Rose de David, la Rose de Jessé, la Rose mystique de l'écriture; c'était l'amour!

Elle se leva brusquement, alla dans un coin de la cuisine, et, me montrant la double fleur de ses reins, elle plongea son bras dans un tas informe de bottes, de chaussures diverses, d'où s'élança son gros chat; et jeta tout cela dans un vieux placard vide; puis elle retourna à sa place, et interrogea l'atmosphère d'une façon inquiète; tout à coup, elle fronça le front, et s'écria:

«Cela sent encore!...

– Oui, cela sent», répondit son père assez bêtement: (il ne pouvait comprendre, lui, le profane!)

Je m'aperçus bien que tout cela n'était dans ma chère vierge que les mouvements intérieurs de sa passion! Je l'adorais et je savourais avec amour l'omelette dorée, et mes mains battaient la mesure avec la fourchette, et, sous la table, mes pieds frissonnaient d'aise dans mes chaussures!...

Mais, ce qui me fut un trait de lumière, ce qui me fut comme un gage d'amour éternel, comme un diamant de tendresse de la part de Thimothina, ce fut l'adorable obligeance qu'elle eut, à mon départ, de m'offrir une paire de chaussettes blanches, avec un sourire et ces paroles:

«Voulez-vous cela pour vos pieds, Monsieur Léonard?»

. . . .

16 mai. – Thimothina! je t'adore, toi et ton père, toi et ton chat:

Thimothina
$$\left\{ \begin{array}{l} \textit{... Vas devotionis,} \\ \textit{Rosa mystica,} \\ \textit{Turris davidica,} \\ \textit{Cœli porta,} \\ \textit{Stella maris,} \end{array} \right. \qquad \textit{Ora pro nobis!}$$

17 mai. – Que m'importent à présent les bruits du monde et les bruits de l'étude ? Que m'importent ceux que la paresse et la langueur courbent à mes côtés ? Ce matin, tous les fronts, appesantis par le sommeil, étaient collés aux tables ; un ronflement, pareil au cri du clairon du jugement dernier, un ronflement sourd et lent s'élevait de ce vaste Gethsémani. Moi, stoïque, serein, droit, et m'élevant au-dessus de tous ces morts comme un palmier au-dessus des ruines, méprisant les odeurs et les bruits incongrus, je portais ma tête dans ma main, j'écoutais battre mon cœur plein de Thimothina, et mes yeux se plongeaient dans l'azur du ciel, entrevu par la vitre supérieure de la fenêtre !...

18 mai : Merci à l'Esprit-Saint qui m'a inspiré ces vers charmants : ces vers, je vais les enchâsser dans mon cœur ; et, quand le ciel me donnera de revoir Thimothina, je les lui donnerai, en échange de ses chaussettes !...

Je l'ai intitulée «*La Brise*» :

> Dans sa retraite de coton
> Dort le zéphyr à douce haleine :
> Dans son nid de soie et de laine
> Dort le zéphyr au gai menton !
>
> Quand le zéphyr lève son aile
> Dans sa retraite de coton,
> Quand il court où la fleur l'appelle,
> Sa douce haleine sent bien bon !
>
> Ô brise quintessenciée !
> Ô quintessence de l'amour !
> Quand la rosée est essuyée,
> Comme ça sent bon dans le jour !

Jésus! Joseph! Jésus! Marie!
C'est comme une aile de condor
Assoupissant celui qui prie!
Ça nous pénètre et nous endort!

. . . .

La fin est trop intérieure et trop suave: je la conserve
dans le tabernacle de mon âme. À la prochaine sortie,
je lirai cela à ma divine et odorante Thimothina.
Attendons dans le calme et le recueillement.

. . . .

Date incertaine. – Attendons!...

16 juin! – Seigneur, que votre volonté se fasse: je n'y
mettrai aucun obstacle! Si vous voulez détourner de
votre serviteur l'amour de Thimothina, libre à vous,
sans doute: mais, Seigneur Jésus, n'avez-vous pas aimé
vous-même, et la lance de l'amour[1] ne vous a-t-elle pas
appris à condescendre aux souffrances des malheureux! Priez pour moi!

Oh! j'attendais depuis longtemps cette sortie de
deux heures du 15 juin: j'avais contraint mon âme, en
lui disant: Tu seras libre ce jour-là: le quinze juin, je
m'étais peigné mes quelques cheveux modestes, et,
usant d'une odorante pommade rose, je les avais collés
sur mon front, comme les bandeaux de Thimothina; je
m'étais pommadé les sourcils; j'avais minutieusement
brossé mes habits noirs, comblé adroitement certains
déficits[2] fâcheux dans ma toilette, et je me présentai à
la sonnette espérée de M. Césarin Labinette. Il arriva,
après un assez long temps, la calotte un peu crâne-
ment sur l'oreille, une mèche de cheveux raide et fort
pommadée lui cinglant la face comme une balafre, une

main dans la poche de sa robe de chambre à fleurs jaunes, l'autre sur le loquet... Il me jeta un bonjour sec, fronça le nez en jetant un coup d'œil sur mes souliers à cordons noirs, et s'en alla devant moi, les mains dans ses deux poches, ramenant en devant sa robe de chambre, comme fait l'abbé*** avec sa soutane, et modelant ainsi à mes regards sa partie inférieure.

Je le suivis.

Il traversa la cuisine, et j'entrai après lui dans son salon. Oh! ce salon! je l'ai fixé dans ma mémoire avec les épingles du souvenir! La tapisserie était à fleurs brunes; sur la cheminée, une énorme pendule en bois noir, à colonnes; deux vases bleus avec des roses; sur les murs, une peinture de la bataille d'Inkermann; et un dessin au crayon, d'un ami de Césarin, représentant un moulin avec sa meule souffletant un petit ruisseau semblable à un crachat, dessin que charbonnent tous ceux qui commencent à dessiner. La poésie est bien préférable!...

Au milieu du salon, une table à tapis vert, autour de laquelle mon cœur ne vit que Thimothina, quoiqu'il s'y trouvât un ami de M. Césarin, ancien exécuteur des œuvres sacristaines dans la paroisse de ***, et son épouse, Madame de Riflandouille[1], et que M. Césarin lui-même vînt s'y accouder de nouveau, aussitôt mon entrée.

Je pris une chaise rembourrée, songeant qu'une partie de moi-même allait s'appuyer sur une tapisserie faite sans doute par Thimothina, je saluai tout le monde, et, mon chapeau noir posé sur la table, devant moi, comme un rempart, j'écoutai...

Je ne parlais pas, mais mon cœur parlait! Les messieurs continuèrent la partie de cartes commencée: je remarquai qu'ils trichaient à qui mieux mieux, et cela me causa une surprise assez douloureuse. – La partie terminée, ces personnes s'assirent en cercle autour de la cheminée vide; j'étais à un des coins, presque caché par l'énorme ami de Césarin, dont la chaise seule me séparait de Thimothina; je fus content en moi-même du peu d'attention que l'on faisait à ma personne; relégué derrière la chaise du sacristain honoraire, je pouvais laisser voir sur mon visage les mouvements de mon cœur sans être remarqué de personne: je me livrai donc à un doux abandon; et je laissai la conversation s'échauffer et s'engager entre ces trois personnes; car Thimothina ne parlait que rarement; elle jetait sur son séminariste des regards d'amour, et, n'osant le regarder en face, elle dirigeait ses yeux clairs vers mes souliers bien cirés!... Moi, derrière le gros sacristain, je me livrais à mon cœur.

Je commençai par me pencher du côté de Thimothina, en levant les yeux au ciel. Elle était retournée. Je me relevai, et, la tête baissée vers ma poitrine, je poussai un soupir; elle ne bougea pas. Je remis mes boutons, je fis aller mes lèvres, je fis un léger signe de croix; elle ne vit rien. Alors, transporté, furieux d'amour, je me baissai très fort vers elle, en tenant mes mains comme à la communion, et en poussant un ah!... prolongé et douloureux; *Miserere!* tandis que je gesticulais, que je priais, je tombai de ma chaise avec un bruit sourd, et le gros sacristain se retourna en ricanant, et Thimothina dit à son père:

«Tiens, M. Léonard qui coule par terre!»

Son père ricana! *Miserere!*

Le sacristain me repiqua, rouge de honte et faible d'amour, sur ma chaise rembourrée, et me fit une place. Mais je baissai les yeux, je voulus dormir! Cette société m'était importune, elle ne devinait pas l'amour qui souffrait là dans l'ombre: je voulus dormir! mais j'entendis la conversation se tourner sur moi!...

Je rouvris faiblement les yeux...

Césarin et le sacristain fumaient chacun un cigare maigre, avec toutes les mignardises possibles, ce qui rendait leurs personnes effroyablement ridicules;

madame la sacristaine, sur le bord de sa chaise, sa poitrine cave penchée en avant, ayant derrière elle tous les flots de sa robe jaune, qui lui bouffaient jusqu'au cou, et épanouissant autour d'elle son unique volant, effeuillait délicieusement une rose : un sourire affreux entr'ouvrait ses lèvres, et montrait à ses gencives maigres deux dents noires, jaunes, comme la faïence d'un vieux poêle. — Toi, Thimothina, tu étais belle, avec ta collerette blanche, tes yeux baissés, et tes bandeaux plats !

« C'est un jeune homme d'avenir : son présent inaugure son futur, disait en laissant aller un flot de fumée grise le sacristain…

— Oh ! M. Léonard illustrera la robe ! », nasilla la sacristaine : les deux dents parurent !…

Moi je rougissais, à la façon d'un garçon de bien ; je vis que les chaises s'éloignaient de moi, et qu'on chuchotait sur mon compte…

Thimothina regardait toujours mes souliers ; les deux sales dents me menaçaient… le sacristain riait ironiquement : j'avais toujours la tête baissée !…

« Lamartine est mort[1]… » dit tout à coup Thimothina.

Chère Thimothine ! C'était pour ton adorateur, pour ton pauvre poète Léonard, que tu jetais dans la conversation ce nom de Lamartine ; alors je relevai le front, je sentis que la pensée seule de la poésie allait refaire une virginité à tous ces profanes, je sentais mes ailes palpiter, et je dis, rayonnant, l'œil sur Thimothina :

« Il avait de beaux fleurons à sa couronne, l'auteur des *Méditations poétiques* !

— Le cygne des vers est défunt ! dit la sacristaine.

— Oui, mais il a chanté son chant funèbre, repris-je, enthousiasmé.

— Mais, s'écria la sacristaine, M. Léonard est poète aussi ! Sa mère m'a montré l'an passé des essais de sa muse… »

Je jouai d'audace :

«Oh! Madame, je n'ai apporté ni ma lyre ni ma cithare; mais...

– Oh! votre cithare! vous l'apporterez un autre jour...

– Mais, ce néanmoins, si cela ne déplaît pas à l'honorable, – et je tirais un morceau de papier de ma poche, – je vais vous lire quelques vers... Je les dédie à mademoiselle Thimothina.

– Oui! oui! jeune homme! très bien! récitez, récitez, mettez-vous au bout de la salle...»

Je me reculai... Thimothine regardait mes souliers... La sacristaine faisait la Madone; les deux messieurs se penchaient l'un vers l'autre... Je rougis, je toussai, et je dis en chantant tendrement:

> Dans sa retraite de coton
> Dort le zéphyr à douce haleine
> Dans son nid de soie et de laine
> Dort le zéphyr au gai menton.

Toute l'assistance pouffa de rire: les messieurs se penchaient l'un vers l'autre en faisant de grossiers calembours; mais ce qui était surtout effroyable, c'était l'air de la sacristaine, qui, l'œil au ciel, faisait la mystique, et souriait avec ses dents affreuses! Thimothina, Thimothina crevait de rire! cela me perça d'une atteinte mortelle, Thimothina se tenait les côtes!... «Un doux zéphyr dans du coton, c'est suave, c'est suave!...» faisait en reniflant le père Césarin... Je crus m'apercevoir de quelque chose... mais cet éclat de rire ne dura qu'une seconde: tous essayèrent de reprendre leur sérieux qui pétait encore de temps en temps...

«Continuez, jeune homme, c'est bien, c'est bien!»

> Quand le zéphyr lève son aile
> Dans sa retraite de coton, ...
> Quand il court où la fleur l'appelle,
> Sa douce haleine sent bien bon...

Cette fois, un gros rire secoua mon auditoire; Thimothina regarda mes souliers: j'avais chaud, mes pieds brûlaient sous son regard, et nageaient dans la sueur; car je disais: ces chaussettes que je porte depuis un mois, c'est un don de son amour, ces regards qu'elle jette sur mes pieds, c'est un témoignage de son amour; elle m'adore!

Et voici que je ne sais quel petit goût me parut sortir de mes souliers: oh! je compris les rires horribles de l'assemblée! Je compris qu'égarée dans cette société méchante, Thimothina Labinette, Thimothina ne pourrait jamais donner un libre cours à sa passion! Je compris qu'il me fallait dévorer, à moi aussi, cet amour douloureux éclos dans mon cœur une après-midi de mai, dans une cuisine des Labinette, devant le tortillement postérieur de la Vierge au bol!

– Quatre heures, l'heure de la rentrée, sonnaient à la pendule du salon; éperdu, brûlant d'amour et fou de douleur, je saisis mon chapeau, je m'enfuis en renversant une chaise, je traversai le corridor en murmurant: J'adore Thimothine, et je m'enfuis au séminaire sans m'arrêter...

Les basques de mon habit noir volaient derrière moi, dans le vent, comme des oiseaux sinistres!...

. . . .
. . . .

30 juin. Désormais, je laisse à la muse divine le soin de bercer ma douleur; martyr d'amour à dix-huit ans, et, dans mon affliction, pensant à un autre martyr du sexe qui fait nos joies et nos bonheurs, n'ayant plus celle que j'aime, je vais aimer la foi! Que le Christ, que Marie me pressent sur leur sein: je les suis: je ne suis pas digne de dénouer les cordons des souliers de Jésus; mais ma douleur! mais mon supplice! Moi aussi, à dix-huit ans

et sept mois, je porte une croix, une couronne d'épines ! mais, dans la main, au lieu d'un roseau, j'ai une cithare ! Là sera le dictame à ma plaie !...

. . . .

– Un an après, 1er août. – Aujourd'hui, on m'a revêtu de la robe sacrée ; je vais servir Dieu ; j'aurai une cure et une modeste servante dans un riche village. J'ai la foi ; je ferai mon salut, et sans être dispendieux, je vivrai comme un bon serviteur de Dieu avec sa servante. Ma mère la sainte Église me réchauffera dans son sein : qu'elle soit bénie ! que Dieu soit béni !

... Quant à cette passion cruellement chérie que je renferme au fond de mon cœur, je saurai la supporter avec confiance : sans la raviver précisément, je pourrai m'en rappeler quelquefois le souvenir ; ces choses-là sont bien douces ! – Moi, du reste, j'étais né pour l'amour et pour la foi ! – Peut-être un jour, revenu dans cette ville, aurai-je le bonheur de confesser ma chère Thimothina ?... Puis, je conserve d'elle un doux souvenir : depuis un an, je n'ai pas défait les chaussettes qu'elle m'a données...

Ces chaussettes-là, mon Dieu ! je les garderai à mes pieds jusque dans votre saint Paradis !...

Les Cahiers de Douai

LES REPARTIES DE NINA[1]

. . . .

LUI – Ta poitrine sur ma poitrine,
          Hein ? nous irions,
    Ayant de l'air plein la narine,
          Aux frais rayons   4

    Du bon matin bleu, qui vous baigne
          Du vin de jour ?...
    Quand tout le bois frissonnant saigne
          Muet d'amour,   8

    De chaque branche, gouttes vertes,
          Des bourgeons clairs,
    On sent dans les choses ouvertes
          Frémir des chairs :   12

    Tu plongerais dans la luzerne
          Ton blanc peignoir,
    Rosant à l'air ce bleu qui cerne
          Ton grand œil noir,   16

    Amoureuse de la campagne,
          Semant partout,

Comme une mousse de champagne,
        Ton rire fou :

Riant à moi, brutal d'ivresse,
        Qui te prendrais
Comme cela, – la belle tresse,
        Oh ! – qui boirais

Ton goût de framboise et de fraise,
        Ô chair de fleur !
Riant au vent vif qui te baise
        Comme un voleur,

Au rose églantier qui t'embête
        Aimablement :
Riant surtout, ô folle tête,
        À ton amant[1] !...

. . . .

– Ta poitrine sur ma poitrine,
        Mêlant nos voix,
Lents, nous gagnerions la ravine,
        Puis les grands bois !...

Puis, comme une petite morte,
        Le cœur pâmé,
Tu me dirais que je te porte,
        L'œil mi-fermé...

Je te porterais, palpitante,
        Dans le sentier :
L'oiseau filerait son andante :
        AU NOISETIER...

Je te parlerais dans ta bouche :
        J'irais, pressant
Ton corps, comme une enfant qu'on couche,
        Ivre du sang

Qui coule, bleu, sous ta peau blanche
    Aux tons rosés :
Et te parlant la langue franche...
    Tiens !... – que tu sais...   52

Nos grands bois sentiraient la sève
    Et le soleil
Sablerait d'or fin leur grand rêve
    Vert et vermeil !   56

. . . .

Le soir ?... Nous reprendrons la route
    Blanche qui court,
Flânant, comme un troupeau qui broute,
    Tout à l'entour...   60

Les bons vergers à l'herbe bleue,
    Aux pommiers tors !
Comme on les sent toute une lieue
    Leurs parfums forts [1] !   64

Nous regagnerons le village
    Au ciel mi-noir ;
Et ça sentira le laitage
    Dans l'air du soir ;   68

Ça sentira l'étable, pleine
    De fumiers chauds,
Pleine d'un lent rythme d'haleine,
    Et de grands dos   72

Blanchissant sous quelque lumière !
    Et, tout là-bas,
Une vache fientera, fière,
    À chaque pas...   76

            – Les lunettes de la grand'mère
                    Et son nez long
        Dans son missel ; le pot de bière
80   Cerclé de plomb,

        Moussant entre les larges pipes
                    Qui, crânement,
        Fument : les effroyables lippes
84   Qui, tout fumant,

        Happent le jambon aux fourchettes,
                    Tant, tant et plus :
        Le feu qui claire[1] les couchettes
88   Et les bahuts.

        Les fesses luisantes et grasses
                    D'un gros enfant
        Qui fourre, à genoux, dans les tasses,
92   Son museau blanc

        Frôlé par un mufle qui gronde
                    D'un ton gentil,
        Et pourlèche la face ronde
96   Du cher petit[2]...

        . . . .

        Que de choses verrons-nous, chère,
                    Dans ces taudis,
        Quand la flamme illumine, claire,
100   Les carreaux gris !...

            – Puis, petite et toute nichée
                    Dans les lilas
        Noirs et frais : la vitre cachée,
104   Qui rit là-bas...

Tu viendras, tu viendras, je t'aime !
Ce sera beau.
Tu viendras, n'est-ce pas, et même...

ELLE — ET MON BUREAU[1] ? 108

VÉNUS ANADYOMÈNE[2]

Comme d'un cercueil vert en fer blanc, une tête
De femme à cheveux bruns fortement pommadés[3]
D'une vieille baignoire émerge, lente et bête,
Avec des déficits assez mal ravaudés ; 4

Puis le col gras et gris, les larges omoplates
Qui saillent ; le dos court qui rentre et qui ressort ;
Puis les rondeurs des reins semblent prendre l'essor ;
La graisse sous la peau paraît en feuilles plates ; 8

L'échine est un peu rouge, et le tout sent un goût
Horrible étrangement ; on remarque surtout
Des singularités qu'il faut voir à la loupe...

Les reins portent deux mots gravés : CLARA VENUS ; 12
— Et tout ce corps remue et tend sa large croupe
Belle hideusement d'un ulcère à l'anus[4].

☆

> «*... Français de soixante-dix, bonapartistes,
> républicains, souvenez-vous de vos pères en 92;
> etc.;*»

. . . .

Paul de Cassagnac[1]
Le Pays

Morts de Quatre-vingt-douze et de Quatre-vingt-treize[2],
Qui, pâles du baiser fort de la liberté,
Calmes, sous vos sabots, brisiez le joug qui pèse
4 Sur l'âme et sur le front de toute humanité;

Hommes extasiés et grands dans la tourmente,
Vous dont les cœurs sautaient d'amour sous les haillons,
Ô Soldats que la Mort a semés, noble Amante,
8 Pour les régénérer, dans tous les vieux sillons;

Vous dont le sang lavait toute grandeur salie,
Morts de Valmy, Morts de Fleurus, Morts d'Italie[3],
Ô million de Christs aux yeux sombres et doux;

12 Nous vous laissions dormir avec la République,
Nous, courbés sous les rois comme sous une trique.
– MESSIEURS DE CASSAGNAC[4] nous reparlent de
                                               [vous!

Fait à MAZAS, 3 septembre 1870[5].

PREMIÈRE SOIRÉE[1]

«– Elle était fort déshabillée
Et de grands arbres indiscrets
Aux vitres jetaient leur feuillée
Malinement[2], tout près, tout près.   4

Assise sur ma grande chaise,
Mi-nue, elle joignait les mains,
Sur le plancher frissonnaient d'aise
Ses petits pieds si fins, si fins.   8

– Je regardai, couleur de cire,
Un petit rayon buissonnier
Papillonner dans son sourire
Et sur son sein, – mouche au rosier!   12

– Je baisai ses fines chevilles.
Elle eut un doux rire brutal
Qui s'égrenait en claires trilles,
Un joli rire de cristal...   16

Les petits pieds sous la chemise
Se sauvèrent: «Veux-tu finir!».
– La première audace permise,
Le rire feignait de punir!   20

– Pauvrets palpitants sous ma lèvre,
Je baisai doucement ses yeux:
– Elle jeta sa tête mièvre
En arrière: «Oh! c'est encor mieux!..   24

«Monsieur, j'ai deux mots à te dire...»
– Je lui jetai le reste au sein
Dans un baiser, qui la fit rire
D'un bon rire qui voulait bien...   28

– Elle était fort déshabillée
Et de grands arbres indiscrets
Aux vitres jetaient leur feuillée
32   Malinement, tout près, tout près[1].

SENSATION[2]

Par les soirs bleus d'été, j'irai dans les sentiers,
Picoté par les blés, fouler l'herbe menue :
Rêveur, j'en sentirai la fraîcheur à mes pieds.
4   Je laisserai le vent baigner ma tête nue.

Je ne parlerai pas, je ne penserai rien :
Mais l'amour infini me montera dans l'âme,
Et j'irai loin, bien loin, comme un bohémien,
8   Par la Nature, – heureux comme avec une femme.

Mars 1870.

BAL DES PENDUS[3]

Au gibet noir, manchot aimable,
Dansent, dansent les paladins,
Les maigres paladins du diable,
4   Les squelettes de Saladins.

Messire Belzebuth tire par la cravate
Ses petits pantins noirs grimaçant sur le ciel,
Et, leur claquant au front un revers de savate,
8   Les fait danser, danser aux sons d'un vieux Noël !

Et les pantins choqués enlacent leurs bras grêles :
Comme des orgues noirs, les poitrines à jour
Que serraient autrefois les gentes damoiselles,
Se heurtent longuement dans un hideux amour.   12

Hurrah ! Les gais danseurs, qui n'avez plus de panse !
On peut cabrioler, les tréteaux sont si longs !
Hop ! qu'on ne sache plus si c'est bataille ou danse !
Belzebuth enragé racle ses violons !   16

Ô durs talons, jamais on n'use sa sandale !
Presque tous ont quitté la chemise de peau :
Le reste est peu gênant et se voit sans scandale.
Sur les crânes, la neige applique un blanc chapeau :   20

Le corbeau fait panache à ces têtes fêlées,
Un morceau de chair tremble à leur maigre menton.
On dirait, tournoyant dans les sombres mêlées,
Des preux, raides, heurtant armures de carton.   24

Hurrah ! La bise siffle au grand bal des squelettes !
Le gibet noir mugit comme un orgue de fer !
Les loups vont répondant des forêts violettes[1] :
À l'horizon, le ciel est d'un rouge d'enfer...   28

Holà, secouez-moi ces capitans funèbres
Qui défilent, sournois, de leurs gros doigts cassés
Un chapelet d'amour sur leurs pâles vertèbres :
Ce n'est pas un moustier ici, les trépassés !   32

Oh ! voilà qu'au milieu de la danse macabre
Bondit dans le ciel rouge un grand squelette fou
Emporté par l'élan, comme un cheval se cabre :
Et, se sentant encor la corde raide au cou,   36

Crispe ses petits doigts sur son fémur qui craque
Avec des cris pareils à des ricanements,

Et, comme un baladin rentre dans la baraque,
40 Rebondit dans le bal au chant des ossements.

    Au gibet noir, manchot aimable,
    Dansent, dansent les paladins,
    Les maigres paladins du diable,
44   Les squelettes de Saladins.

LES EFFARÉS[1]

    Noirs dans la neige et dans la brume
    Au grand soupirail qui s'allume,
3   Leurs culs en rond,

    À genoux, cinq petits, – misère ! –
    Regardent le boulanger faire
6   Le lourd pain blond...

    Ils voient le fort bras blanc qui tourne
    La pâte grise, et qui l'enfourne
9   Dans un trou clair.

    Ils écoutent le bon pain cuire.
    Le boulanger au gras sourire
12   Chante un vieil air.

    Ils sont blottis, pas un ne bouge,
    Au souffle du soupirail rouge,
15   Chaud comme un sein.

    Et quand, pendant que minuit sonne,
    Façonné, pétillant et jaune,
18   On sort le pain ;

Quand, sous les poutres enfumées,
Chantent les croûtes parfumées,
    Et les grillons,   21

Que ce trou chaud souffle la vie
Ils ont leur âme si ravie
    Sous leurs haillons,   24

Ils se ressentent si bien vivre,
Les pauvres petits pleins de givre!
    – Qu'ils sont là, tous,   27

Collant leurs petits museaux roses
Au grillage, chantant des choses,
    Entre les trous,   30

    Mais bien bas, – comme une prière...
Repliés vers cette lumière
    Du ciel rouvert,   33

– Si fort, qu'ils crèvent leur culotte,
– Et que leur lange blanc tremblote[1]
    Au vent d'hiver...   36

20 sept[embre 18]70.

ROMAN[2]

I

On n'est pas sérieux, quand on a dix-sept ans.
– Un beau soir, foin des bocks et de la limonade,
Des cafés tapageurs aux lustres éclatants!
– On va sous les tilleuls verts de la promenade.   4

Les tilleuls sentent bon dans les bons soirs de juin!
L'air est parfois si doux, qu'on ferme la paupière;
Le vent chargé de bruits, – la ville n'est pas loin, –
8 A des parfums de vigne et des parfums de bière...

II

– Voilà qu'on aperçoit un tout petit chiffon
D'azur sombre, encadré d'une petite branche,
Piqué d'une mauvaise étoile, qui se fond
12 Avec de doux frissons, petite et toute blanche...

Nuit de juin! Dix-sept ans! – On se laisse griser.
La sève est du champagne et vous monte à la tête...
On divague; on se sent aux lèvres un baiser
16 Qui palpite là, comme une petite bête...

III

Le cœur fou Robinsonne[1] à travers les romans,
– Lorsque, dans la clarté d'un pâle réverbère,
Passe une demoiselle aux petits airs charmants,
20 Sous l'ombre du faux-col effrayant de son père...

Et, comme elle vous trouve immensément naïf,
Tout en faisant trotter ses petites bottines,
Elle se tourne, alerte et d'un mouvement vif...
24 – Sur vos lèvres alors meurent les cavatines...

IV

Vous êtes amoureux. Loué jusqu'au mois d'août.
Vous êtes amoureux. – Vos sonnets La font rire.

Tous vos amis s'en vont, vous êtes mauvais goût.
– Puis l'adorée, un soir, a daigné vous écrire... !   28

– Ce soir-là,... – vous rentrez aux cafés éclatants,
Vous demandez des bocks ou de la limonade..
– On n'est pas sérieux, quand on a dix-sept ans
Et qu'on a des tilleuls verts sur la promenade.   32

29 sept[embre 18]70.

RAGES DE CÉSARS[1]

L'Homme pâle, le long des pelouses fleuries[2],
Chemine, en habit noir, et le cigare aux dents :
L'Homme pâle repense aux fleurs des Tuileries[3]
– Et parfois son œil terne a des regards ardents...   4

Car l'Empereur est soûl de ses vingt ans d'orgie !
Il s'était dit : « Je vais souffler la Liberté
Bien délicatement, ainsi qu'une bougie ! »
La Liberté revit ! Il se sent éreinté !   8

Il est pris. – Oh ! quel nom sur ses lèvres muettes
Tressaille ? Quel regret implacable le mord ?
On ne le saura pas. L'Empereur a l'œil mort.

Il repense peut-être au Compère en lunettes[4]...   12
– Et regarde filer de son cigare en feu,
Comme aux soirs de Saint-Cloud, un fin nuage bleu.

LE MAL[1]

Tandis que les crachats rouges de la mitraille
Sifflent tout le jour par l'infini du ciel bleu ;
Qu'écarlates ou verts[2], près du Roi qui les raille,
4   Croulent les bataillons en masse dans le feu ;

Tandis qu'une folie épouvantable broie
Et fait de cent milliers d'hommes un tas fumant ;
– Pauvres morts ! dans l'été, dans l'herbe, dans ta joie,
8   Nature ! ô toi qui fis ces hommes saintement !... –

– Il est un Dieu, qui rit aux nappes damassées
Des autels, à l'encens, aux grands calices d'or ;
Qui dans le bercement des hosannah s'endort,

12   Et se réveille, quand des mères, ramassées
Dans l'angoisse, et pleurant sous leur vieux bonnet noir,
Lui donnent un gros sou lié dans leur mouchoir !

OPHÉLIE[3]

I

Sur l'onde calme et noire où dorment les étoiles,
La blanche Ophélia flotte comme un grand lys,
Flotte très lentement, couchée en ses longs voiles...
4   – On entend dans les bois lointains des hallalis.

Voici plus de mille ans que la triste Ophélie
Passe, fantôme blanc, sur le long fleuve noir ;
Voici plus de mille ans que sa douce folie
8   Murmure sa romance à la brise du soir...

Le vent baise ses seins et déploie en corolle
Ses grands voiles bercés mollement par les eaux ;
Les saules frissonnants pleurent sur son épaule,
Sur son grand front rêveur s'inclinent les roseaux.   12

Les nénuphars froissés soupirent autour d'elle ;
Elle éveille parfois, dans un aune qui dort,
Quelque nid, d'où s'échappe un petit frisson d'aile :
– Un chant mystérieux tombe des astres d'or...   16

II

Ô pâle Ophélia ! belle comme la neige !
Oui tu mourus, enfant, par un fleuve emporté !
– C'est que les vents tombant des grands monts de
[Norwège[1]
T'avaient parlé tout bas de l'âpre liberté ;   20

C'est qu'un souffle, tordant ta grande chevelure,
À ton esprit rêveur portait d'étranges bruits ;
Que ton cœur écoutait le chant de la Nature
Dans les plaintes de l'arbre et les soupirs des nuits ;   24

C'est que la voix des mers folles, immense râle,
Brisait ton sein d'enfant, trop humain et trop doux,
C'est qu'un matin d'avril, un beau cavalier pâle,
Un pauvre fou, s'assit muet à tes genoux !   28

Ciel ! Amour ! Liberté ! Quel rêve, ô pauvre Folle !
Tu te fondais à lui comme une neige au feu :
Tes grandes visions étranglaient ta parole
– Et l'Infini terrible effara ton œil bleu !   32

III

– Et le Poète dit qu'aux rayons des étoiles
Tu viens chercher, la nuit, les fleurs que tu cueillis ;
Et qu'il a vu sur l'eau, couchée en ses longs voiles,
36   La blanche Ophélia flotter, comme un grand lys.

LE CHÂTIMENT DE TARTUFE[1]

Tisonnant, tisonnant son cœur amoureux sous
Sa chaste robe noire, heureux, la main gantée,
Un jour qu'il s'en allait, effroyablement doux,
4   Jaune, bavant la foi de sa bouche édentée,

Un jour qu'il s'en allait, « Oremus, » – un Méchant
Le prit rudement par son oreille benoîte
Et lui jeta des mots affreux, en arrachant
8   Sa chaste robe noire autour de sa peau moite !

Châtiment !... Ses habits étaient déboutonnés,
Et le long chapelet des péchés pardonnés
S'égrenant dans son cœur, Saint Tartufe était pâle !...
12   Donc, il se confessait, priait, avec un râle !
L'homme se contenta d'emporter ses rabats[2]...
– Peuh ! Tartufe était nu du haut jusques en bas[3] !

À LA MUSIQUE[1]

Place de la gare[2], à Charleville.

Sur la place taillée en mesquines pelouses,
Square où tout est correct, les arbres et les fleurs,
Tous les bourgeois poussifs qu'étranglent les chaleurs
Portent, les jeudis soirs, leurs bêtises jalouses.   4

– L'orchestre militaire, au milieu du jardin,
Balance ses schakos dans la VALSE DES FIFRES[3]:
– Autour, aux premiers rangs, parade le gandin;
Le notaire pend à ses breloques à chiffres[4];   8

Des rentiers à lorgnons soulignent tous les couacs:
Les gros bureaux[5] bouffis traînent leurs grosses dames
Auprès desquelles vont, officieux cornacs,
Celles dont les volants ont des airs de réclames[6];   12

Sur les bancs verts, des clubs d'épiciers retraités
Qui tisonnent le sable avec leur canne à pomme,
Fort sérieusement discutent les traités[7],
Puis prisent[8] en argent, et reprennent: «En somme!...»   16

Épatant sur son banc les rondeurs de ses reins,
Un bourgeois à boutons clairs, bedaine flamande,
Savoure son onnaing[9] d'où le tabac par brins
Déborde – vous savez, c'est de la contrebande; –   20

Le long des gazons verts ricanent les voyous;
Et, rendus amoureux par le chant des trombones,
Très naïfs, et fumant des roses[10], les pioupious
Caressent les bébés pour enjôler les bonnes...   24

– Moi, je suis, débraillé comme un étudiant,
Sous les marronniers verts les alertes fillettes:

Elles le savent bien; et tournent en riant,
28 Vers moi, leurs yeux tout pleins de choses indiscrètes.

Je ne dis pas un mot: je regarde toujours
La chair de leurs cous blancs brodés de mèches folles:
Je suis, sous le corsage et les frêles atours,
32 Le dos divin après la courbe des épaules.

J'ai bientôt déniché la bottine, le bas...
– Je reconstruis les corps, brûlé de belles fièvres.
Elles me trouvent drôle et se parlent tout bas...
36 – Et je sens les baisers qui me viennent aux lèvres[1]...

LE FORGERON[2]

Palais des Tuileries, vers le 10 août [17]92[3].

Le bras sur un marteau gigantesque, effrayant
D'ivresse et de grandeur, le front vaste, riant
Comme un clairon d'airain, avec toute sa bouche,
4 Et prenant ce gros-là dans son regard farouche,
Le Forgeron parlait à Louis Seize, un jour
Que le Peuple était là, se tordant tout autour,
Et sur les lambris d'or traînant sa veste sale.
8 Or le bon roi, debout sur son ventre, était pâle,
Pâle comme un vaincu qu'on prend pour le gibet,
Et, soumis comme un chien, jamais ne regimbait,
Car ce maraud de forge aux énormes épaules
12 Lui disait de vieux mots et des choses si drôles,
Que cela l'empoignait au front, comme cela[4]!

«Or, tu sais bien, Monsieur, nous chantions tra la la
Et nous piquions les bœufs vers les sillons des autres:
16 Le Chanoine au soleil filait des patenôtres

Sur des chapelets clairs grenés de pièces d'or.
Le Seigneur, à cheval, passait, sonnant du cor
Et l'un avec la hart, l'autre avec la cravache
Nous fouaillaient. – Hébétés comme des yeux de vache, 20
Nos yeux ne pleuraient plus ; nous allions, nous allions,
Et quand nous avions mis le pays en sillons,
Quand nous avions laissé dans cette terre noire
Un peu de notre chair... nous avions un pourboire : 24
On nous faisait flamber nos taudis dans la nuit ;
Nos petits y faisaient un gâteau fort bien cuit !...

... «Oh ! je ne me plains pas. Je te dis mes bêtises,
C'est entre nous. J'admets que tu me contredises. 28
Or, n'est-ce pas joyeux de voir, au mois de juin,
Dans les granges entrer des voitures de foin
Énormes ? De sentir l'odeur de ce qui pousse,
Des vergers quand il pleut un peu, de l'herbe rousse ? 32
De voir des blés, des blés, des épis pleins de grain,
De penser que cela prépare bien du pain ?...
Oh ! plus fort, on irait, au fourneau qui s'allume,
Chanter joyeusement en martelant l'enclume, 36
Si l'on était certain de pouvoir prendre un peu,
Étant homme, à la fin !, de ce que donne Dieu !
– Mais voilà, c'est toujours la même vieille histoire !

«Mais je sais, maintenant ! Moi, je ne peux plus croire, 40
Quand j'ai deux bonnes mains, mon front et mon
                                              [marteau,
Qu'un homme vienne là, dague sur le manteau,
Et me dise : Mon gars, ensemence ma terre ;
Que l'on arrive encor, quand ce serait la guerre, 44
Me prendre mon garçon comme cela, chez moi !
– Moi, je serais un homme, et toi, tu serais roi,
Tu me dirais : Je veux !... – Tu vois bien, c'est stupide.
Tu crois que j'aime voir ta baraque splendide, 48
Tes officiers dorés, tes mille chenapans,
Tes palsembleu bâtards tournant comme des paons :

Ils ont rempli ton nid de l'odeur de nos filles
52　　Et de petits billets pour nous mettre aux Bastilles,
Et nous dirons : C'est bien : les pauvres à genoux !
Nous dorerons ton Louvre en donnant nos gros sous !
Et tu te soûleras, tu feras belle fête.
56　　– Et ces Messieurs riront, les reins sur notre tête !

　　　　«Non. Ces saletés-là datent de nos papas !
Oh ! Le Peuple n'est plus une putain. Trois pas
Et, tous, nous avons mis ta Bastille en poussière !
60　　Cette bête suait du sang à chaque pierre
Et c'était dégoûtant, la Bastille debout
Avec ses murs lépreux qui nous racontaient tout
Et, toujours, nous tenaient enfermés dans leur ombre !
64　　– Citoyen ! citoyen ! c'était le passé sombre
Qui croulait, qui râlait, quand nous prîmes la tour !
Nous avions quelque chose au cœur comme l'amour.
Nous avions embrassé nos fils sur nos poitrines.
68　　Et, comme des chevaux, en soufflant des narines
Nous allions, fiers et forts, et ça nous battait là[1]...
Nous marchions au soleil, front haut, – comme cela –,
Dans Paris ! On venait devant nos vestes sales.
72　　Enfin ! Nous nous sentions Hommes ! Nous étions pâles,
Sire, nous étions soûls de terribles espoirs :
Et quand nous fûmes là, devant les donjons noirs,
Agitant nos clairons et nos feuilles de chêne[2],
76　　Les piques à la main ; nous n'eûmes pas de haine,
– Nous nous sentions si forts, nous voulions être doux[3] !
. . . .
. . . .
　　　　«Et depuis ce jour-là, nous sommes comme fous !
Le tas des ouvriers a monté dans la rue,
80　　Et ces maudits s'en vont, foule toujours accrue
De sombres revenants, aux portes des richards.
Moi, je cours avec eux assommer les mouchards :
Et je vais dans Paris, noir, marteau sur l'épaule,
84　　Farouche, à chaque coin balayant quelque drôle,

Et, si tu me riais au nez, je te tuerais!
– Puis, tu peux y compter, tu te feras des frais
Avec tes hommes noirs, qui prennent nos requêtes
Pour se les renvoyer comme sur des raquettes   88
Et, tout bas, les malins! se disent: «Qu'ils sont sots!»
Pour mitonner des lois, coller de petits pots
Pleins de jolis décrets roses et de droguailles[1],
S'amuser à couper proprement quelques tailles,   92
Puis se boucher le nez quand nous marchons près d'eux,
– Nos doux représentants qui nous trouvent crasseux! –
Pour ne rien redouter, rien, que les baïonnettes...,
C'est très bien. Foin de leur tabatière à sornettes! 96
Nous en avons assez, là, de ces cerveaux plats
Et de ces ventres-dieux. Ah! ce sont là les plats
Que tu nous sers, bourgeois, quand nous sommes
                                              [féroces,
Quand nous brisons déjà les sceptres et les crosses!...» 100
. . . .
Il le prend par le bras, arrache le velours
Des rideaux, et lui montre en bas les larges cours
Où fourmille, où fourmille, où se lève la foule,
La foule épouvantable avec des bruits de houle,   104
Hurlant comme une chienne, hurlant comme une mer,
Avec ses bâtons forts et ses piques de fer,
Ses tambours, ses grands cris de halles et de bouges,
Tas sombre de haillons saignant de bonnets rouges: 108
L'Homme, par la fenêtre ouverte, montre tout
Au roi pâle et suant qui chancelle debout,
Malade à regarder cela!

                        «C'est la Crapule,
Sire. Ça bave aux murs, ça monte, ça pullule: 112
– Puisqu'ils ne mangent pas, Sire, ce sont des gueux!
Je suis un forgeron: ma femme est avec eux,
Folle! Elle croit trouver du pain aux Tuileries!
– On ne veut pas de nous dans les boulangeries.   116
J'ai trois petits. Je suis crapule. – Je connais
Des vieilles qui s'en vont pleurant sous leurs bonnets

Parce qu'on leur a pris leur garçon ou leur fille :
120 C'est la crapule. – Un homme était à la bastille,
Un autre était forçat : et tous deux, citoyens
Honnêtes. Libérés, ils sont comme des chiens :
On les insulte ! Alors, ils ont là quelque chose
124 Qui leur fait mal, allez ! C'est terrible, et c'est cause
Que se sentant brisés, que, se sentant damnés,
Ils sont là, maintenant, hurlant sous votre nez !
Crapule. – Là-dedans sont des filles, infâmes
128 Parce que, – vous saviez que c'est faible, les femmes, –
Messeigneurs de la cour, – que ça veut toujours bien, –
Vous [leur]¹ avez craché sur l'âme, comme rien !
Vos belles, aujourd'hui, sont là. C'est la crapule.

. . . .

132 « Oh ! tous les Malheureux, tous ceux dont le dos brûle
Sous le soleil féroce, et qui vont, et qui vont,
Qui dans ce travail-là sentent crever leur front...
Chapeau bas, mes bourgeois ! Oh ! ceux-là, sont les
                                  [Hommes !
136 Nous sommes Ouvriers, Sire ! Ouvriers ! Nous sommes
Pour les grands temps nouveaux où l'on voudra savoir,
Où l'Homme forgera du matin jusqu'au soir,
Chasseur des grands effets, chasseur des grandes
                                  [causes,
140 Où, lentement vainqueur, il domptera les choses
Et montera sur Tout, comme sur un cheval !
Oh ! splendides lueurs des forges ! Plus de mal,
Plus ! – Ce qu'on ne sait pas, c'est peut-être terrible :
144 Nous saurons ! – Nos marteaux en main ; passons au
                                  [crible
Tout ce que nous savons : puis, Frères, en avant !
Nous faisons quelquefois ce grand rêve émouvant
De vivre simplement, ardemment, sans rien dire
148 De mauvais, travaillant sous l'auguste sourire
D'une femme qu'on aime avec un noble amour² :
Et l'on travaillerait fièrement tout le jour,
Écoutant le Devoir comme un clairon qui sonne :

Et l'on se sentirait très heureux; et personne,   152
Oh! personne, surtout, ne vous ferait ployer!
On aurait un fusil au-dessus du foyer...

. . . .

«Oh! mais l'air est tout plein d'une odeur de bataille!
Que te disais-je donc? Je suis de la canaille!   156
Il reste des mouchards et des accapareurs.
Nous sommes libres, nous! Nous avons des terreurs
Où nous nous sentons grands, oh! si grands! Tout à
                                                    [l'heure
Je parlais de devoir calme, d'une demeure...   160
Regarde donc le ciel! – C'est trop petit pour nous,
Nous crèverions de chaud, nous serions à genoux!
Regarde donc le ciel! – Je rentre dans la foule,
Dans la grande canaille effroyable, qui roule,   164
Sire, tes vieux canons sur les sales pavés:
– Oh! quand nous serons morts, nous les aurons lavés
– Et si, devant nos cris, devant notre vengeance,
Les pattes des vieux rois mordorés, sur la France   168
Poussent leurs régiments en habits de gala,
Eh bien, n'est-ce pas, vous tous? Merde à ces
                                                [chiens-là!»

. . . .

– Il reprit son marteau sur l'épaule. La foule
Près de cet homme-là se sentait l'âme soûle,   172
Et, dans la grande cour, dans les appartements,
Où Paris haletait avec des hurlements,
Un frisson secoua l'immense populace.
Alors, de sa main large et superbe de crasse,   176
Bien que le roi ventru suât, le Forgeron,
Terrible, lui jeta le bonnet rouge au front!

SOLEIL ET CHAIR[1]

Le Soleil, le foyer de tendresse et de vie,
Verse l'amour brûlant à la terre ravie,
Et, quand on est couché sur la vallée, on sent
4   Que la terre est nubile et déborde de sang;
Que son immense sein, soulevé par une âme,
Est d'amour comme dieu, de chair comme la femme,
Et qu'il renferme, gros de sève et de rayons,
8   Le grand fourmillement de tous les embryons!

Et tout croît, et tout monte!

                – Ô Vénus, ô Déesse!
Je regrette les temps de l'antique jeunesse,
Des satyres lascifs, des faunes animaux,
12 Dieux qui mordaient d'amour l'écorce des rameaux
Et dans les nénufars baisaient la Nymphe blonde!
Je regrette les temps où la sève du monde,
L'eau du fleuve, le sang rose des arbres verts
16 Dans les veines de Pan mettaient un univers!
Où le sol palpitait, vert, sous ses pieds de chèvre;
Où, baisant mollement le clair syrinx, sa lèvre
Modulait sous le ciel le grand hymne d'amour;
20 Où, debout sur la plaine, il entendait autour
Répondre à son appel la Nature vivante;
Où les arbres muets, berçant l'oiseau qui chante,
La terre berçant l'homme, et tout l'Océan bleu
24 Et tous les animaux aimaient, aimaient en Dieu!

Je regrette les temps de la grande Cybèle
Qu'on disait parcourir, gigantesquement belle,
Sur un grand char d'airain, les splendides cités;
28 Son double sein versait dans les immensités
Le pur ruissellement de la vie infinie.

L'Homme suçait, heureux, sa mamelle bénie,
Comme un petit enfant, jouant sur ses genoux.
– Parce qu'il était fort, l'Homme était chaste et doux. 32

Misère ! Maintenant il dit : Je sais les choses,
Et va, les yeux fermés et les oreilles closes.
– Et pourtant, plus de dieux ! plus de dieux ! l'Homme
[est Roi !
L'Homme est Dieu ! Mais l'Amour, voilà la grande Foi ! 36
Oh ! si l'homme puisait encore à ta mamelle,
Grande mère des dieux et des hommes, Cybèle ;
S'il n'avait pas laissé l'immortelle Astarté
Qui jadis, émergeant dans l'immense clarté 40
Des flots bleus, fleur de chair que la vague parfume,
Montra son nombril rose où vint neiger l'écume,
Et fit chanter, Déesse aux grands yeux noirs vainqueurs,
Le rossignol aux bois et l'amour dans les cœurs ! 44

II

Je crois en toi ! je crois en toi ! Divine mère,
Aphrodité marine ! – Oh ! la route est amère
Depuis que l'autre Dieu nous attelle à sa croix ;
Chair, Marbre, Fleur, Vénus, c'est en toi que je crois ! 48
– Oui, l'Homme est triste et laid, triste sous le ciel
[vaste,
Il a des vêtements, parce qu'il n'est plus chaste,
Parce qu'il a sali son fier buste de dieu,
Et qu'il a rabougri, comme une idole au feu, 52
Son corps Olympien aux servitudes sales !
Oui, même après la mort, dans les squelettes pâles
Il veut vivre, insultant la première beauté !
– Et l'Idole où tu mis tant de virginité, 56
Où tu divinisas notre argile, la Femme,
Afin que l'Homme pût éclairer sa pauvre âme
Et monter lentement, dans un immense amour,

60 De la prison terrestre à la beauté du jour,
    La Femme ne sait plus même être Courtisane !
    – C'est une bonne farce ! et le monde ricane
    Au nom doux et sacré de la grande Venus !

III

64 Si les temps revenaient, les temps qui sont venus !
    – Car l'Homme a fini ! l'Homme a joué tous les rôles !
    Au grand jour, fatigué de briser des idoles
    Il ressuscitera, libre de tous ses Dieux,
68 Et, comme il est du ciel, il scrutera les cieux !
    L'Idéal, la pensée invincible, éternelle,
    Tout le dieu qui vit, sous son argile charnelle,
    Montera, montera, brûlera sous son front !
72 Et quand tu le verras sonder tout l'horizon,
    Contempleur des vieux jougs, libre de toute crainte,
    Tu viendras lui donner la Rédemption sainte !
    – Splendide, radieuse, au sein des grandes mers
76 Tu surgiras, jetant sur le vaste Univers
    L'Amour infini dans un infini sourire !
    Le Monde vibrera comme une immense lyre
    Dans le frémissement d'un immense baiser !

80 – Le Monde a soif d'amour : tu viendras l'apaiser[1].
    . . . .

IV

    Ô splendeur de la chair ! ô splendeur idéale !
    Ô renouveau d'amour, aurore triomphale
    où, courbant à leurs pieds les Dieux et les Héros,
84 Kallipige la blanche et le petit Éros
    Effleureront, couverts de la neige des roses,
    Les femmes et les fleurs sous leurs beaux pieds écloses !

Ô grande Ariadné, qui jettes tes sanglots
Sur la rive, en voyant fuir là-bas sur les flots,   88
Blanche sous le soleil, la voile de Thésée,
Ô douce vierge enfant qu'une nuit a brisée,
Tais-toi! Sur son char d'or brodé de noirs raisins,
Lysios[1], promené dans les champs Phrygiens   92
Par les tigres lascifs et les panthères rousses,
Le long des fleuves bleus rougit les sombres mousses.
Zeus, Taureau, sur son cou berce comme une enfant
Le corps nu d'Europé, qui jette son bras blanc   96
Au cou nerveux du Dieu frissonnant dans la vague...
Il tourne lentement vers elle son œil vague ;
Elle, laisse traîner sa pâle joue en fleur
Au front de Zeus ; ses yeux sont fermés ; elle meurt   100
Dans un divin baiser, et le flot qui murmure
De son écume d'or fleurit sa chevelure.
– Entre le laurier rose et le lotus jaseur
Glisse amoureusement le grand Cygne rêveur   104
Embrassant la Léda des blancheurs de son aile ;
– Et tandis que Cypris passe, étrangement belle,
Et, cambrant les rondeurs splendides de ses reins,
Étale fièrement l'or de ses larges seins   108
Et son ventre neigeux brodé de mousse noire,
– Héraclès, le Dompteur, qui, comme d'une gloire
Fort, ceint son vaste corps de la peau du lion,
S'avance, front terrible et doux, à l'horizon !   112

Par la lune d'été vaguement éclairée,
Debout, nue, et rêvant dans sa pâleur dorée
Que tache le flot lourd de ses longs cheveux bleus,
Dans la clairière sombre où la mousse s'étoile,   116
La Dryade regarde au ciel silencieux...
– La blanche Séléné laisse flotter son voile,
Craintive, sur les pieds du bel Endymion,
Et lui jette un baiser dans un pâle rayon...   120
– La Source pleure au loin dans une longue extase...
C'est la Nymphe qui rêve, un coude sur son vase,

Au beau jeune homme blanc que son onde a pressé.
124 – Une brise d'amour dans la nuit a passé,
Et, dans les bois sacrés, dans l'horreur des grands
                                                    [arbres,
Majestueusement debout, les sombres Marbres,
Les Dieux, au front desquels le Bouvreuil fait son nid,
128 – Les Dieux écoutent l'Homme et le Monde infini !

Mai [18]70.

LE DORMEUR DU VAL[1]

C'est un trou de verdure où chante une rivière
Accrochant follement aux herbes des haillons
D'argent ; où le soleil, de la montagne fière,
4 Luit : c'est un petit val qui mousse de rayons.

Un soldat jeune, bouche ouverte, tête nue,
Et la nuque baignant dans le frais cresson bleu,
Dort ; il est étendu dans l'herbe, sous la nue,
8 Pâle dans son lit vert où la lumière pleut.

Les pieds dans les glaïeuls[2], il dort. Souriant comme
Sourirait un enfant malade, il fait un somme :
Nature, berce-le chaudement : il a froid.

12 Les parfums ne font pas frissonner sa narine ;
Il dort dans le soleil, la main sur sa poitrine
Tranquille. Il a deux trous rouges au côté droit[3].

Octobre 1870.   *Has made me love*
                       and grieve in
                       14 lines.

AU CABARET-VERT,

cinq heures du soir[1]

Depuis huit jours, j'avais déchiré mes bottines
Aux cailloux des chemins. J'entrais à Charleroi.
– AU CABARET-VERT[2] : je demandai des tartines
De beurre et du jambon qui fût à moitié froid.   4

Bienheureux, j'allongeai les jambes sous la table
Verte : je contemplai les sujets très naïfs
De la tapisserie[3]. – Et ce fut adorable,
Quand la fille aux tétons énormes, aux yeux vifs,   8

– Celle-là, ce n'est pas un baiser qui l'épeure[4] ! –
Rieuse, m'apporta des tartines de beurre,
Du jambon tiède, dans un plat colorié,

Du jambon rose et blanc parfumé d'une gousse   12
D'ail, – et m'emplit la chope immense, avec sa mousse
Que dorait un rayon de soleil arriéré.

Octobre [18]70.   *Un peu goofy.*

LA MALINE[5]

Dans la salle à manger brune, que parfumait
Une odeur de vernis et de fruits, à mon aise
Je ramassais un plat de je ne sais quel met[6]
Belge, et je m'épatais dans mon immense chaise.   4

En mangeant, j'écoutais l'horloge, – heureux et coi.
La cuisine s'ouvrit avec une bouffée,
– Et la servante vint, je ne sais pas pourquoi,
8   Fichu moitié défait, malinement coiffée

Et, tout en promenant son petit doigt tremblant
Sur sa joue, un velours de pêche rose et blanc,
En faisant, de sa lèvre enfantine, une moue,

12   Elle arrangeait les plats, près de moi, pour m'aiser[1] ;
– Puis, comme ça, – bien sûr pour avoir un baiser, –
Tout bas : « Sens donc : j'ai pris UNE froid sur la joue... »

Charleroi, octobre [18]70.

L'ÉCLATANTE VICTOIRE
DE SARREBRÜCK[2]

remportée aux cris de vive l'Empereur !

(Gravure belge brillamment coloriée, se vend à
Charleroi, 35 centimes.)

Au milieu, l'Empereur, dans une apothéose
Bleue et jaune, s'en va, raide, sur son dada
Flamboyant ; très heureux, – car il voit tout en rose,
4   Féroce comme Zeus et doux comme un papa ;

En bas, les bons Pioupious qui faisaient la sieste
Près des tambours dorés et des rouges canons,
Se lèvent gentiment. Pitou[3] remet sa veste,
8   Et, tourné vers le Chef, s'étourdit de grands noms !

À droite, Dumanet[1], appuyé sur la crosse
De son chassepot[2], sent frémir sa nuque en brosse,
Et : «Vive l'Empereur !» – Son voisin reste coi...

Un schako surgit, comme un soleil noir... – Au centre,   12
Boquillon[3] rouge et bleu, très naïf, sur son ventre
Se dresse, et, – présentant ses derrières – : «De quoi ?...»

Octobre [18]70.

RÊVÉ POUR L'HIVER[4]

À *** Elle.

L'hiver, nous irons dans un petit wagon rose
    Avec des coussins bleus.
Nous serons bien. Un nid de baisers fous repose
    Dans chaque coin moelleux.   4

Tu fermeras l'œil, pour ne point voir, par la glace,
    Grimacer les ombres des soirs,
Ces monstruosités hargneuses, populace
    De démons noirs et de loups noirs.   8

Puis tu te sentiras la joue égratignée...
Un petit baiser, comme une folle araignée,
    Te courra par le cou...

Et tu me diras : «Cherche !», en inclinant la tête,   12
– Et nous prendrons du temps à trouver cette bête
    – Qui voyage beaucoup...

En Wagon, le 7 octobre [18]70.

LE BUFFET[1]

C'est un large buffet sculpté; le chêne sombre,
Très vieux, a pris cet air si bon des vieilles gens;
Le buffet est ouvert, et verse dans son ombre
4　Comme un flot de vin vieux, des parfums engageants;

Tout plein, c'est un fouillis de vieilles vieilleries,
De linges odorants et jaunes, de chiffons
De femmes ou d'enfants, de dentelles flétries,
8　De fichus de grand-mère où sont peints des griffons;

– C'est là qu'on trouverait les médaillons, les mèches
De cheveux blancs ou blonds, les portraits, les fleurs
　　　　　　　　　　　　　　　　　　　　　[sèches
Dont le parfum se mêle à des parfums de fruits.

12　– Ô buffet du vieux temps, tu sais bien des histoires,
Et tu voudrais conter tes contes, et tu bruis
Quand s'ouvrent lentement tes grandes portes noires.

Octobre [18]70.

MA BOHÈME[2]

(fantaisie)

Je m'en allais, les poings dans mes poches crevées;
Mon paletot aussi devenait idéal[3];
J'allais sous le ciel, Muse! et j'étais ton féal;
4　Oh! là là! que d'amours splendides j'ai rêvées!

Mon unique culotte avait un large trou.
– Petit-Poucet rêveur, j'égrenais dans ma course
Des rimes. Mon auberge était à la Grande-Ourse[1],
– Mes étoiles au ciel avaient un doux frou-frou   **8**

Et je les écoutais, assis au bord des routes,
Ces bons soirs de septembre où je sentais des gouttes
De rosée à mon front, comme un vin de vigueur ;

Où, rimant au milieu des ombres fantastiques,   **12**
Comme des lyres, je tirais les élastiques
De mes souliers blessés, un pied près de mon cœur !

Poésies 1870-1871

LES CORBEAUX[1]

Seigneur, quand froide est la prairie,
Quand dans les hameaux abattus,
Les longs angelus se sont tus...
Sur la nature défleurie
Faites s'abattre des grands cieux
Les chers corbeaux délicieux.   4

Armée étrange aux cris sévères,
Les vents froids attaquent vos nids !   8
Vous, le long des fleuves jaunis,
Sur les routes aux vieux calvaires,
Sur les fossés et sur les trous
Dispersez-vous, ralliez-vous !   12

Par milliers, sur les champs de France,
Où dorment des morts d'avant-hier,
Tournoyez, n'est-ce pas, l'hiver,
Pour que chaque passant repense !   16
Sois donc le crieur du devoir,
Ô notre funèbre oiseau noir !

Mais, saints du ciel, en haut du chêne,
Mât perdu dans le soir charmé,   20

Laissez les fauvettes de mai
Pour ceux qu'au fond du bois enchaîne,
Dans l'herbe d'où l'on ne peut fuir,
24   La défaite sans avenir.

LES ASSIS[1]

Noirs de loupes[2], grêlés, les yeux cerclés de bagues
Vertes, leurs doigts boulus[3] crispés à leurs fémurs,
Le sinciput[4] plaqué de hargnosités[5] vagues
4   Comme les floraisons lépreuses des vieux murs ;

Ils ont greffé dans des amours épileptiques
Leur fantasque ossature aux grands squelettes noirs
De leurs chaises ; leurs pieds aux barreaux rachitiques
8   S'entrelacent pour les matins et pour les soirs !

Ces vieillards ont toujours fait tresse avec leurs sièges,
Sentant les soleils vifs percaliser[6] leur peau,
Ou, les yeux à la vitre où se fanent les neiges,
12   Tremblant du tremblement douloureux du crapaud.

Et les Sièges leur ont des bontés : culottée
De brun, la paille cède aux angles de leurs reins ;
L'âme des vieux soleils s'allume emmaillotée
16   Dans ces tresses d'épis où fermentaient les grains.

Et les Assis, genoux aux dents, verts pianistes,
Les dix doigts sous leur siège aux rumeurs de tambour,
S'écoutent clapoter des barcarolles tristes,
20   Et leurs caboches vont dans des roulis d'amour.

– Oh ! ne les faites pas lever ! C'est le naufrage...
Ils surgissent, grondant comme des chats giflés,

Ouvrant lentement leurs omoplates, ô rage!
Tout leur pantalon bouffe à leurs reins boursouflés.   24

Et vous les écoutez, cognant leurs têtes chauves
Aux murs sombres, plaquant et plaquant leurs pieds
                                                    [tors,
Et leurs boutons d'habit sont des prunelles fauves
Qui vous accrochent l'œil du fond des corridors!   28

Puis ils ont une main invisible qui tue:
Au retour, leur regard filtre ce venin noir
Qui charge l'œil souffrant de la chienne battue,
Et vous suez pris dans un atroce entonnoir.   32

Rassis, les poings noyés dans des manchettes sales,
Ils songent à ceux-là qui les ont fait lever
Et, de l'aurore au soir, des grappes d'amygdales
Sous leurs mentons chétifs s'agitent à crever.   36

Quand l'austère sommeil a baissé leurs visières,
Ils rêvent sur leur bras de sièges fécondés,
De vrais petits amours de chaises en lisière[1]
Par lesquelles de fiers bureaux seront bordés;   40

Des fleurs d'encre crachant des pollens en virgule
Les bercent, le long des calices accroupis,
Tels qu'au fil des glaïeuls le vol des libellules
– Et leur membre s'agace à des barbes d'épis.   44

LES DOUANIERS[2]

Ceux qui disent: Cré Nom, ceux qui disent macache[3],
Soldats, marins, débris d'Empire, retraités,
Sont nuls, très nuls, devant les Soldats des Traités[4]
Qui tailladent l'azur frontière[5] à grands coups d'hache.   4

Pipe aux dents, lame en main, profonds, pas embêtés,
Quand l'ombre bave aux bois comme un mufle de
[vache,
Ils s'en vont, amenant leurs dogues à l'attache,
8   Exercer nuitamment leurs terribles gaîtés!

Ils signalent aux lois modernes les faunesses.
Ils empoignent les Fausts et les Diavolos[1]:
«Pas de ça, les anciens! Déposez les ballots!»

12 Quand sa sérénité s'approche des jeunesses,
Le Douanier se tient aux appas contrôlés[2]!
Enfer aux Délinquants que sa paume a frôlés!

Lettres dites du voyant [1]

À GEORGES IZAMBARD

Charleville, [13] mai 1871.

Cher Monsieur !

Vous revoilà professeur. On se doit à la Société, m'avez-vous dit ; vous faites partie des corps enseignants : vous roulez dans la bonne ornière. – Moi aussi, je suis le principe : je me fais cyniquement *entretenir* ; je déterre d'anciens imbéciles de collège : tout ce que je puis inventer de bête, de sale, de mauvais, en action et en paroles, je le leur livre : on me paie en bocks et en filles. *Stat mater dolorosa, dum pendet filius*, – Je me dois à la Société, c'est juste ; – et j'ai raison. – Vous aussi, vous avez raison, pour aujourd'hui. Au fond, vous ne voyez en votre principe que poésie subjective : votre obstination à regagner le râtelier universitaire – pardon ! – le prouve. Mais vous finirez toujours comme un satisfait qui n'a rien fait, n'ayant rien voulu faire. Sans compter que votre poésie subjective sera toujours horriblement fadasse. Un jour, j'espère, – bien d'autres espèrent la même chose, – je verrai dans votre principe la poésie objective, je la verrai plus sincèrement que vous ne le feriez ! – Je serai un travailleur : c'est l'idée qui me retient, quand les colères folles me poussent vers la bataille de Paris, – où tant de travailleurs meurent pourtant encore tandis que je vous écris ! Travailler maintenant, jamais, jamais ; je suis en grève.

Maintenant, je m'encrapule le plus possible. Pourquoi ? Je veux être poète, et je travaille à me rendre *Voyant* : vous ne comprendrez pas du tout, et je ne saurais presque vous expliquer. Il s'agit d'arriver à l'inconnu par le dérèglement de *tous les sens*. Les souffrances sont énormes, mais il faut être fort, être né poète, et je me suis reconnu poète. Ce n'est pas du tout ma faute. C'est faux de dire : Je pense : on devrait dire on me pense. – Pardon du jeu de mots.

JE est un autre. Tant pis pour le bois qui se trouve violon, et Nargue aux inconscients, qui ergotent sur ce qu'ils ignorent tout à fait !

Vous n'êtes pas *Enseignant* pour moi. Je vous donne ceci : est-ce de la satire, comme vous diriez ? Est-ce de la poésie ? C'est de la fantaisie, toujours. – Mais je vous en supplie, ne soulignez ni du crayon, ni trop de la pensée :

LE CŒUR SUPPLICIÉ[1]

Mon triste cœur bave à la poupe...
Mon cœur est plein de caporal[2] !
Ils y lancent des jets de soupe,
Mon triste cœur bave à la poupe...
Sous les quolibets de la troupe
Qui lance un rire général,
Mon triste cœur bave à la poupe,
Mon cœur est plein de caporal !

Ithyphalliques et pioupiesques[1]
Leurs insultes l'ont dépravé ;
À la vesprée, ils font des fresques
Ithyphalliques et pioupiesques ;
Ô flots abracadabrantesques[2],
Prenez mon cœur, qu'il soit sauvé !
Ithyphalliques et pioupiesques
Leurs insultes l'ont dépravé !

Quand ils auront tari leurs chiques,
Comment agir, ô cœur volé ?
Ce seront des refrains bachiques
Quand ils auront tari leurs chiques !
J'aurai des sursauts stomachiques,
Si mon cœur triste est ravalé !
Quand ils auront tari leurs chiques
Comment agir, ô cœur volé ?

Ça ne veut pas rien dire. – RÉPONDEZ-MOI : chez
Mr Deverrière, pour A. R. Bonjour de cœur,

À PAUL DEMENY

Charleville, 15 mai 1871.

J'ai résolu de vous donner une heure de littérature
nouvelle ; je commence tout de suite par un psaume
d'actualité :

CHANT DE GUERRE PARISIEN[1]

Le Printemps est évident, car
Du cœur des Propriétés vertes,
Le vol de Thiers et de Picard[2]
Tient ses splendeurs grandes ouvertes!

————

Ô Mai! quels délirants cul-nus[3]!
Sèvres, Meudon, Bagneux, Asnières,
Écoutez donc les bienvenus
Semer les choses printanières!

————

Ils ont schako, sabre et tam-tam
Non la vieille boîte à bougies[4]
Et des yoles qui n'ont jam, jam[5]...
Fendent le lac aux eaux rougies!

————

Plus que jamais nous bambochons
Quand arrivent sur nos tanières
Crouler les jaunes cabochons[6]
Dans des aubes particulières!

————

Thiers et Picard sont des Éros[7],
Des enleveurs d'héliotropes,
Au pétrole ils font des Corots[8]:
Voici hannetonner leurs tropes[9].

————

Ils sont familiers du grand Truc[10]!...
Et couché dans les glaïeuls, Favre

Quelles rimes! ô! quelles rimes!

Fait son cillement aqueduc[1],
Et ses reniflements à poivre !

———

La Grand ville a le pavé chaud,
Malgré vos douches de pétrole,
Et décidément, il nous faut
Vous secouer dans votre rôle...

———

Et les Ruraux[2] qui se prélassent
Dans de longs accroupissements,
Entendront des rameaux qui cassent
Parmi les rouges froissements !

A. RIMBAUD.

– Voici de la prose sur l'avenir de la poésie –

Toute poésie antique aboutit à la poésie grecque, Vie harmonieuse. – De la Grèce au mouvement romantique, – moyen âge, – il y a des lettrés, des versificateurs. D'Ennius à Theroldus, de Theroldus à Casimir Delavigne, tout est prose rimée, un jeu, avachissement et gloire d'innombrables générations idiotes : Racine est le pur, le fort, le grand. – On eût soufflé sur ses rimes, brouillé ses hémistiches, que le Divin Sot serait aujourd'hui aussi ignoré que le premier venu auteur d'*Origines*. – Après Racine, le jeu moisit. Il a duré deux mille ans.

Ni plaisanterie, ni paradoxe. La raison m'inspire plus de certitudes sur le sujet que n'aurait jamais eu de colères un Jeune-France. Du reste, libre aux *nouveaux !* d'exécrer les ancêtres : on est chez soi et l'on a le temps.

On n'a jamais bien jugé le romantisme. Qui l'aurait jugé ? Les critiques!! Les romantiques, qui prouvent si bien que la chanson est si peu souvent l'œuvre, c'est-à-dire la pensée chantée *et comprise* du chanteur ?

Car Je est un autre. Si le cuivre s'éveille clairon, il n'y a rien de sa faute. Cela m'est évident : j'assiste à l'éclosion de ma pensée : je la regarde, je l'écoute : je lance un coup d'archet : la symphonie fait son remuement dans les profondeurs, ou vient d'un bond sur la scène.

Si les vieux imbéciles n'avaient pas trouvé du moi que la signification fausse, nous n'aurions pas à balayer ces millions de squelettes qui, depuis un temps infini, ont accumulé les produits de leur intelligence borgnesse, en s'en clamant les auteurs !

En Grèce, ai-je dit, vers et lyres *rythment l'Action*. Après, musique et rimes sont jeux, délassements. L'étude de ce passé charme les curieux : plusieurs s'éjouissent à renouveler ces antiquités : – c'est pour eux. L'intelligence universelle a toujours jeté ses idées, naturellement ; les hommes ramassaient une partie de ces fruits du cerveau : on agissait par, on en écrivait des livres : telle allait la marche, l'homme ne se travaillant pas, n'étant pas encore éveillé, ou pas encore dans la plénitude du grand songe. Des fonctionnaires, des écrivains : auteur, créateur, poète, cet homme n'a jamais existé !

La première étude de l'homme qui veut être poète est sa propre connaissance, entière ; il cherche son âme, il l'inspecte, il la tente, l'apprend. Dès qu'il la sait, il doit la cultiver ; cela semble simple : en tout cerveau s'accomplit un développement naturel ; tant d'*égoïstes* se proclament auteurs ; il en est bien d'autres qui s'attribuent leur progrès intellectuel ! – Mais il s'agit de faire l'âme monstrueuse : à l'instar des comprachicos, quoi ! Imaginez un homme s'implantant et se cultivant des verrues sur le visage.

Je dis qu'il faut être *voyant*, se faire *voyant*.

Le Poète se fait *voyant* par un long, immense et raisonné *dérèglement* de *tous les sens*. Toutes les formes d'amour, de souffrance, de folie ; il cherche lui-même, il épuise en lui tous les poisons, pour n'en garder que les quintessences. Ineffable torture où il a besoin de toute la foi, de toute la force surhumaine, où il devient entre tous le grand malade, le grand criminel, le grand maudit, – et le suprême Savant ! – Car il arrive à l'*inconnu* ! Puisqu'il a cultivé son âme, déjà riche, plus qu'aucun ! Il arrive à l'inconnu, et quand, affolé, il finirait par perdre l'intelligence de ses visions, il les a vues ! Qu'il crève dans son bondissement par les choses inouïes et innommables : viendront d'autres horribles travailleurs ; ils commenceront par les horizons où l'autre s'est affaissé !

– La suite à six minutes –

Ici j'intercale un second psaume *hors du texte* : veuillez tendre une oreille complaisante, – et tout le monde sera charmé. – J'ai l'archet en main, je commence·

MES PETITES AMOUREUSES[1]

Un hydrolat lacrymal[2] lave
    Les cieux vert-chou :
Sous l'arbre tendronnier qui bave,
    Vos caoutchoucs[3]

———

Blancs de lunes particulières
    Aux pialats ronds[4]
Entrechoquez vos genouillères,
    Mes laiderons !

———

Nous nous aimions à cette époque,
    Bleu laideron !

On mangeait des œufs à la coque
Et du mouron !

Un soir, tu me sacras poète,
Blond laideron :
Descends ici, que je te fouette
En mon giron ;

J'ai dégueulé ta bandoline[1],
Noir laideron ;
Tu couperais ma mandoline
Au fil du front.

Pouah ! mes salives desséchées,
Roux laideron
Infectent encor les tranchées
De ton sein rond !

Ô mes petites amoureuses,
Que je vous hais !
Plaquez de fouffes[2] douloureuses
Vos tétons laids !

Piétinez mes vieilles terrines
De sentiment ;
– Hop donc ! Soyez-moi ballerines
Pour un moment !...

Vos omoplates se déboîtent,
Ô mes amours !

Quelles rimes ! ô ! quelles rimes !

Une étoile à vos reins qui boitent,
Tournez vos tours!

———

Et c'est pourtant pour ces éclanches[1]
Que j'ai rimé!
Je voudrais vous casser les hanches
D'avoir aimé!

———

Fade amas d'étoiles ratées,
Comblez les coins!
– Vous crèverez en Dieu, bâtées
D'ignobles soins!

———

Sous les lunes particulières
Aux pialats ronds,
Entrechoquez vos genouillères,
Mes laiderons!

                                    A. R.

Voilà. Et remarquez bien que, si je ne craignais de
vous faire débourser plus de 60 c. de port, – moi pauvre
effaré qui, depuis sept mois, n'ai pas tenu un seul rond
de bronze! – je vous livrerais encore mes *Amants de
Paris*, cent hexamètres, Monsieur, et ma *Mort de Paris*,
deux cents hexamètres! –

Je reprends:

Donc le poète est vraiment voleur de feu.

Il est chargé de l'humanité, des *animaux* même; il
devra faire sentir, palper, écouter ses inventions; si ce
qu'il rapporte de *là-bas* a forme, il donne forme; si c'est
informe, il donne de l'informe. Trouver une langue;

– Du reste, toute parole étant idée, le temps d'un langage universel viendra! Il faut être académicien, – plus
mort qu'un fossile, – pour parfaire un dictionnaire, de

quelque langue que ce soit. Des faibles se mettraient *à penser* sur la première lettre de l'alphabet, qui pourraient vite ruer dans la folie ! –

Cette langue sera de l'âme pour l'âme, résumant tout, parfums, sons, couleurs, de la pensée accrochant la pensée et tirant. Le poète définirait la quantité d'inconnu s'éveillant en son temps dans l'âme universelle : il donnerait plus – que la formule de sa pensée, que la notation *de sa marche au Progrès !* Énormité devenant norme, absorbée par tous, il serait vraiment *un multiplicateur de progrès !*

Cet avenir sera matérialiste, vous le voyez ; – Toujours pleins du *Nombre* et de l'*Harmonie*, ces poèmes seront faits pour rester. – Au fond, ce serait encore un peu la Poésie grecque.

L'art éternel aurait ses fonctions, comme les poètes sont citoyens. La Poésie ne rythmera plus l'action ; elle *sera en avant.*

Ces poètes seront ! Quand sera brisé l'infini servage de la femme, quand elle vivra pour elle et par elle, l'homme, – jusqu'ici abominable, – lui ayant donné son renvoi, elle sera poète, elle aussi ! La femme trouvera de l'inconnu ! Ses mondes d'idées différeront-ils des nôtres ? – Elle trouvera des choses étranges, insondables, repoussantes, délicieuses ; nous les prendrons, nous les comprendrons.

En attendant, demandons aux *poètes* du *nouveau,* – idées et formes. Tous les habiles croiraient bientôt avoir satisfait à cette demande. – Ce n'est pas cela !

Les premiers romantiques ont été *voyants* sans trop bien s'en rendre compte : la culture de leurs âmes s'est commencée aux accidents : locomotives abandonnées, mais brûlantes, que prennent quelque temps les rails. – Lamartine est quelquefois voyant, mais étranglé par la forme vieille. – Hugo, *trop cabochard,* a bien du VU dans les derniers volumes : *Les Misérables* sont un vrai *poème.* J'ai *Les Châtiments* sous main ; *Stella* donne à peu près la mesure de la *vue* de Hugo. Trop de Belmontet et de Lamennais, de Jehovahs et de colonnes, vieilles énormités crevées.

Musset est quatorze fois exécrable pour nous, générations douloureuses et prises de visions, – que sa paresse d'ange a insultées! Ô! les contes et les proverbes fadasses! ô les nuits! ô Rolla, ô Namouna, ô la Coupe! tout est français, c'est-à-dire haïssable au suprême degré; français, pas parisien! Encore une œuvre de cet odieux génie qui a inspiré Rabelais, Voltaire, Jean La Fontaine, commenté par M. Taine! Printanier, l'esprit de Musset! Charmant, son amour! En voilà, de la peinture à l'émail, de la poésie solide! On savourera longtemps la poésie *française*, mais en France. Tout garçon épicier est en mesure de débobiner une apostrophe Rollaque; tout séminariste en porte les cinq cents rimes dans le secret d'un carnet. À quinze ans, ces élans de passion mettent les jeunes en rut; à seize ans, ils se contentent déjà de les réciter avec *cœur*; à dix-huit ans, à dix-sept même tout collégien qui a le moyen fait le Rolla, écrit un Rolla! Quelques-uns en meurent peut-être encore, Musset n'a rien su faire: il y avait des visions derrière la gaze des rideaux: il a fermé les yeux. Français, panadif, traîné de l'estaminet au pupitre de collège, le beau mort est mort, et, désormais, ne nous donnons même plus la peine de le réveiller par nos abominations!

Les seconds romantiques sont très *voyants*: Th. Gautier, Lec[onte] de Lisle, Th. de Banville. Mais inspecter l'invisible et entendre l'inouï étant autre chose que reprendre l'esprit des choses mortes, Baudelaire est le premier voyant, roi des poètes, *un vrai Dieu*. Encore a-t-il vécu dans un milieu trop artiste; et la forme si vantée en lui est mesquine: les inventions d'inconnu réclament des formes nouvelles.

Rompue aux formes vieilles, parmi les innocents, A. Renaud, – a fait son Rolla; – L. Grandet, – a fait son

Rolla; – Les gaulois et les Musset, G. Lafenestre,
Coran, Cl. Popelin, Soulary, L. Salles; Les écoliers,
Marc, Aicard, Theuriet; les morts et les imbéciles,
Autran, Barbier, L. Pichat, Lemoyne, les Deschamps,
les Desessarts; Les journalistes, L. Cladel, Robert
Luzarches, X. de Ricard; les fantaisistes, C. Mendès;
les bohèmes; les femmes; les talents, Léon Dierx,
Sully-Prudhomme, Coppée, – la nouvelle école, dite
parnassienne, a deux voyants, Albert Mérat et Paul
Verlaine, un vrai poète. – Voilà. Ainsi je travaille à me
rendre *voyant*. – Et finissons par un chant pieux.

ACCROUPISSEMENTS

Bien tard, quand il se sent l'estomac écœuré,
Le frère Milotus, un œil à la lucarne
D'où le soleil, clair comme un chaudron récuré,
Lui darde une migraine et fait son regard darne[1],
Déplace dans les draps son ventre de curé.

Il se démène sous sa couverture grise
Et descend, ses genoux à son ventre tremblant,
Effaré comme un vieux qui mangerait sa prise,
Car il lui faut, le poing à l'anse d'un pot blanc,
À ses reins largement retrousser sa chemise!

Or, il s'est accroupi, frileux, les doigts de pied
Repliés, grelottant au clair soleil qui plaque
Des jaunes de brioche aux vitres de papier;
Et le nez du bonhomme où s'allume la laque
Renifle aux rayons, tel qu'un charnel polypier.

. . . .
Le bonhomme mijote au feu, bras tordus, lippe
Au ventre: il sent glisser ses cuisses dans le feu,

(note en marge) Quelles rimes! ô! quelles rimes!

Et ses chausses roussir, et s'éteindre sa pipe ;
Quelque chose comme un oiseau remue un peu
À son ventre serein comme un monceau de tripe !

Autour, dort un fouillis de meubles abrutis
Dans des haillons de crasse et sur de sales ventres ;
Des escabeaux, crapauds étranges, sont blottis
Aux coins noirs : des buffets ont des gueules de chantres
Qu'entrouvre un sommeil plein d'horribles appétits.

L'écœurante chaleur gorge la chambre étroite ;
Le cerveau du bonhomme est bourré de chiffons.
Il écoute les poils pousser dans sa peau moite,
Et, parfois, en hoquets fort gravement bouffons
S'échappe, secouant son escabeau qui boite...

. . . .

Et le soir, aux rayons de lune, qui lui font
Aux contours du cul des bavures de lumière,
Une ombre avec détails s'accroupit, sur un fond
De neige rose ainsi qu'une rose trémière...
Fantasque, un nez poursuit Vénus au ciel profond.

Vous seriez exécrable de ne pas répondre : vite car
dans huit jours, je serai à Paris, peut-être.

Au revoir.

[L'ORGIE PARISIENNE
ou]
Paris se repeuple[1]

Ô lâches, la voilà ! dégorgez dans les gares !
Le soleil expia de ses poumons ardents

Les boulevards qu'un soir comblèrent les Barbares.
4 Voilà la Cité belle assise à l'occident!

Allez! on préviendra les reflux d'incendie,
Voilà les quais! voilà les boulevards! voilà,
Sur les maisons, l'azur léger qui s'irradie,
8 Et qu'un soir la rougeur des bombes étoila.

Cachez les palais morts dans des niches de planches[1]!
L'ancien jour effaré rafraîchit vos regards.
Voici le troupeau roux des tordeuses de hanches[2],
12 Soyez fous, vous serez drôles, étant hagards!

Tas de chiennes en rut mangeant des cataplasmes,
Le cri des maisons d'or[3] vous réclame. Volez!
Mangez! voici la nuit de joie aux profonds spasmes
16 Qui descend dans la rue, ô buveurs désolés,

Buvez. Quand la lumière arrive intense et folle
Fouillant à vos côtés les luxes ruisselants,
Vous n'allez pas baver, sans geste, sans parole,
20 Dans vos verres, les yeux perdus aux lointains blancs,

Avalez, pour la Reine aux fesses cascadantes!
Écoutez l'action des stupides hoquets
Déchirants. Écoutez sauter aux nuits ardentes
24 Les idiots râleux, vieillards, pantins, laquais!

Ô cœurs de saleté, bouches épouvantables,
Fonctionnez plus fort, bouches de puanteurs!
Un vin pour ces torpeurs ignobles, sur ces tables...
28 Vos ventres sont fondus de hontes, ô Vainqueurs!

Ouvrez votre narine aux superbes nausées!
Trempez de poisons forts les cordes de vos cous!
Sur vos nuques d'enfants baissant ses mains croisées
32 Le Poëte vous dit: ô lâches, soyez fous!

Parce que vous fouillez le ventre de la Femme
Vous craignez d'elle encore une convulsion
Qui crie, asphyxiant votre nichée infâme
Sur sa poitrine, en une horrible pression.   36

Syphilitiques, fous, rois, pantins, ventriloques,
Qu'est-ce que ça peut faire à la putain Paris,
Vos âmes et vos corps, vos poisons et vos loques?
Elle se secouera de vous, hargneux pourris!   40

Et quand vous serez bas, geignant sur vos entrailles
Les flancs morts, réclamant votre argent, éperdus,
La rouge courtisane aux seins gros de batailles,
Loin de votre stupeur, tordra ses poings ardus!   44

Quand tes pieds ont dansé si fort dans les colères,
Paris! quand tu reçus tant de coups de couteau,
Quand tu gis, retenant dans tes prunelles claires,
Un peu de la bonté du fauve renouveau,   48

Ô cité douloureuse, ô cité quasi morte,
La tête et les deux seins jetés vers l'Avenir
Ouvrant sur ta pâleur ses milliards de portes,
Cité que le Passé sombre pourrait bénir: 52

Corps remagnétisé pour les énormes peines,
Tu rebois donc la vie effroyable! tu sens
Sourdre le flux des vers livides en tes veines,
Et sur ton clair amour rôder les doigts glaçants!   56

Et ce n'est pas mauvais. Tes vers, tes vers livides
Ne gêneront pas plus ton souffle de Progrès
Que les Stryx[1] n'éteignaient l'œil des Cariatides
Où des pleurs d'or astral tombaient des bleus degrés.   60

Quoique ce soit affreux de te revoir couverte
Ainsi; quoiqu'on n'ait fait jamais d'une cité

Ulcère plus puant à la Nature verte,
64   Le Poète te dit «Splendide est ta Beauté!»

L'orage t'a sacrée suprême poésie;
L'immense remuement des forces te secourt;
Ton œuvre bout, la mort gronde, Cité choisie!
68   Amasse les strideurs au cœur du clairon sourd.

Le Poète prendra le sanglot des Infâmes,
La haine des Forçats, la Clameur des maudits;
Et ses rayons d'amour flagelleront les Femmes.
72   Ses strophes bondiront, voilà! voilà! bandits!

– Société, tout est rétabli: – les orgies
Pleurent leur ancien râle aux anciens lupanars:
Et les gaz en délire aux murailles rougies
76   Flambent sinistrement vers les azurs blafards!

Mai 1871.

LES MAINS DE JEANNE-MARIE[1]

Jeanne-Marie a des mains fortes,
Mains sombres que l'été tanna,
Mains pâles comme des mains mortes.
4   – Sont-ce des mains de Juana[2]?

Ont-elles pris les crèmes brunes
Sur les mares des voluptés?
Ont-elles trempé dans des lunes
8   Aux étangs de sérénités?

Ont-elles bu des cieux barbares,
Calmes sur les genoux charmants?

Ont-elles roulé des cigares
Ou trafiqué des diamants ?   12

Sur les pieds ardents des Madones
Ont-elles fané des fleurs d'or ?
C'est le sang noir des belladones
Qui dans leur paume éclate et dort.   16

Mains chasseresses des diptères
Dont bombinent les bleuisons
Aurorales, vers les nectaires[1] ?
Mains décanteuses de poisons ?   20

Oh ! quel Rêve les a saisies
Dans les pandiculations[2] ?
Un rêve inouï des Asies,
Des Khenghavars[3] ou des Sions ?   24

– Ces mains n'ont pas vendu d'oranges,
Ni bruni sur les pieds des dieux :
Ces mains n'ont pas lavé les langes
Des lourds petits enfants sans yeux.   28

Ce ne sont pas mains de cousine[4]
Ni d'ouvrières aux gros fronts
Que brûle, aux bois puant l'usine
Un soleil ivre de goudrons.   32

Ce sont des ployeuses d'échines,
Des mains qui ne font jamais mal
Plus fatales que des machines,
Plus fortes que tout un cheval !   36

Remuant comme des fournaises,
Et secouant tous ses frissons
Leur chair chante des Marseillaises
Et jamais les Eleisons[5] !   40

Ça serrerait vos cous, ô femmes
Mauvaises, ça broierait vos mains,
Femmes nobles, vos mains infâmes
44   Pleines de blancs et de carmins.

L'éclat de ces mains amoureuses
Tourne le crâne des brebis !
Dans leurs phalanges savoureuses
48   Le grand soleil met un rubis !

Une tache de populace
Les brunit comme un sein d'hier :
Le dos de ces Mains est la place
52   Qu'en baisa tout Révolté fier !

Elles ont pâli, merveilleuses,
Au grand soleil d'amour chargé,
Sur le bronze des mitrailleuses
56   À travers Paris insurgé !

Ah ! quelquefois, ô Mains sacrées,
À vos poings, Mains où tremblent nos
Lèvres jamais désenivrées,
60   Crie une chaîne aux clairs anneaux !

Et c'est un Soubresaut étrange
Dans nos êtres, quand, quelquefois,
On veut vous déhâler, Mains d'ange,
64   En vous faisant saigner les doigts[1] !

LES POÈTES DE SEPT ANS[1]

À M. P. Demeny.

Et la Mère, fermant le livre du devoir,
S'en allait satisfaite et très fière, sans voir,
Dans les yeux bleus et sous le front plein d'éminences,
L'âme de son enfant livrée aux répugnances.   4

Tout le jour il suait d'obéissance ; très
Intelligent ; pourtant des tics noirs, quelques traits,
Semblaient prouver en lui d'âcres hypocrisies.
Dans l'ombre des couloirs aux tentures moisies,   8
En passant il tirait la langue, les deux poings
À l'aine, et dans ses yeux fermés voyait des points.
Une porte s'ouvrait sur le soir : à la lampe
On le voyait, là-haut, qui râlait sur la rampe,   :2
Sous un golfe de jour pendant du toit. L'été
Surtout, vaincu, stupide, il était entêté
À se renfermer dans la fraîcheur des latrines :
Il pensait là, tranquille et livrant ses narines.   16

Quand, lavé des odeurs du jour, le jardinet
Derrière la maison, en hiver, s'illunait[2],
Gisant au pied d'un mur, enterré dans la marne
Et pour des visions écrasant son œil darne[3],   20
Il écoutait grouiller les galeux espaliers.
Pitié ! Ces enfants seuls étaient ses familiers
Qui, chétifs, fronts nus, œil déteignant sur la joue,
Cachant de maigres doigts jaunes et noirs de boue   24
Sous des habits puant la foire[4] et tout vieillots,
Conversaient avec la douceur des idiots !
Et si, l'ayant surpris à des pitiés immondes,
Sa mère s'effrayait ; les tendresses profondes   28

De l'enfant se jetaient sur cet étonnement.
C'était bon. Elle avait le bleu regard, – qui ment !

À sept ans, il faisait des romans sur la vie
32 Du grand désert, où luit la Liberté ravie,
Forêts, soleils, rives, savanes ! – Il s'aidait
De journaux illustrés où, rouge, il regardait
Des Espagnoles rire et des Italiennes.
36 Quand venait, l'œil brun, folle, en robes d'indiennes,
– Huit ans, – la fille des ouvriers d'à-côté,
La petite brutale, et qu'elle avait sauté,
Dans un coin, sur son dos, en secouant ses tresses,
40 Et qu'il était sous elle, il lui mordait les fesses,
Car elle ne portait jamais de pantalons ;
– Et, par elle meurtri des poings et des talons
Remportait les saveurs de sa peau dans sa chambre.

44 Il craignait les blafards dimanches de décembre,
Où, pommadé, sur un guéridon d'acajou,
Il lisait une Bible à la tranche vert-chou ;
Des rêves l'oppressaient chaque nuit dans l'alcôve.
48 Il n'aimait pas Dieu ; mais les hommes, qu'au soir fauve,
Noirs, en blouse, il voyait rentrer dans le faubourg
Où les crieurs, en trois roulements de tambour,
Font autour des édits rire et gronder les foules.
52 – Il rêvait la prairie amoureuse, où des houles
Lumineuses, parfums sains, pubescences d'or,
Font leur remuement calme et prennent leur essor !

Et comme il savourait surtout les sombres choses,
56 Quand, dans la chambre nue aux persiennes closes,
Haute et bleue, âcrement prise d'humidité,
Il lisait son roman sans cesse médité,
Plein de lourds ciels ocreux et de forêts noyées,
60 De fleurs de chair aux bois sidérals déployées,
Vertige, écroulements, déroutes et pitié !
– Tandis que se faisait la rumeur du quartier,

En bas, – seul, et couché sur des pièces de toile
Écrue, et pressentant violemment la voile !   64

26 mai 1871.

LES PAUVRES À L'ÉGLISE[1]

Parqués entre des bancs de chêne, aux coins d'église
Qu'attiédit puamment leur souffle, tous leurs yeux
Vers le chœur ruisselant d'orrie[2] et la maîtrise
Aux vingt gueules gueulant les cantiques pieux ;   4

Comme un parfum de pain humant l'odeur de cire,
Heureux, humiliés comme des chiens battus,
Les Pauvres au bon Dieu, le patron et le sire,
Tendent leurs oremus risibles et têtus.   8

Aux femmes, c'est bien bon de faire des bancs lisses,
Après les six jours noirs où Dieu les fait souffrir !
Elles bercent, tordus dans d'étranges pelisses,
Des espèces d'enfants qui pleurent à mourir :   12

Leurs seins crasseux dehors, ces mangeuses de soupe,
Une prière aux yeux et ne priant jamais,
Regardent parader mauvaisement un groupe
De gamines avec leurs chapeaux déformés.   16

Dehors, le froid, la faim, l'homme en ribote[3] :
C'est bon. Encore une heure ; après, les maux sans
                                                    [noms !
– Cependant, alentour, geint, nasille, chuchote
Une collection de vieilles à fanons ;   20

Ces effarés y sont et ces épileptiques
Dont on se détournait hier aux carrefours;
Et, fringalant[1] du nez dans des missels antiques,
24 Ces aveugles qu'un chien introduit dans les cours.

Et tous, bavant la foi mendiante et stupide,
Récitent la complainte infinie à Jésus
Qui rêve en haut, jauni par le vitrail livide,
28 Loin des maigres mauvais et des méchants pansus,

Loin des senteurs de viande et d'étoffes moisies,
Farce prostrée et sombre aux gestes repoussants;
– Et l'oraison fleurit d'expressions choisies,
32 Et les mysticités prennent des tons pressants,

Quand, des nefs où périt le soleil, plis de soie
Banals, sourires verts, les Dames des quartiers
Distingués, – ô Jésus! – les malades du foie
36 Font baiser leurs longs doigts jaunes aux bénitiers.

1871

CE QU'ON DIT AU POÈTE
À PROPOS DE FLEURS[2]

À Monsieur Théodore de Banville.

I

Ainsi, toujours, vers l'azur noir
Où tremble la mer des topazes,

Fonctionneront dans ton soir
Les Lys, ces clystères d'extases!   4

À notre époque de sagous[1],
Quand les Plantes sont travailleuses,
Le Lys boira les bleus dégoûts
Dans tes Proses religieuses!   8

– Le lys de monsieur de Kerdrel[2],
Le Sonnet de mil huit cent trente,
Le Lys qu'on donne au Ménestrel
Avec l'œillet et l'amarante[3]!   12

Des lys! Des lys! On n'en voit pas!
Et dans ton Vers, tel que les manches
Des Pécheresses aux doux pas,
Toujours frissonnent ces fleurs blanches!   16

Toujours, Cher, quand tu prends un bain,
Ta Chemise aux aisselles blondes
Se gonfle aux brises du matin
Sur les myosotis immondes!   20

L'amour ne passe à tes octrois
Que les Lilas – ô balançoires!
Et les Violettes du Bois,
Crachats sucrés des Nymphes noires!...   24

II

Ô Poètes, quand vous auriez
Les Roses, les Roses soufflées,
Rouges sur tiges de lauriers,
Et de mille octaves enflées!   28

Quand BANVILLE en ferait neiger,
Sanguinolentes, tournoyantes,

Pochant l'œil fou de l'étranger
32   Aux lectures mal bienveillantes!

De vos forêts et de vos prés,
Ô très-paisibles photographes!
La Flore est diverse à peu près
36   Comme des bouchons de carafes!

Toujours les végétaux Français,
Hargneux, phtisiques, ridicules,
Où le ventre des chiens bassets
40   Navigue en paix, aux crépuscules;

Toujours, après d'affreux dessins
De Lotos bleus ou d'Hélianthes,
Estampes roses, sujets saints
44   Pour de jeunes communiantes!

L'Ode Açoka[1] cadre avec la
Strophe en fenêtre de lorette[2];
Et de lourds papillons d'éclat
48   Fientent sur la Pâquerette.

Vieilles verdures, vieux galons!
Ô croquignoles végétales!
Fleurs fantasques des vieux Salons!
52   – Aux hannetons, pas aux crotales,

Ces poupards végétaux en pleurs
Que Grandville[3] eût mis aux lisières[4],
Et qu'allaitèrent de couleurs
56   De méchants astres à visières!

Oui, vos bavures de pipeaux
Font de précieuses glucoses!
– Tas d'œufs frits dans de vieux chapeaux,
60   Lys, Açokas, Lilas et Roses!...

III

Ô blanc Chasseur, qui cours sans bas
À travers le Pâtis panique,
Ne peux-tu pas, ne dois-tu pas
Connaître un peu ta botanique ?   64

Tu ferais succéder, je crains,
Aux Grillons roux les Cantharides,
L'or des Rios au bleu des Rhins –,
Bref, aux Norwèges les Florides :   68

Mais, Cher, l'Art n'est plus, maintenant,
– C'est la vérité, – de permettre
À l'Eucalyptus étonnant
Des constrictors d'un hexamètre ;   72

Là !... Comme si les Acajous
Ne servaient, même en nos Guyanes,
Qu'aux cascades des sapajous,
Au lourd délire des lianes !   76

– En somme, une Fleur, Romarin
ou Lys, vive ou morte, vaut-elle
Un excrément d'oiseau marin ?
Vaut-elle un seul pleur de chandelle ?   80

– Et j'ai dit ce que je voulais !
Toi, même assis là-bas, dans une
Cabane de bambous, – volets
Clos, tentures de perse brune, –   84

Tu torcherais des floraisons
Dignes d'Oises extravagantes !...
– Poète ! ce sont des raisons
Non moins risibles qu'arrogantes !...   88

IV

Dis, non les pampas printaniers
Noirs d'épouvantables révoltes,
Mais les tabacs, les cotonniers!
92   Dis les exotiques récoltes!

Dis, front blanc que Phébus tanna,
De combien de dollars se rente
Pedro Velasquez, Habana;
96   Incague[1] la mer de Sorrente

Où vont les Cygnes par milliers;
Que tes Strophes soient des réclames
Pour l'abatis des mangliers[2]
100   Fouillés des hydres et des lames!

Ton quatrain plonge aux bois sanglants
Et revient proposer aux Hommes
Divers sujets de sucres blancs,
104   De pectoraires et de gommes!

Sachons par Toi si les blondeurs
Des Pics neigeux, vers les Tropiques,
Sont ou des insectes pondeurs
108   Ou des lichens microscopiques!

Trouve, ô Chasseur, nous le voulons,
Quelques garances parfumées
Que la Nature en pantalons
112   Fasse éclore! – pour nos Armées!

Trouve, aux abords du Bois qui dort,
Les fleurs, pareilles à des mufles,
D'où bavent des pommades d'or
116   Sur les cheveux sombres des Buffles!

Trouve, aux prés fous, où sur le Bleu
Tremble l'argent des pubescences,
Des Calices pleins d'Œufs de feu
Qui cuisent parmi les essences !   120

Trouve des Chardons cotonneux
Dont dix ânes aux yeux de braises
Travaillent à filer les nœuds !
Trouve des Fleurs qui soient des chaises !   124

Oui, trouve au cœur des noirs filons
Des fleurs presque pierres, – fameuses ! –
Qui vers leurs durs ovaires blonds
Aient des amygdales gemmeuses !   128

Sers-nous, ô Farceur, tu le peux,
Sur un plat de vermeil splendide
Des ragoûts de Lys sirupeux
Mordant nos cuillers Alfénide[1] !   132

V

Quelqu'un dira le grand Amour,
Voleur des Sombres Indulgences :
Mais ni Renan, ni le chat Murr[2]
N'ont vu les Bleus Thyrses immenses !   136

Toi, fais jouer dans nos torpeurs,
Par les parfums les hystéries ;
Exalte-nous vers les candeurs
Plus candides que les Maries...   140

Commerçant ! colon ! médium !
Ta Rime sourdra, rose ou blanche,
Comme un rayon de sodium,
Comme un caoutchouc qui s'épanche !   144

De tes noirs Poèmes, – Jongleur!
Blancs, verts, et rouges dioptriques,
Que s'évadent d'étranges fleurs
148   Et des papillons électriques!

Voilà! c'est le Siècle d'enfer!
Et les poteaux télégraphiques
Vont orner, – lyre aux chants de fer,
152   Tes omoplates magnifiques!

Surtout, rime une version
Sur le mal des pommes de terre!
– Et, pour la composition
156   De Poèmes pleins de mystère

Qu'on doive lire de Tréguier[1]
À Paramaribo, rachète
Des Tomes de Monsieur Figuier[2]
160   – Illustrés! – chez Monsieur Hachette!

ALCIDE BAVA[3]

14 juillet 1871.   A. R.

LES CHERCHEUSES DE POUX[4]

Quand le front de l'enfant, plein de rouges tourmentes,
Implore l'essaim blanc des rêves indistincts,
Il vient près de son lit deux grandes sœurs charmantes
4   Avec de frêles doigts aux ongles argentins.

Elles asseoient l'enfant devant une croisée
Grande ouverte où l'air bleu baigne un fouillis de fleurs,

Et dans ses lourds cheveux où tombe la rosée
Promènent leurs doigts fins, terribles et charmeurs.   8

Il écoute chanter leurs haleines craintives
Qui fleurent de longs miels végétaux et rosés
Et qu'interrompt parfois un sifflement, salives
Reprises sur la lèvre ou désirs de baisers.   12

Il entend leurs cils noirs battant sous les silences
Parfumés ; et leurs doigts électriques et doux
Font crépiter parmi ses grises indolences
Sous leurs ongles royaux la mort des petits poux.   16

Voilà que monte en lui le vin de la Paresse,
Soupir d'harmonica qui pourrait délirer ;
L'enfant se sent, selon la lenteur des caresses,
Sourdre et mourir sans cesse un désir de pleurer.   20

L'HOMME JUSTE[1]

Le Juste restait droit sur ses hanches solides :
Un rayon lui dorait l'épaule ; des sueurs
Me prirent : « Tu veux voir rutiler les bolides ?
Et, debout, écouter bourdonner les flueurs   4
D'astres lactés, et les essaims d'astéroïdes ?

« Par des farces de nuit ton front est épié,
Ô Juste ! Il faut gagner un toit. Dis ta prière,
La bouche dans ton drap doucement expié ;   8
Et si quelque égaré choque ton ostiaire[2],
Dis : Frère, va plus loin, je suis estropié ! »

Et le Juste restait debout, dans l'épouvante
Bleuâtre des gazons après le soleil mort :   12

«Alors, mettrais-tu tes genouillères en vente,
Ô Vieillard? Pèlerin sacré! Barde d'Armor!
Pleureur des Oliviers! Main que la pitié gante!

16 «Barbe de la famille et poing de la cité,
Croyant très doux: ô cœur tombé dans les calices,
Majestés et vertus, amour et cécité,
Juste! plus bête et plus dégoûtant que les lices[1]!
20 Je suis celui qui souffre et qui s'est révolté!

«Et ça me fait pleurer sur mon ventre, ô stupide,
Et bien rire, l'espoir fameux de ton pardon!
Je suis maudit, tu sais! Je suis soûl, fou, livide,
24 Ce que tu veux! Mais va te coucher, voyons donc,
Juste! Je ne veux rien à ton cerveau torpide.

«C'est toi le Juste, enfin, le Juste! C'est assez!
C'est vrai que ta tendresse et ta raison sereines
28 Reniflent dans la nuit comme des cétacés!
Que tu te fais proscrire, et dégoises des thrènes[2]
Sur d'effroyables becs de canne fracassés[3]!

«Et c'est toi l'œil de Dieu! le lâche! Quand les plantes
32 Froides des pieds divins passeraient sur mon cou,
Tu es lâche! Ô ton front qui fourmille de lentes!
Socrates et Jésus, Saints et Justes, dégoût!
Respectez le Maudit suprême aux nuits sanglantes!»

36 J'avais crié cela sur la terre, et la nuit
Calme et blanche occupait les cieux pendant ma fièvre.
Je relevai mon front: le fantôme avait fui,
Emportant l'ironie atroce de ma lèvre...
40 – Vents nocturnes, venez au Maudit! Parlez-lui!

Cependant que, silencieux sous les pilastres
D'azur, allongeant les comètes et les nœuds
D'univers, remuement énorme sans désastres,

L'ordre, éternel veilleur, rame aux cieux lumineux   44
Et de sa drague en feu laisse filer les astres !

Ah ! qu'il s'en aille, lui, la gorge cravatée
De honte, ruminant toujours mon ennui, doux
Comme le sucre sur la denture gâtée.   48
– Tel que la chienne après l'assaut des fiers toutous,
Léchant son flanc d'où pend une entraille emportée.

Qu'il dise charités crasseuses et progrès...
– J'exècre tous ces yeux de chinois [à be]daines[1],   52
Puis qui chante : nana, comme un tas d'enfants près
De mourir, idiots doux aux chansons soudaines :
Ô Justes, nous chierons dans vos ventres de grès !

TÊTE DE FAUNE[2]

Dans la feuillée, écrin vert taché d'or,
Dans la feuillée incertaine et fleurie
De fleurs splendides où le baiser dort,
Vif et crevant l'exquise broderie,   4

Un faune effaré montre ses deux yeux
Et mord les fleurs rouges de ses dents blanches.
Brunie et sanglante ainsi qu'un vin vieux,
Sa lèvre éclate en rires sous les branches.   8

Et quand il a fui – tel qu'un écureuil –
Son rire tremble encore à chaque feuille
Et l'on voit épeuré par un bouvreuil
Le Baiser d'or du Bois, qui se recueille.   12

VOYELLES¹

A noir, E blanc, I rouge, U vert, O bleu : voyelles,
Je dirai quelque jour vos naissances latentes :
A, noir corset velu des mouches éclatantes
4   Qui bombinent² autour des puanteurs cruelles,

Golfes d'ombre ; E, candeurs³ des vapeurs et des tentes,
Lance des glaciers fiers, rois blancs, frissons d'ombelles ;
I, pourpres, sang craché, rire des lèvres belles
8   Dans la colère ou les ivresses pénitentes ;

U, cycles, vibrements divins des mers virides,
Paix des pâtis semés d'animaux, paix des rides
Que l'alchimie imprime aux grands fronts studieux,

12   O, Suprême Clairon plein des strideurs étranges,
Silences traversés des Mondes et des Anges :
– Ô l'Oméga, rayon violet de Ses Yeux ! –

☆

L'étoile a pleuré rose au cœur de tes oreilles⁴,
L'infini roulé blanc de ta nuque à tes reins,
La mer a perlé rousse à tes mammes vermeilles,
4   Et l'Homme saigné noir à ton flanc souverain.

ORAISON DU SOIR[1]

Je vis assis, tel qu'un ange aux mains d'un barbier,
Empoignant une chope à fortes cannelures,
L'hypogastre et le col cambrés, une Gambier[2]
Aux dents, sous l'air gonflé d'impalpables voilures.   4

Tels que les excréments chauds d'un vieux colombier,
Mille Rêves en moi font de douces brûlures :
Puis par instants mon cœur triste est comme un aubier
Qu'ensanglante l'or jeune et sombre des coulures.   8

Puis, quand j'ai ravalé mes rêves avec soin,
Je me tourne, ayant bu trente ou quarante chopes,
Et me recueille, pour lâcher l'âcre besoin :

Doux comme le Seigneur du cèdre et des hysopes[3],   12
Je pisse vers les cieux bruns, très haut et très loin,
Avec l'assentiment des grands héliotropes.

LES SŒURS DE CHARITÉ[4]

Le jeune homme dont l'œil est brillant, la peau brune,
Le beau corps de vingt ans qui devrait aller nu,
Et qu'eût, le front cerclé de cuivre, sous la lune
Adoré, dans la Perse, un Génie inconnu,   4

Impétueux avec des douceurs virginales
Et noires, fier de ses premiers entêtements,
Pareil aux jeunes mers, pleurs de nuits estivales
Qui se retournent sur des lits de diamants ;   8

Le jeune homme, devant les laideurs de ce monde,
Tressaille dans son cœur largement irrité,
Et plein de la blessure éternelle et profonde,
12   Se prend à désirer sa sœur de charité.

Mais, ô Femme, monceau d'entrailles, pitié douce,
Tu n'es jamais la Sœur de charité, jamais,
Ni regard noir, ni ventre où dort une ombre rousse,
16   Ni doigts légers, ni seins splendidement formés[1].

Aveugle irréveillée aux immenses prunelles,
Tout notre embrassement n'est qu'une question :
C'est toi qui pends à nous, porteuse de mamelles ;
20   Nous te berçons, charmante et grave Passion.

Tes haines, tes torpeurs fixes, tes défaillances
Et les brutalités souffertes autrefois,
Tu nous rends tout, ô Nuit pourtant sans malveillances,
24   Comme un excès de sang épanché tous les mois.

– Quand la femme, portée un instant, l'épouvante,
Amour, appel de vie et chanson d'action,
Viennent la Muse verte[2] et la Justice ardente
28   Le déchirer de leur auguste obsession.

Ah ! sans cesse altéré des splendeurs et des calmes,
Délaissé des deux Sœurs implacables, geignant
Avec tendresse après la science aux bras almes[3],
32   Il porte à la nature en fleur son front saignant.

Mais la noire alchimie et les saintes études
Répugnent au blessé, sombre savant d'orgueil ;
Il sent marcher sur lui d'atroces solitudes.
36   Alors, et toujours beau, sans dégoût du cercueil,

Qu'il croie aux vastes fins, Rêves ou Promenades
Immenses, à travers les nuits de Vérité,

Et t'appelle en son âme et ses membres malades,
Ô Mort mystérieuse, ô Sœur de charité. 40

Juin 1871.

LES PREMIÈRES COMMUNIONS[1]

I

Vraiment, c'est bête, ces églises des villages
Où quinze laids marmots, encrassant les piliers,
Écoutent, grasseyant les divins babillages,
Un noir grotesque dont fermentent les souliers : 4
Mais le soleil éveille, à travers des feuillages,
Les vieilles couleurs des vitraux irréguliers.

La pierre sent toujours la terre maternelle.
Vous verrez des monceaux de ces cailloux terreux 8
Dans la campagne en rut qui frémit solennelle
Portant près des blés lourds, dans les sentiers ocreux,
Ces arbrisseaux brûlés où bleuit la prunelle,
Des nœuds de mûriers noirs et de rosiers fuireux[2]. 12

Tous les cent ans on rend ces granges respectables
Par un badigeon d'eau bleue et de lait caillé :
Si des mysticités grotesques sont notables
Près de la Notre-Dame ou du Saint empaillé, 16
Des mouches sentant bon l'auberge et les étables
Se gorgent de cire au plancher ensoleillé.

L'enfant se doit surtout à la maison, famille
Des soins naïfs, des bons travaux abrutissants ; 20
Ils sortent, oubliant que la peau leur fourmille

Où le Prêtre du Christ plaqua ses doigts puissants.
On paie au Prêtre un toit ombré d'une charmille
24 Pour qu'il laisse au soleil tous ces fronts brunissants.

Le premier habit noir, le plus beau jour de tartes,
Sous le Napoléon ou le Petit Tambour[1],
Quelque enluminure où les Josephs et les Marthes
28 Tirent la langue avec un excessif amour
Et que joindront, au jour de science, deux cartes,
Ces seuls doux souvenirs lui restent du grand Jour.

Les filles vont toujours à l'église, contentes
32 De s'entendre appeler garces par les garçons
Qui font du genre après messe ou vêpres chantantes.
Eux qui sont destinés au chic des garnisons,
Ils narguent au café les maisons importantes,
36 Blousés neuf, et gueulant d'effroyables chansons.

Cependant le Curé choisit pour les enfances
Des dessins ; dans son clos, les vêpres dites, quand
L'air s'emplit du lointain nasillement des danses,
40 Il se sent, en dépit des célestes défenses,
Les doigts de pied ravis et le mollet marquant,

– La Nuit vient, noir pirate aux cieux d'or débarquant.

II

Le Prêtre a distingué parmi les catéchistes,
44 Congrégés des Faubourgs ou des Riches Quartiers,
Cette petite fille inconnue, aux yeux tristes,
Front jaune. Les parents semblent de doux portiers.
«Au grand Jour, le marquant parmi les Catéchistes,
48 Dieu fera sur ce front neiger ses bénitiers.»

III

La veille du grand Jour, l'enfant se fait malade.
Mieux qu'à l'Église haute aux funèbres rumeurs,
D'abord le frisson vient, – le lit n'étant pas fade –
Un frisson surhumain qui retourne : «Je meurs...»   52

Et, comme un vol d'amour fait à ses sœurs stupides,
Elle compte, abattue et les mains sur son cœur,
Les Anges, les Jésus et ses Vierges nitides[1]
Et, calmement, son âme a bu tout son vainqueur.   56

Adonaï !... – Dans les terminaisons latines,
Des cieux moirés de vert baignent les Fronts vermeils,
Et tachés du sang pur des célestes poitrines,
De grands linges neigeux tombent sur les soleils !   60

– Pour ses virginités présentes et futures
Elle mord aux fraîcheurs de ta Rémission,
Mais plus que les lys d'eau, plus que les confitures,
Tes pardons sont glacés, ô Reine de Sion !   64

IV

Puis la Vierge n'est plus que la vierge du livre.
Les mystiques élans se cassent quelquefois...
Et vient la pauvreté des images, que cuivre
L'ennui, l'enluminure atroce et les vieux bois ;   68

Des curiosités vaguement impudiques
Épouvantent le rêve aux chastes bleuités
Qui s'est surpris autour des célestes tuniques,
Du linge dont Jésus voile ses nudités.   72

Elle veut, elle veut, pourtant, l'âme en détresse,
Le front dans l'oreiller creusé par les cris sourds,

Prolonger les éclairs suprêmes de tendresse,
76 Et bave... – L'ombre emplit les maisons et les cours.

Et l'enfant ne peut plus. Elle s'agite, cambre
Les reins et d'une main ouvre le rideau bleu
Pour amener un peu la fraîcheur de la chambre
80 Sous le drap, vers son ventre et sa poitrine en feu...

V

À son réveil, – minuit, – la fenêtre était blanche.
Devant le sommeil bleu des rideaux illunés[1],
La vision la prit des candeurs du dimanche ;
84 Elle avait rêvé rouge. Elle saigna du nez,

Et se sentant bien chaste et pleine de faiblesse
Pour savourer en Dieu son amour revenant,
Elle eut soif de la nuit où s'exalte et s'abaisse
88 Le cœur, sous l'œil des cieux doux, en les devinant,

De la nuit, Vierge-Mère impalpable, qui baigne
Tous les jeunes émois de ses silences gris,
Elle eut soif de la nuit forte où le cœur qui saigne
92 Écoule sans témoin sa révolte sans cris.

Et faisant la Victime et la petite épouse,
Son étoile la vit, une chandelle aux doigts,
Descendre dans la cour où séchait une blouse,
96 Spectre blanc, et lever les spectres noirs des toits.

VI

Elle passa sa nuit sainte dans des latrines.
Vers la chandelle, aux trous du toit coulait l'air blanc,
Et quelque vigne folle aux noirceurs purpurines,
100 En deçà d'une cour voisine s'écroulant.

La lucarne faisait un cœur de lueur vive
Dans la cour où les cieux bas plaquaient d'ors vermeils
Les vitres; les pavés puant l'eau de lessive
Souffraient l'ombre des murs bondés de noirs sommeils.   104

. . . .

VII

Qui dira ces langueurs et ces pitiés immondes,
Et ce qu'il lui viendra de haine, ô sales fous,
Dont le travail divin déforme encor les mondes,
Quand la lèpre à la fin mangera ce corps doux?   108

. . . .

VIII

Et quand, ayant rentré tous ses nœuds d'hystéries,
Elle verra, sous les tristesses du bonheur,
L'amant rêver au blanc million des Maries,
Au matin de la nuit d'amour, avec douleur: 112

«Sais-tu que je t'ai fait mourir? J'ai pris ta bouche,
Ton cœur, tout ce qu'on a, tout ce que vous avez;
Et moi, je suis malade: Oh! je veux qu'on me couche
Parmi les Morts des eaux nocturnes abreuvés!   116

«J'étais bien jeune, et Christ a souillé mes haleines.
Il me bonda jusqu'à la gorge de dégoûts!
Tu baisais mes cheveux profonds comme les laines
Et je me laissais faire... ah! va, c'est bon pour vous,   120

«Hommes! qui songez peu que la plus amoureuse
Est, sous sa conscience aux ignobles terreurs,
La plus prostituée et la plus douloureuse,
Et que tous nos élans vers Vous sont des erreurs!   124

«Car ma Communion première est bien passée!
Tes baisers, je ne puis jamais les avoir sus:
Et mon cœur et ma chair par ta chair embrassée
128 Fourmillent du baiser putride de Jésus!»

IX

Alors l'âme pourrie et l'âme désolée
Sentiront ruisseler tes malédictions.
– Ils auront couché sur ta Haine inviolée,
132 Échappés, pour la mort, des justes passions.

Christ! ô Christ! éternel voleur des énergies,
Dieu qui pour deux mille ans vouas à ta pâleur,
Cloués au sol, de honte et de céphalalgies,
136 Ou renversés, les front des femmes de douleur.

Juillet 1871.

LE BATEAU IVRE[1]

Comme je descendais des Fleuves impassibles,
Je ne me sentis plus guidé par les haleurs:
Des Peaux-rouges criards les avaient pris pour cibles
4 Les ayant cloués nus aux poteaux de couleurs.

J'étais insoucieux de tous les équipages,
Porteur de blés flamands ou de cotons anglais.
Quand avec mes haleurs ont fini ces tapages
8 Les Fleuves m'ont laissé descendre où je voulais.

Dans les clapotements furieux des marées,
Moi, l'autre hiver, plus sourd que les cerveaux d'enfants,
Je courus! Et les Péninsules démarrées[1]
N'ont pas subi tohu-bohus plus triomphants.　　　　12

La tempête a béni mes éveils maritimes.
Plus léger qu'un bouchon j'ai dansé sur les flots
Qu'on appelle rouleurs éternels de victimes,
Dix nuits, sans regretter l'œil niais des falots[2]!　　　16

Plus douce qu'aux enfants la chair des pommes sures
L'eau verte pénétra ma coque de sapin
Et des taches de vins bleus et des vomissures
Me lava, dispersant gouvernail et grappin.　　　　20

Et dès lors, je me suis baigné dans le Poème
De la Mer, infusé d'astres, et lactescent[3],
Dévorant les azurs verts; où, flottaison blême
Et ravie, un noyé pensif parfois descend;　　　　24

Où, teignant tout à coup les bleuités, délires
Et rhythmes lents sous les rutilements du jour,
Plus fortes que l'alcool, plus vastes que nos lyres,
Fermentent les rousseurs amères de l'amour!　　　28

Je sais les cieux crevant en éclairs, et les trombes
Et les ressacs et les courants: je sais le soir,
L'Aube exaltée ainsi qu'un peuple de colombes,
Et j'ai vu quelquefois ce que l'homme a cru voir.　　32

J'ai vu le soleil bas, taché d'horreurs mystiques,
Illuminant de longs figements violets,
Pareils à des acteurs de drames très-antiques
Les flots roulant au loin leurs frissons de volets!　　36

J'ai rêvé la nuit verte aux neiges éblouies,
Baiser montant aux yeux des mers avec lenteurs,

La circulation des sèves inouïes,
40   Et l'éveil jaune et bleu des phosphores chanteurs!

J'ai suivi, des mois pleins, pareille aux vacheries
Hystériques, la houle à l'assaut des récifs,
Sans songer que les pieds lumineux des Maries
44   Pussent forcer le mufle aux Océans poussifs!

J'ai heurté, savez-vous, d'incroyables Florides
Mêlant aux fleurs des yeux de panthères à peaux
D'hommes! Des arcs-en-ciel tendus comme des brides
48   Sous l'horizon des mers, à de glauques troupeaux!

J'ai vu fermenter les marais énormes, nasses
Où pourrit dans les joncs tout un Léviathan[1]!
Des écroulements d'eaux au milieu des bonaces[2]
52   Et les lointains vers les gouffres cataractant!

Glaciers, soleils d'argent, flots nacreux, cieux de braises,
Échouages hideux au fond des golfes bruns
Où les serpents géants dévorés des punaises
56   Choient, des arbres tordus, avec de noirs parfums!

J'aurais voulu montrer aux enfants ces dorades
Du flot bleu, ces poissons d'or, ces poissons chantants.
– Des écumes de fleurs ont bercé mes dérades[3]
60   Et d'ineffables vents m'ont ailé par instants.

Parfois, martyr lassé des pôles et des zones,
La mer dont le sanglot faisait mon roulis doux
Montait vers moi ses fleurs d'ombre aux ventouses
                                             [jaunes
64   Et je restais, ainsi qu'une femme à genoux...

Presque île, ballottant sur mes bords les querelles
Et les fientes d'oiseaux clabaudeurs aux yeux blonds,

Et je voguais, lorsqu'à travers mes liens frêles
Des noyés descendaient dormir, à reculons !   68

Or moi, bateau perdu sous les cheveux des anses,
Jeté par l'ouragan dans l'éther sans oiseau,
Moi dont les Monitors et les voiliers des Hanses[1]
N'auraient pas repêché la carcasse ivre d'eau ;   72

Libre, fumant, monté de[2] brumes violettes,
Moi qui trouais le ciel rougeoyant comme un mur,
Qui porte, confiture exquise aux bons poètes,
Des lichens de soleil et des morves d'azur,   76

Qui courais, taché de lunules électriques,
Planche folle, escorté des hippocampes noirs,
Quand les juillets faisaient crouler à coups de triques
Les cieux ultramarins[3] aux ardents entonnoirs ;   80

Moi qui tremblais, sentant geindre à cinquante lieues
Le rut des Behemots[4] et les Maelstroms[5] épais,
Fileur éternel des immobilités bleues,
Je regrette l'Europe aux anciens parapets !   84

J'ai vu des archipels sidéraux ! et des îles
Dont les cieux délirants sont ouverts au vogueur :
– Est-ce en ces nuits sans fonds que tu dors et t'exiles,
Million d'oiseaux d'or, ô future Vigueur ? –   88

Mais, vrai, j'ai trop pleuré ! Les Aubes sont navrantes,
Toute lune est atroce et tout soleil amer :
L'âcre amour m'a gonflé de torpeurs enivrantes.
Ô que ma quille éclate ! Ô que j'aille à la mer !   92

Si je désire une eau d'Europe, c'est la flache[6]
Noire et froide où vers le crépuscule embaumé
Un enfant accroupi plein de tristesses, lâche
Un bateau frêle comme un papillon de mai.   96

Je ne puis plus, baigné de vos langueurs, ô lames,
Enlever leur sillage aux porteurs de cotons[1],
Ni traverser l'orgueil des drapeaux et des flammes,
100   Ni nager sous les yeux horribles des pontons !

Album Zutique

L'IDOLE[1]

Sonnet du Trou du Cul

Obscur et froncé comme un œillet violet
Il respire, humblement tapi parmi la mousse
Humide encor d'amour qui suit la fuite douce
Des Fesses blanches jusqu'au cœur de son ourlet.   4

Des filaments pareils à des larmes de lait
Ont pleuré, sous le vent cruel qui les repousse,
À travers de petits caillots de marne rousse
Pour s'aller perdre où la pente les appelait.   8

Mon Rêve s'aboucha souvent à sa ventouse ;
Mon âme, du coït matériel jalouse,
En fit son larmier fauve et son nid de sanglots.

C'est l'olive pâmée, et la flûte câline ;   12
C'est le tube où descend la céleste praline :
Chanaan féminin dans les moiteurs enclos !

                                        ALBERT MÉRAT.
                                        P. V. – A. R.[2]

LYS[1]

Ô balançoirs[2]! ô lys! clysopompes[3] d'argent!
Dédaigneux des travaux, dédaigneux des famines!
L'Aurore vous emplit d'un amour détergent!
4   Une douceur de ciel beurre vos étamines!

ARMAND SILVESTRE.
A. R.

LES LÈVRES CLOSES[4]

VU À ROME

Il est, à Rome, à la Sixtine,
Couverte d'emblèmes chrétiens,
Une cassette écarlatine
4   Où sèchent des nez fort anciens:

Nez d'ascètes de Thébaïde,
Nez de chanoines du Saint-Graal[5]
Où se figea la nuit livide,
8   Et l'ancien plain-chant sépulcral.

Dans leur sécheresse mystique,
Tous les matins, on introduit
De l'immondice schismatique
12   Qu'en poudre fine on a réduit.

LÉON DIERX.
A. R.

FÊTE GALANTE[1]

Rêveur, Scapin
Gratte un lapin
Sous sa capote.   3

Colombina,
– Que l'on pina ! –
– Do, mi, – tapote   6

L'œil du lapin
Qui tôt, tapin,
Est en ribote...   9

PAUL VERLAINE.
A. R.

☆

J'occupais un wagon de troisième[2] : un vieux prêtre
Sortit un brûle-gueule et mit à la fenêtre,
Vers les brises, son front très calme aux poils pâlis...
Puis ce chrétien, bravant les brocarts[3] impolis,
S'étant tourné, me fit la demande énergique   5
Et triste en même temps d'une petite chique
De caporal[4], – ayant été l'aumônier chef
D'un rejeton royal condamné derechef ; –
Pour malaxer l'ennui d'un tunnel, sombre veine
Qui s'offre aux voyageurs, près Soissons, ville d'Aisne.   10

☆

Je préfère sans doute[1], au printemps, la guinguette
Où des marronniers nains bourgeonne la baguette,
Vers la prairie étroite et communale, au mois
De mai. Des jeunes chiens rabroués bien des fois
5   Viennent près des Buveurs triturer des jacinthes
De plate-bande. Et c'est, jusqu'aux soirs d'hyacinthe,
Sur la table d'ardoise où, l'an dix-sept cent vingt
Un diacre grava son sobriquet latin
Maigre comme une prose à des vitraux d'église
10   La toux des flacons noirs qui jamais ne les grise.

FRANÇOIS COPPÉE.
A. R.

☆

L'Humanité chaussait[2] le vaste enfant Progrès

LOUIS-XAVIER DE RICARD
A. RIMBAUD.

CONNERIES

I

JEUNE GOINFRE[1]

Casquette
De moire,
Quéquette
D'ivoire,   4

Toilette
Très noire,
Paul guette
L'armoire,   8

Projette
Languette
Sur poire,

S'apprête   12
Baguette,
Et foire.

A. R.

II

PARIS[2]

Al. Godillot, Gambier,
Galopeau, Volf-Pleyel,
– Ô Robinets! – Menier,
– Ô Christs! – Leperdriel!   4

Kinck, Jacob, Bonbonnel !
Veuillot, Tropmann, Augier !
Gill, Mendès, Manuel,
8   Guido Gonin ! – Panier

Des Grâces ! L'Hérissé !
Cirages onctueux !
12   Pains vieux, spiritueux !

Aveugles ! – puis, qui sait ? –
Sergents de ville, Enghiens
Chez soi ! – Soyons chrétiens !

A. R.

CONNERIES 2ᵉ SÉRIE

I

COCHER IVRE[1]

Pouacre[2]
Boit :
Nacre
4   Voit :

Acre
Loi,
Fiacre
8   Choit !

Femme
Tombe :
Lombe

Saigne: 12
– Clame!
Geigne.

A. R.

VIEUX DE LA VIEILLE[1]!

Aux paysans de l'empereur!
À l'empereur des paysans!
Au fils de Mars,
Au glorieux *18 mars*!
Où le Ciel d'Eugénie a béni les entrailles!   5

ÉTAT DE SIÈGE[2]?

Le pauvre postillon, sous le dais de fer blanc,
Chauffant une engelure énorme sous son gant,
Suit son lourd omnibus parmi la rive gauche,
Et de son aine en flamme écarte la sacoche.
Et tandis que, douce ombre où des gendarmes sont,   5
L'honnête intérieur[3] regarde au ciel profond
La lune se bercer parmi la verte ouate,
Malgré l'édit et l'heure encore délicate,
Et que l'omnibus rentre à l'Odéon, impur
Le débauché glapit au carrefour obscur[4]!   10

FRANÇOIS COPPÉE.
A. R.

LE BALAI[1]

C'est un humble balai de chiendent, trop dur
Pour une chambre ou pour la peinture d'un mur.
L'usage en est navrant et ne vaut pas qu'on rie.
Racine prise à quelque ancienne prairie
5   Son crin inerte sèche : et son manche a blanchi.
Tel un bois d'île à la canicule rougi.
La cordelette semble une tresse gelée.
J'aime de cet objet la saveur désolée
Et j'en voudrais laver tes larges bords de lait,
10   Ô Lune où l'esprit de nos Sœurs mortes se plaît.

F. C.

EXIL[2]

. . . .
Que l'on s'intéressa souvent, mon cher Conneau !...
Plus qu'à l'Oncle Vainqueur, au Petit Ramponneau[3] !...
3   Que tout honnête instinct sort du Peuple débile !...
Hélas !! Et qui a fait tourner mal notre bile !...
Et qu'il nous sied déjà de pousser le verrou
6   Au Vent que les enfants nomment Bari-barou[4] !...
. . . .

Fragment d'une épître en Vers
de Napoléon III, 1871.

L'ANGELOT MAUDIT[1]

Toits bleuâtres et portes blanches
Comme en de nocturnes dimanches,

Au bout de la ville sans bruit
La Rue est blanche, et c'est la nuit.   4

La Rue a des maisons étranges
Avec des persiennes d'Anges.

Mais, vers une borne, voici
Accourir, mauvais et transi,   8

Un noir Angelot qui titube,
Ayant trop mangé de jujube.

Il fait caca : puis disparaît :
Mais son caca maudit paraît,   12

Sous la lune sainte qui vaque,
De sang sale un léger cloaque !

LOUIS RASTIBONNE.
A. RIMBAUD.

☆

Mais enfin[2], c
Qu'ayant
Je puisse
Et du mon

5   Rêver le sé
           Le tableau
           Des animau
           Et, loin du
           L'élaborat
10   D'un Choler

Les soirs d'été[1], sous l'œil ardent des devantures,
Quand la sève frémit sous les grilles obscures
Irradiant au pied des grêles marronniers
Hors de ces groupes noirs, joyeux ou casaniers,
5   Suceurs de brûle-gueule ou baiseurs du cigare,
Dans le kiosque[2] mi-pierre étroit où je m'égare,
– Tandis qu'en haut rougeoie une annonce d'*Ibled*[3], –
Je songe que l'hiver figera le Filet
D'eau propre qui bruit, apaisant l'onde humaine,
10 – Et que l'âpre aquilon n'épargne aucune veine.

                    FRANÇOIS COPPÉE.
                    A. RIMBAUD.

BOUTS-RIMÉS[4]

           lévitiques
           ur fauve *fessier*,
           matiques,
           mon *grossier*,

           apoplectiques,
           nassier,

mnastiques,
ux membre d'*acier*.   8

et peinte en *bile*,
a *sébile*
in,

n fruit d'*Asie*,   12
saisie,
ve d'*airain*.

A. R.

Aux livres de chevet[1], livres de l'art serein,
Obermann et Genlis, Ver-vert et le Lutrin,
Blasé de nouveauté grisâtre et saugrenue,
J'espère, la vieillesse étant enfin venue,
Ajouter le traité du Docteur Venetti[2].   5
Je saurai, revenu du public abêti,
Goûter le charme ancien des dessins nécessaires.
Écrivain et graveur ont doré les misères
Sexuelles : et c'est, n'est-ce pas, cordial :
Dr Venetti, Traité de l'Amour conjugal.   10

F. COPPÉE.
A. R.

HYPOTYPOSES[1] SATURNIENNES,
EX[2] BELMONTET

Quel est donc ce mystère impénétrable et sombre?
Pourquoi, sans projeter leur voile blanche, sombre
    Tout jeune esquif royal gréé?

Renversons la douleur de nos lacrymatoires. –
. . . .
5   L'amour veut vivre aux dépens de sa sœur,
       L'amitié vit aux dépens de son frère.
. . . .
Le sceptre, qu'à peine on révère,
N'est que la croix d'un grand calvaire
Sur le volcan des nations!
. . . .
10 Oh! l'honneur ruisselait sur ta mâle moustache.

BELMONTET
archétype Parnassien.

LES REMEMBRANCES
DU VIEILLARD IDIOT[3]

Pardon, mon père!
               Jeune, aux foires de campagne,
Je cherchais, non le tir banal où tout coup gagne,
Mais l'endroit plein de cris où les ânes, le flanc
Fatigué, déployaient ce long tube sanglant
5 Que je ne comprends pas encore!...
               Et puis ma mère,

Dont la chemise avait une senteur amère
Quoique fripée au bas et jaune comme un fruit,
Ma mère qui montait au lit avec un bruit
– Fils du travail pourtant, – ma mère, avec sa cuisse
De femme mûre, avec ses reins très gros où plisse   10
Le linge, me donna ces chaleurs que l'on tait!...

Une honte plus crue et plus calme, c'était
Quand ma petite sœur, au retour de la classe,
Ayant usé longtemps ses sabots sur la glace,
Pissait, et regardait s'échapper de sa lèvre   15
D'en bas serrée et rose, un fil d'urine mièvre!...

Ô pardon!
     Je songeais à mon père parfois:
Le soir, le jeu de carte et les mots plus grivois,
Le voisin, et moi qu'on écartait, choses vues...
– Car un père est troublant! – et les choses conçues!...   20
Son genou, câlineur parfois; son pantalon
Dont mon doigt désirait ouvrir la fente... – oh! non! –
Pour avoir le bout, gros, noir et dur, de mon père,
Dont la pileuse main me berçait!...
     Je veux taire
Le pot, l'assiette à manche, entrevue au grenier,   25
Les almanachs couverts en rouge, et le panier
De charpie, et la Bible, et les lieux, et la bonne,
La Sainte-Vierge et le crucifix...
     Oh! personne
Ne fut si fréquemment troublé, comme étonné!
Et maintenant, que le pardon me soit donné: 30
Puisque les sens infects m'ont mis de leurs victimes,
Je me confesse de l'aveu des jeunes crimes!...
. . . .
Puis! – qu'il me soit permis de parler au Seigneur!
Pourquoi la puberté tardive et le malheur
Du gland tenace et trop consulté? Pourquoi l'ombre   35
Si lente au bas du ventre? et ces terreurs sans nombre

Comblant toujours la joie ainsi qu'un gravier noir?
— Moi j'ai toujours été stupéfait. Quoi savoir?
. . . .
Pardonné?...
          Reprenez la chancelière bleue,
40 Mon père.
        Ô cette enfance! . . . .
. . . .
. . . . – et tirons-nous la queue!

FRANÇOIS COPPÉE.
A. R.

RESSOUVENIR[1]

Cette année où naquit le Prince impérial
Me laisse un souvenir largement cordial
D'un Paris limpide où des N d'or et de neige
Aux grilles du palais, aux gradins du manège,
5 Éclatent, tricolorement enrubannés.
Dans le remous public des grands chapeaux fanés,
Des chauds gilets à fleurs, des vieilles redingotes,
Et des chants d'ouvriers anciens dans les gargotes,
Sur des châles jonchés l'Empereur marche, noir
10 Et propre, avec la Sainte espagnole[2], le soir.

FRANÇOIS COPPÉE.

Poésies 1872

Qu'est-ce pour nous, mon cœur, que les nappes de sang[1]
Et de braise, et mille meurtres, et les longs cris
De rage, sanglots de tout enfer renversant
Tout ordre; et l'Aquilon encor sur les débris   4

Et toute vengeance? Rien!... – Mais si, toute encor,
Nous la voulons! Industriels, princes, sénats,
Périssez! puissance, justice, histoire, à bas!
Ça nous est dû. Le sang! le sang! la flamme d'or!   8

Tout à la guerre, à la vengeance, à la terreur,
Mon Esprit! Tournons dans la Morsure: Ah! passez.
Républiques de ce monde! Des empereurs,
Des régiments, des colons, des peuples, assez!   12

Qui remuerait les tourbillons de feu furieux,
Que nous[2] et ceux que nous nous imaginons frères?
À nous! Romanesques amis: ça va nous plaire.
Jamais nous ne travaillerons, ô flots de feux!   16

Europe, Asie, Amérique, disparaissez.
Notre marche vengeresse a tout occupé,
Cités et campagnes! – Nous serons écrasés!
Les volcans sauteront! et l'océan frappé...   20

Oh! mes amis! – mon cœur, c'est sûr, ils sont des frères:
Noirs inconnus, si nous allions! allons! allons!
Ô malheur! je me sens frémir, la vieille terre,
24   Sur moi de plus en plus à vous! la terre fond,

Ce n'est rien! j'y suis! j'y suis toujours[1].

MÉMOIRE[2]

I

L'eau claire; comme le sel des larmes d'enfance,
L'assaut au soleil des blancheurs des corps de femmes;
la soie, en foule et de lys pur, des oriflammes
4   sous les murs dont quelque pucelle eut la défense;

l'ébat des anges; – Non... le courant d'or en marche,
meut ses bras, noirs, et lourds, et frais surtout, d'herbe.
                              [Elle
sombre, avant[3] le Ciel bleu pour ciel-de-lit, appelle
8   pour rideaux l'ombre de la colline et de l'arche.

II

Eh! l'humide carreau[4] tend ses bouillons limpides!
L'eau meuble d'or pâle et sans fond les couches prêtes.
Les robes vertes et déteintes des fillettes
12   font les saules, d'où sautent les oiseaux sans brides.

Plus pure qu'un louis, jaune et chaude paupière,
le souci d'eau – ta foi conjugale, ô l'Épouse! –
au midi prompt, de son terne miroir, jalouse
16   au ciel gris de chaleur la Sphère rose et chère.

III

Madame se tient trop debout dans la prairie
prochaine où neigent les fils du travail; l'ombrelle
aux doigts; foulant l'ombelle; trop fière pour elle;
des enfants lisant dans la verdure fleurie   20

leur livre de maroquin rouge! Hélas, Lui, comme
mille anges blancs qui se séparent sur la route,
s'éloigne par-delà la montagne! Elle, toute
froide, et noire, court! après le départ de l'homme!   24

IV

Regret des bras épais et jeunes d'herbe pure!
Or des lunes d'avril au cœur du saint lit! Joie
des chantiers riverains à l'abandon, en proie
aux soirs d'août qui faisaient germer ces pourritures!   28

Qu'elle pleure à présent sous les remparts! l'haleine
des peupliers d'en haut est pour la seule brise.
Puis, c'est la nappe, sans reflets, sans source, grise:
un vieux, dragueur, dans sa barque immobile, peine.   32

V

Jouet de cet œil d'eau morne, je n'y puis prendre,
ô canot immobile! oh! bras trop courts! ni l'une
ni l'autre fleur: ni la jaune qui m'importune,
là; ni la bleue, amie à l'eau couleur de cendre.   36

Ah! la poudre des saules qu'une aile secoue!
Les roses des roseaux dès longtemps dévorées!
Mon canot, toujours fixe; et sa chaîne tirée
Au fond de cet œil d'eau sans bords, – à quelle boue?   40

LARME[1]

Loin des oiseaux, des troupeaux, des villageoises,
Je buvais, accroupi dans quelque bruyère
Entourée de tendres bois de noisetiers,
4   Par un brouillard d'après-midi tiède et vert.

Que pouvais-je boire dans cette jeune Oise[2],
Ormeaux sans voix, gazon sans fleurs, ciel couvert.
Que tirais-je à la gourde de colocase[3]?
8   Quelque liqueur d'or, fade et qui fait suer.

Tel, j'eusse été mauvaise enseigne d'auberge.
Puis l'orage changea le ciel, jusqu'au soir.
Ce furent des pays noirs, des lacs, des perches,
12   Des colonnades sous la nuit bleue, des gares.

L'eau des bois se perdait sur des sables vierges,
Le vent, du ciel, jetait des glaçons aux mares...
Or! tel qu'un pêcheur d'or ou de coquillages,
16   Dire que je n'ai pas eu souci de boire!

Mai 1872.

LA RIVIÈRE DE CASSIS[4]

La Rivière de Cassis roule ignorée
      En des vaux étranges:
La voix de cent corbeaux l'accompagne, vraie
      Et bonne voix d'anges:
4   Avec les grands mouvements des sapinaies
      Quand plusieurs vents plongent.

Tout roule avec des mystères révoltants
    De campagnes d'anciens temps ;   8
De donjons visités, de parcs importants :
    C'est en ces bords qu'on entend
Les passions mortes des chevaliers errants :
    Mais que salubre est le vent !   12

Que le piéton regarde à ces clairevoies :
    Il ira plus courageux.
Soldats des forêts que le Seigneur envoie,
    Chers corbeaux délicieux[1] !   16
Faites fuir d'ici le paysan matois
    Qui trinque d'un moignon vieux.

Mai 1872.

COMÉDIE DE LA SOIF[2]

1

LES PARENTS

Nous sommes tes Grands-Parents,
    Les Grands !
Couverts des froides sueurs
De la lune et des verdures.   4
Nos vins secs avaient du cœur !
Au soleil sans imposture
Que faut-il à l'homme ? boire.

MOI   – Mourir aux fleuves barbares.   8

        Nous sommes tes Grands-Parents
              Des champs.
        L'eau est au fond des osiers :
12   Vois le courant du fossé
        Autour du Château mouillé.
        Descendons en nos celliers ;
        Après, le cidre et le lait[1].

16   MOI   – Aller où boivent les vaches.

        Nous sommes tes Grands-Parents ;
              Tiens, prends
        Les liqueurs dans nos armoires ;
20   Le Thé, le Café, si rares,
        Frémissent dans les boulloires[2]
        – Vois les images, les fleurs.
        Nous rentrons du cimetière.

24   MOI   – Ah ! tarir toutes les urnes !

              2

           L'ESPRIT

        Éternelles Ondines,
        Divisez l'eau fine.
           Venus, sœur de l'azur,
28   Émeus le flot pur.

        Juifs errants de Norwège,
           Dites-moi la neige.
        Anciens exilés chers,
32   Dites-moi la mer.

     MOI   – Non, plus ces boissons pures,
              Ces fleurs d'eau pour verres ;

Légendes ni figures
    Ne me désaltèrent ;   36

Chansonnier, ta filleule
    C'est ma soif si folle
Hydre intime sans gueules
    Qui mine et désole.   40

3

LES AMIS

Viens, les Vins sont aux plages,
Et les flots par millions !
Vois le Bitter sauvage [1]
Rouler du haut des monts !   44

Gagnons, pèlerins sages,
L'absinthe aux verts piliers [2]...
MOI   – Plus ces paysages.
Qu'est l'ivresse, Amis ?   48

J'aime autant, mieux, même,
Pourrir dans l'étang,
Sous l'affreuse crème,
Près des bois flottants.   52

4

LE PAUVRE SONGE

Peut-être un soir m'attend
Où je boirai tranquille
En quelque vieille Ville,
Et mourrai plus content :   56
Puisque je suis patient !

Si mon mal se résigne,
Si j'ai jamais quelque or,
60   Choisirai-je le Nord
Ou le Pays des Vignes?...
– Ah! songer est indigne

Puisque c'est pure perte!
64   Et si je redeviens
Le voyageur ancien,
Jamais l'auberge verte[1]
67   Ne peut bien m'être ouverte.

5

CONCLUSION

68   Les pigeons qui tremblent dans la prairie,
Le gibier, qui court et qui voit la nuit,
Les bêtes des eaux, la bête asservie,
Les derniers papillons!... ont soif aussi.

72   Mais fondre où fond ce nuage sans guide,
– Oh! favorisé de ce qui est frais!
Expirer en ces violettes humides
75   Dont les aurores chargent ces forêts?

Mai 1872.

BONNE PENSÉE DU MATIN[2]

À quatre heures du matin, l'été,
Le sommeil d'amour dure encore.

Sous les bosquets l'aube évapore
    L'odeur du soir fêté.   4

Mais là-bas dans l'immense chantier
Vers le soleil des Hesperides[1],
En bras de chemise, les charpentiers
    Déjà s'agitent.   8

Dans leur désert de mousse, tranquilles,
Ils préparent les lambris précieux
Où la richesse de la ville
    Rira sous de faux cieux.   12

    Ah! pour ces Ouvriers charmants
    Sujets d'un roi de Babylone,
    Venus! laisse un peu les Amants,
        Dont l'âme est en couronne[2].   16

    Ô Reine des Bergers;
    Porte aux travailleurs l'eau-de-vie,
    Pour que leurs forces soient en paix
En attendant le bain dans la mer, à midi[3].   20

Mai 1872.

FÊTES DE LA PATIENCE[4]

BANNIÈRES DE MAI[1]

Aux branches claires des tilleuls
Meurt un maladif hallali.
Mais des chansons spirituelles
4　Voltigent parmi les groseilles.
Que notre sang rie en nos veines,
Voici s'enchevêtrer les vignes.
Le ciel est joli comme un ange.
8　L'azur et l'onde communient.
Je sors. Si un rayon me blesse
Je succomberai sur la mousse.

Qu'on patiente et qu'on s'ennuie
12　C'est trop simple. Fi de mes peines.
Je veux que l'été dramatique
Me lie à son char de fortune.
Que par toi beaucoup, ô Nature,
16　– Ah moins seul et moins nul ! – je meure.
Au lieu que les Bergers, c'est drôle,
Meurent à peu près par le monde[2].

Je veux bien que les saisons m'usent.
20　À toi, Nature, je me rends ;
Et ma faim et toute ma soif.
Et, s'il te plaît, nourris, abreuve.
Rien de rien ne m'illusionne ;
24　C'est rire aux parents, qu'au soleil,
Mais moi je ne veux rire à rien ;
Et libre soit cette infortune.

Mai 1872

CHANSON DE LA PLUS HAUTE TOUR[1]

Oisive jeunesse
À tout asservie,
Par délicatesse
J'ai perdu ma vie.   4
Ah ! Que le temps vienne
Où les cœurs s'éprennent.

Je me suis dit : laisse,
Et qu'on ne te voie :   8
Et sans la promesse
De plus hautes joies.
Que rien ne t'arrête,
Auguste retraite.   12

J'ai tant fait patience
Qu'à jamais j'oublie ;
Craintes et souffrances
Aux cieux sont parties.   16
Et la soif malsaine
Obscurcit mes veines.

Ainsi la Prairie
À l'oubli livrée,   20
Grandie, et fleurie
D'encens et d'ivraies,
Au bourdon farouche
De cent sales mouches.   24

Ah ! Mille veuvages
De la si pauvre âme
Qui n'a que l'image
De la Notre-Dame !   28
Est-ce que l'on prie
La Vierge Marie ?

Oisive jeunesse
32   À tout asservie,
Par délicatesse
J'ai perdu ma vie.
Ah! Que le temps vienne
36   Où les cœurs s'éprennent[1]!

Mai 1872.

L'ÉTERNITÉ[2]

Elle est retrouvée.
Quoi? – l'Éternité.
C'est la mer allée
4   Avec le soleil.

Âme sentinelle,
Murmurons l'aveu
De la nuit si nulle
8   Et du jour en feu.

Des humains suffrages,
Des communs élans,
Là tu te dégages
12   Et voles selon.

Puisque de vous seules,
Braises de satin,
Le Devoir s'exhale
16   Sans qu'on dise: enfin.

Là pas d'espérance,
Nul orietur[3].
Science avec patience,
20   Le supplice est sûr.

Elle est retrouvée.
Quoi ? – L'éternité.
C'est la mer allée
Avec le soleil.   24

Mai 1872.

ÂGE D'OR[1]

Quelqu'une des voix
Toujours angélique
– Il s'agit de moi, –
Vertement s'explique :   4

Ces mille questions
Qui se ramifient
N'amènent, au fond,
Qu'ivresse et folie ;   8

Reconnais ce tour
Si gai, si facile :
Ce n'est qu'onde, flore,
Et c'est ta famille !   12

Puis elle chante. Ô
Si gai, si facile,
Et visible à l'œil nu…
– Je chante avec elle, –   16

Reconnais ce tour
Si gai, si facile,
Ce n'est qu'onde, flore,
Et c'est ta famille !.. etc….   20

Et puis une voix
– Est-elle angélique! –
Il s'agit de moi,
24   Vertement s'explique;

Et chante à l'instant
En sœur des haleines:
D'un ton Allemand,
28   Mais ardente et pleine:

Le monde est vicieux;
Si cela t'étonne!
Vis et laisse au feu
32   L'obscure infortune.

Ô! joli château!
Que ta vie est claire!
De quel Âge es-tu,
36   Nature princière
De notre grand frère! etc....,

Je chante aussi, moi:
Multiples sœurs! Voix
40   Pas du tout publiques!
Environnez-moi
De gloire pudique.. etc....,

Juin 1872.

JEUNE MÉNAGE[1]

La chambre est ouverte au ciel bleu-turquin[2];
Pas de place: des coffrets et des huches!

Dehors le mur est plein d'aristoloches[1]
Où vibrent les gencives des lutins.   4

Que ce sont bien intrigues de génies
Cette dépense et ces désordres vains!
C'est la fée africaine[2] qui fournit
La mûre, et les résilles dans les coins.   8

Plusieurs entrent, marraines mécontentes,
En pans de lumière dans les buffets,
Puis y restent! le ménage s'absente
Peu sérieusement, et rien ne se fait.   12

Le marié a le vent qui le floue[3]
Pendant son absence, ici, tout le temps.
Même des fantômes des eaux, errants,
Entrent vaguer aux sphères de l'alcôve.   16

La nuit, l'amie oh! la lune de miel
Cueillera leur sourire et remplira
De mille bandeaux de cuivre le ciel.
Puis ils auront affaire au malin rat[4].   20

– S'il n'arrive pas un feu follet blême,
Comme un coup de fusil, après des vêpres.
– Ô Spectres saints et blancs de Bethléem,
Charmez plutôt le bleu de leur fenêtre!   24

27 juin [18]72.

MICHEL ET CHRISTINE[5]

Zut alors si le soleil quitte ces bords!
Fuis, clair déluge! Voici l'ombre des routes.

Dans les saules, dans la vieille cour d'honneur
4   L'orage d'abord jette ses larges gouttes.

Ô cent agneaux, de l'idylle soldats blonds,
Des aqueducs, des bruyères amaigries,
Fuyez! plaine, déserts, prairie, horizons
8   Sont à la toilette rouge de l'orage!

Chien noir, brun pasteur dont le manteau s'engouffre,
Fuyez l'heure des éclairs supérieurs ;
Blond troupeau, quand voici nager ombre et soufre,
12   Tâchez de descendre à des retraits meilleurs.

Mais moi, Seigneur! voici que mon Esprit vole,
Après les cieux glacés de rouge, sous les
Nuages célestes qui courent et volent
16   Sur cent Solognes longues comme un railway.

Voilà mille loups, mille graines sauvages
Qu'emporte, non sans aimer les liserons,
Cette religieuse après-midi d'orage
20   Sur l'Europe ancienne où cent hordes iront!

Après, le clair de lune! partout la lande,
Rougissant leurs fronts aux cieux noirs, les guerriers
Chevauchent lentement leurs pâles coursiers!
24   Les cailloux sonnent sous cette fière bande!

– Et verrai-je le bois jaune et le val clair,
L'Épouse aux yeux bleus, l'homme au front rouge, – ô
                                   [Gaule,
Et le blanc agneau Pascal, à leurs pieds chers,
28   – Michel et Christine, – et Christ! – fin de l'Idylle.

☆

Bruxelles[1]
Boulevart du Régent[2],

Juillet.

Plates-bandes d'amarantes[3] jusqu'à
L'agréable palais de Jupiter.
– Je sais que c'est Toi[4], qui, dans ces lieux,
Mêles ton Bleu presque de Sahara !   4

Puis, comme rose et sapin du soleil
Et liane ont ici leurs jeux enclos,
Cage de la petite veuve[5] !...
                              Quelles
Troupes d'oiseaux ! o iaio, iaio[6] !...   8

– Calmes maisons, anciennes passions !
Kiosque de la Folle par affection[7].
Après les fesses[8] des rosiers, balcon
Ombreux et très-bas de la Juliette.   12

– La Juliette, ça rappelle l'Henriette[9],
Charmante station du chemin de fer
Au cœur d'un mont comme au fond d'un verger
Où mille diables bleus[10] dansent dans l'air !   16

Banc vert où chante au paradis d'orage,
Sur la guitare, la blanche Irlandaise[11].
Puis de la salle à manger guyanaise
Bavardage des enfants et des cages.   20

Fenêtre du duc[12] qui fais que je pense
Au poison des escargots et du buis

Qui dort ici-bas au soleil. Et puis
24   C'est trop beau! trop! Gardons notre silence.

– Boulevart sans mouvement ni commerce,
Muet, tout drame et toute comédie,
Réunion des scènes infinie,
28   Je te connais et t'admire en silence.

☆

Est-elle almée[1]?... aux premières heures bleues
Se détruira-t-elle comme les fleurs feues...
Devant la splendide étendue où l'on sente
4   Souffler la ville énormément florissante!

C'est trop beau! c'est trop beau[2]! mais c'est nécessaire
– Pour la Pêcheuse et la chanson du Corsaire[3],
Et aussi puisque les derniers masques crurent
8   Encore aux fêtes de nuit sur la mer pure!

Juillet 1872.

FÊTES DE LA FAIM[4]

Ma faim, Anne, Anne,
Fuis sur ton âne.

Si j'ai du *goût*, ce n'est guères
4   Que pour la terre et les pierres.
Dinn! dinn! dinn! dinn! je pais l'air,
Le roc, les terres, le fer.

Tournez, les faims! paissez, faims,
  Le pré des sons!   8
Puis l'humble et vibrant venin
  Des liserons;

Les cailloux qu'un pauvre brise;
Les vieilles pierres d'églises,   12
Les galets, fils des déluges,
Pains couchés aux vallées grises!

Mes faims, c'est les bouts d'air noir;
  L'azur sonneur;   16
– C'est l'estomac qui me tire.
  C'est le malheur.

Sur terre ont paru les feuilles:
Je vais aux chairs de fruit blettes.   20
Au sein du sillon je cueille
La doucette[1] et la violette.

    Ma faim, Anne, Anne!
  Fuis sur ton âne.   24

☆

  Entends comme brame[2]
  près des acacias
  en avril la rame
  viride du pois!   4

  Dans sa vapeur nette,
  vers Phoebé! tu vois
  s'agiter la tête
  de saints d'autrefois...   8

Loin des claires meules
des caps, des beaux toits,
ces chers Anciens veulent
12   ce philtre sournois...

Or ni fériale
ni astrale! n'est
la brume qu'exhale
16   ce nocturne effet.

Néanmoins ils restent,
– Sicile, Allemagne,
dans ce brouillard triste
20   et blêmi, justement!

HONTE[1]

Tant que la lame n'aura
Pas coupé cette cervelle,
Ce paquet blanc vert et gras
4   À vapeur jamais nouvelle,

(Ah! Lui[2], devrait couper son
Nez, sa lèvre, ses oreilles,
Son ventre! et faire abandon
8   De ses jambes! ô merveille[3]!)

Mais, non, vrai, je crois que tant
Que pour sa tête la lame
Que les cailloux pour son flanc
12   Que pour ses boyaux la flamme

N'auront pas agi, l'enfant
Gêneur, la si sotte bête,

Ne doit cesser un instant
De ruser et d'être traître   16

Comme un chat des Monts-Rocheux[1] ;
D'empuantir toutes sphères !
Qu'à sa mort pourtant, ô mon Dieu !
S'élève quelque prière !   20

☆

Ô saisons, ô châteaux[2] !
Quelle âme est sans défauts ?

    Ô saisons, ô châteaux,

J'ai fait la magique étude   4
Du Bonheur, que nul n'élude.

Ô vive lui, chaque fois
Que chante son coq Gaulois.

Mais ! je n'aurai plus d'envie :   8
Il s'est chargé de ma vie.

Ce Charme ! il prit âme et corps
Et dispersa tous efforts.

Que comprendre à ma parole ?   12
Il fait qu'elle fuie et vole !

    Ô saisons, ô châteaux !

[Et, si le malheur m'entraîne,
Sa disgrâce m'est certaine.   16

Il faut que son dédain, las!
Me livre au plus prompt trépas!

– Ô Saisons, ô Châteaux!
Quelle âme est sans défauts]¹

Les Déserts de l'amour

Proses en marge
de l'Évangile

LES DÉSERTS DE L'AMOUR[1]

AVERTISSEMENT

Ces écritures-ci sont d'un jeune, tout jeune *homme*, dont la vie s'est développée n'importe où; sans mère, sans pays, insoucieux de tout ce qu'on connaît, fuyant toute force morale, comme furent déjà plusieurs pitoyables jeunes hommes. Mais, lui, si ennuyé et si troublé, qu'il ne fit que s'amener à la mort comme à une pudeur terrible et fatale. N'ayant pas aimé de femmes, – quoique plein de sang! – il eut son âme et son cœur, toute sa force, élevés en des erreurs étranges et tristes. Des rêves suivants, – ses amours! – qui lui vinrent dans ses lits ou dans les rues, et de leur suite et de leur fin, de douces considérations religieuses se dégagent – peut-être se rappellera-t-on le sommeil continu des Mahométans légendaires, – braves pourtant et circoncis! Mais, cette bizarre souffrance possédant une autorité inquiétante, il faut sincèrement désirer que cette âme, égarée parmi nous tous, et qui veut la mort, ce semble, rencontre en cet instant-là des consolations sérieuses et soit digne!

LES DÉSERTS DE L'AMOUR

C'est certes la même campagne. La même maison
rustique de mes parents: la salle même où les dessus
de porte sont des bergeries roussies, avec des armes et
des lions. Au dîner, il y a un salon, avec des bougies et
des vins et des boiseries rustiques. La table à manger
est très grande. Les servantes! Elles étaient plusieurs,
autant que je m'en suis souvenu. – Il y avait là un de
mes jeunes amis anciens, prêtre et vêtu en prêtre,
maintenant: c'était pour être plus libre. Je me souviens
de sa chambre de pourpre, à vitres de papier jaune: et
ses livres, cachés, qui avaient trempé dans l'océan!

Moi j'étais abandonné, dans cette maison de campagne sans fin: lisant dans la cuisine, séchant la boue
de mes habits devant les hôtes, aux conversations du
salon: ému jusqu'à la mort par le murmure du lait du
matin et de la nuit du siècle dernier.

J'étais dans une chambre très sombre: que faisais-
je? Une servante vint près de moi: je puis dire que
c'était un petit chien: quoiqu'elle fût belle, et d'une
noblesse maternelle inexprimable pour moi: pure,
connue, toute charmante! Elle me pinça le bras.

Je ne me rappelle même plus bien sa figure: ce n'est
pas pour me rappeler son bras, dont je roulai la peau
dans mes deux doigts: ni sa bouche, que la mienne saisit comme une petite vague désespérée, minant sans
fin quelque chose. Je la renversai dans une corbeille
de coussins et de toiles de navire, en un coin noir. Je
ne me rappelle plus que son pantalon à dentelles
blanches. – Puis, ô désespoir, la cloison devint vaguement l'ombre des arbres, et je me suis abîmé sous la
tristesse amoureuse de la nuit.

Cette fois, c'est la Femme que j'ai vue dans la ville,
et à qui j'ai parlé et qui me parle.

J'étais dans une chambre sans lumière. On vint me dire qu'elle était chez moi : et je la vis dans mon lit, toute à moi, sans lumière ! Je fus très ému, et beaucoup parce que c'était la maison de famille : aussi une détresse me prit ! j'étais en haillons, moi, et elle, mondaine, qui se donnait ; il lui fallait s'en aller ! Une détresse sans nom, je la pris, et la laissai tomber hors du lit, presque nue ; et dans ma faiblesse indicible, je tombai sur elle et me traînai avec elle parmi les tapis sans lumière. La lampe de la famille rougissait l'une après l'autre les chambres voisines. Alors la femme disparut. Je versai plus de larmes que Dieu n'en a pu jamais demander.

Je sortis dans la ville sans fin. Ô Fatigue ! Noyé dans la nuit sourde et dans la fuite du bonheur. C'était comme une nuit d'hiver, avec une neige pour étouffer le monde décidément. Les amis auxquels je criais : où reste-t-elle, répondaient faussement. Je fus devant les vitrages de là où elle va tous les soirs : je courais dans un jardin enseveli. On m'a repoussé. Je pleurais énormément, à tout cela. Enfin je suis descendu dans un lieu plein de poussière, et assis sur des charpentes, j'ai laissé finir toutes les larmes de mon corps avec cette nuit. – Et mon épuisement me revenait pourtant toujours.

J'ai compris qu'elle était à sa vie de tous les jours ; et que le tour de bonté serait plus long à se reproduire qu'une étoile. Elle n'est pas revenue, et ne reviendra jamais, l'Adorable qui s'était rendue chez moi, – ce que je n'aurais jamais présumé. – Vrai, cette fois, j'ai pleuré plus que tous les enfants du monde.

[PROSES EN MARGE
DE L'ÉVANGILE[1]]

I

À Samarie[2], plusieurs ont manifesté leur foi en lui. Il
ne les a pas vus. Samarie s'enorgueillissait la parvenue,
la perfide, l'égoïste, plus rigide observatrice de sa loi
protestante que Juda des tables antiques[3]. Là la richesse
universelle permettait bien peu de discussion éclairée.
Le sophisme, esclave et soldat de la routine, y avait déjà
après les avoir flattés, égorgé plusieurs prophètes.

C'était un mot sinistre, celui de la femme à la fontaine[4] : « Vous êtes prophète, vous savez ce que j'ai fait. »

Les femmes et les hommes croyaient aux prophètes.
Maintenant on croit à l'homme d'État.

À deux pas de la ville étrangère, incapable de la
menacer matériellement, s'il était pris comme prophète, puisqu'il s'était montré là si bizarre, qu'aurait-il
fait ?

Jésus n'a rien pu dire à Samarie.

II[1]

L'air léger et charmant de la Galilée[2] : les habitants le reçurent avec une joie curieuse : ils l'avaient vu, secoué par la sainte colère, fouetter les changeurs et les marchands de gibier du temple. Miracle de la jeunesse pâle et furieuse, croyaient-ils.

Il sentit sa main aux mains chargées de bagues et à la bouche d'un officier[3]. L'officier était à genoux dans la poudre : et sa tête était assez plaisante, quoique à demi chauve.

Les voitures filaient dans les étroites rues de la ville ; un mouvement, assez fort pour ce bourg[4] ; tout semblait devoir être trop content ce soir-là.

Jésus retira sa main : il eut un mouvement d'orgueil enfantin et féminin. « Vous autres, si vous ne voyez point des miracles, vous ne croyez point. »

Jésus n'avait point encor fait de miracle. Il avait, dans une noce, dans une salle à manger verte et rose, parlé un peu hautement à la Sainte Vierge[5]. Et personne n'avait parlé du vin de Cana à Capharnaüm[6], ni sur le marché, ni sur les quais. Les bourgeois peut-être.

Jésus dit : « Allez, votre fils se porte bien. » L'officier s'en alla, comme on porte quelque pharmacie légère, et Jésus continua par les rues moins fréquentées. Des liserons oranges, des bourraches montraient leur lueur magique entre les pavés. Enfin il vit au loin la prairie poussiéreuse, et les boutons d'or et les marguerites demandant grâce au jour.

III[7]

Bethsaïda[8], la piscine des cinq galeries, était un point d'ennui. Il semblait que ce fût un sinistre lavoir, toujours accablé de la pluie et noir ; et les mendiants[9] s'agitant sur les marches intérieures ; – blêmies par ces lueurs d'orages précurseurs des éclairs d'enfer, en plaisantant sur leurs yeux bleus aveugles, sur les linges blancs ou bleus dont s'entouraient leurs moignons. Ô buanderie militaire, ô bain populaire. L'eau était toujours noire, et nul infirme n'y tombait même en songe.

C'est là que Jésus fit la première action grave ; avec les infâmes infirmes. Il y avait un jour, de février, mars ou avril, où le soleil de deux heures après midi, laissait s'étaler une grande faux de lumière sur l'eau ensevelie, et comme, là-bas, loin derrière les infirmes, j'aurais pu voir tout ce que ce rayon seul éveillait de bourgeons et de cristaux et de vers, dans ce reflet, pareil à un ange blanc couché sur le côté, tous les reflets infiniment pâles remuaient.

Alors tous les péchés, fils légers et tenaces du démon, qui pour les cœurs un peu sensibles, rendaient ces hommes plus effrayants que les monstres, voulaient se jeter à cette eau. Les infirmes descendaient, ne raillant plus ; mais avec envie.

Les premiers entrés sortaient guéris, disait-on. Non. Les péchés les rejetaient sur les marches, et les forçaient de chercher d'autres postes : car leur Démon ne peut rester qu'aux lieux où l'aumône est sûre.

Jésus entra aussitôt après l'heure de midi. Personne ne lavait ni ne descendait de bêtes. La lumière dans la piscine était jaune comme les dernières feuilles des vignes. Le divin maître se tenait contre une colonne : il regardait les fils du Péché ; le démon tirait sa langue en leur langue ; et riait.

Le Paralytique se leva, qui était resté couché sur le flanc, franchit la galerie et ce fut d'un pas singulièrement assuré qu'ils le virent franchir la galerie et disparaître dans la ville, les Damnés.

Une saison en enfer

***** 1

«Jadis, si je me souviens bien, ma vie était un festin
où s'ouvraient tous les cœurs, où tous les vins coulaient.

Un soir, j'ai assis la Beauté sur mes genoux. – Et je
l'ai trouvée amère – Et je l'ai injuriée[2].

Je me suis armé contre la justice.

Je me suis enfui. Ô sorcières, ô misères, ô haine,
c'est à vous que mon trésor a été confié !

Je parvins à faire s'évanouir dans mon esprit toute
l'espérance humaine. Sur toute joie pour l'étrangler
j'ai fait le bond sourd de la bête féroce.

J'ai appelé les bourreaux pour, en périssant, mordre
la crosse de leurs fusils. J'ai appelé les fléaux, pour
m'étouffer avec le sable, le sang. Le malheur a été mon
dieu. Je me suis allongé dans la boue. Je me suis séché
à l'air du crime. Et j'ai joué de bons tours à la folie.

Et le printemps m'a apporté l'affreux rire de l'idiot.

Or, tout dernièrement m'étant trouvé sur le point de
faire le dernier *couac*[3] ! j'ai songé à rechercher la clef
du festin ancien, où je reprendrais peut-être appétit.

La charité est cette clef. – Cette inspiration prouve
que j'ai rêvé[4] !

«Tu resteras hyène, etc.,» se récrie le démon qui me couronna de si aimables pavots. «Gagne la mort avec tous tes appétits, et ton égoïsme et tous les péchés capitaux.»

Ah! j'en[1] ai trop pris: – Mais, cher Satan[2], je vous en conjure, une prunelle moins irritée! et en attendant les quelques petites lâchetés en retard[3], vous qui aimez dans l'écrivain l'absence des facultés descriptives ou instructives, je vous détache ces quelques hideux feuillets de mon carnet de damné.

MAUVAIS SANG[4]

J'ai de mes ancêtres gaulois l'œil bleu blanc, la cervelle étroite, et la maladresse dans la lutte. Je trouve mon habillement aussi barbare que le leur. Mais je ne beurre pas ma chevelure[5].

Les Gaulois étaient les écorcheurs de bêtes, les brûleurs d'herbes les plus ineptes de leur temps.

D'eux, j'ai: l'idolâtrie et l'amour du sacrilège; – oh! tous les vices, colère, luxure, – magnifique, la luxure; – surtout mensonge et paresse.

J'ai horreur de tous les métiers. Maîtres et ouvriers, tous paysans, ignobles. La main à plume vaut la main à charrue. – Quel siècle à mains! – Je n'aurai jamais ma main. Après, la domesticité mène trop loin. L'honnêteté de la mendicité me navre. Les criminels dégoûtent comme des châtrés: moi, je suis intact, et ça m'est égal.

Mais! qui a fait ma langue perfide tellement, qu'elle ait guidé et sauvegardé jusqu'ici ma paresse? Sans me servir pour vivre même de mon corps, et plus oisif que le crapaud, j'ai vécu partout. Pas une famille d'Europe que je ne connaisse. – J'entends des familles comme la

mienne, qui tiennent tout de la déclaration des Droits
de l'Homme. – J'ai connu chaque fils de famille!

————

Si j'avais des antécédents à un point quelconque de
l'histoire de France!

Mais non, rien.

Il m'est bien évident que j'ai toujours été race inférieure. Je ne puis comprendre la révolte. Ma race ne se
souleva jamais que pour piller: tels les loups à la bête
qu'ils n'ont pas tuée[1].

Je me rappelle l'histoire de la France fille aînée
de l'Église. J'aurais fait, manant, le voyage de terre
sainte; j'ai dans la tête des routes dans les plaines
souabes, des vues de Byzance, des remparts de
Solyme[2]; le culte de Marie, l'attendrissement sur le
crucifié s'éveillent en moi parmi mille féeries profanes. – Je suis assis, lépreux, sur les pots cassés et les
orties, au pied d'un mur rongé par le soleil. – Plus
tard, reître, j'aurais bivaqué[3] sous les nuits d'Allemagne.

Ah! encore: je danse le sabbat dans une rouge clairière, avec des vieilles et des enfants.

Je ne me souviens pas plus loin que cette terre-ci et
le christianisme. Je n'en finirais pas de me revoir dans
ce passé. Mais toujours seul; sans famille; même
quelle langue parlais-je? Je ne me vois jamais dans les
conseils du Christ; ni dans les conseils des Seigneurs,
– représentants du Christ.

Qu'étais-je au siècle dernier: je ne me retrouve
qu'aujourd'hui. Plus de vagabonds, plus de guerres
vagues. La race inférieure a tout couvert – le peuple,
comme on dit, la raison; la nation et la science[4].

Oh! la science! On a tout repris. Pour le corps et
pour l'âme, – le viatique, – on a la médecine et la philosophie, – les remèdes de bonnes femmes et les chansons populaires arrangés. Et les divertissements des

princes et les jeux qu'ils interdisaient! Géographie,
cosmographie, mécanique, chimie!...

La science, la nouvelle noblesse! Le progrès. Le
monde marche! Pourquoi ne tournerait-il pas?

C'est la vision des nombres. Nous allons à l'*Esprit*.
C'est très-certain, c'est oracle, ce que je dis. Je comprends, et ne sachant m'expliquer sans paroles païennes,
je voudrais me taire.

————————

Le sang païen revient! L'Esprit est proche, pourquoi Christ ne m'aide-t-il pas, en donnant à mon âme
noblesse et liberté. Hélas! l'Évangile a passé[1]! l'Évangile! l'Évangile.

J'attends Dieu avec gourmandise. Je suis de race
inférieure de toute éternité.

Me voici sur la plage armoricaine[2]. Que les villes s'al-
lument dans le soir. Ma journée est faite; je quitte l'Europe. L'air marin brûlera mes poumons; les climats
perdus me tanneront. Nager, broyer l'herbe, chasser,
fumer surtout; boire des liqueurs fortes comme du
métal bouillant, – comme faisaient ces chers ancêtres
autour des feux.

Je reviendrai, avec des membres de fer, la peau
sombre, l'œil furieux: sur mon masque, on me jugera
d'une race forte. J'aurai de l'or: je serai oisif et brutal.
Les femmes soignent ces féroces infirmes retour des
pays chauds. Je serai mêlé aux affaires politiques.
Sauvé.

Maintenant je suis maudit, j'ai horreur de la patrie.
Le meilleur, c'est un sommeil bien ivre, sur la grève.

————————

On ne part pas. – Reprenons les chemins d'ici,
chargé de mon vice[3], le vice qui a poussé ses racines de
souffrance à mon côté, dès l'âge de raison – qui monte
au ciel, me bat, me renverse, me traîne.

La dernière innocence et la dernière timidité. C'est dit. Ne pas porter au monde mes dégoûts et mes trahisons.

Allons! La marche, le fardeau, le désert, l'ennui et la colère.

À qui me louer? Quelle bête faut-il adorer? Quelle sainte image attaque-t-on? Quels cœurs briserai-je? Quel mensonge dois-je tenir? – Dans quel sang marcher?

Plutôt, se garder de la justice. – La vie dure, l'abrutissement simple, – soulever, le poing desséché, le couvercle du cercueil, s'asseoir, s'étouffer. Ainsi point de vieillesse, ni de dangers : la terreur n'est pas française.

– Ah! je suis tellement délaissé que j'offre à n'importe quelle divine image des élans vers la perfection.

Ô mon abnégation, ô ma charité merveilleuse! ici-bas, pourtant!

De profundis Domine, suis-je bête!

————

Encore tout enfant, j'admirais le forçat intraitable sur qui se referme toujours le bagne; je visitais les auberges et les garnis qu'il aurait sacrés par son séjour; je voyais *avec son idée* le ciel bleu et le travail fleuri de la campagne; je flairais sa fatalité dans les villes. Il avait plus de force qu'un saint, plus de bon sens qu'un voyageur – et lui, lui seul! pour témoin de sa gloire et de sa raison.

Sur les routes, par des nuits d'hiver, sans gîte, sans habits, sans pain, une voix étreignait mon cœur gelé : « Faiblesse ou force : te voilà, c'est la force. Tu ne sais ni où tu vas ni pourquoi tu vas, entre partout, réponds à tout. On ne te tuera pas plus que si tu étais cadavre. » Au matin j'avais le regard si perdu et la contenance si morte, que ceux que j'ai rencontrés *ne m'ont peut-être pas vu*.

Dans les villes la boue m'apparaissait soudainement

rouge et noire, comme une glace quand la lampe cir-
cule dans la chambre voisine, comme un trésor dans la
forêt ! Bonne chance, criais-je, et je voyais une mer de
flammes et de fumée au ciel ; et, à gauche, à droite,
toutes les richesses flambant comme un millard de
tonnerres.

Mais l'orgie et la camaraderie des femmes m'étaient
interdites. Pas même un compagnon. Je me voyais
devant une foule exaspérée, en face du peloton d'exécution, pleurant du malheur qu'ils n'aient pu comprendre,
et pardonnant ! – Comme Jeanne d'Arc ! – « Prêtres, professeurs, maîtres, vous vous trompez en me livrant à la
justice. Je n'ai jamais été de ce peuple-ci ; je n'ai jamais
été chrétien ; je suis de la race qui chantait dans le supplice[1] ; je ne comprends pas les lois ; je n'ai pas le sens
moral, je suis une brute : vous vous trompez... »

Oui, j'ai les yeux fermés à votre lumière. Je suis une
bête, un nègre. Mais je puis être sauvé. Vous êtes de faux
nègres, vous maniaques, féroces, avares. Marchand, tu
es nègre ; magistrat, tu es nègre ; général, tu es nègre ;
empereur, vieille démangeaison, tu es nègre : tu as bu
d'une liqueur non taxée, de la fabrique de Satan. – Ce
peuple est inspiré par la fièvre et le cancer. Infirmes et
vieillards sont tellement respectables qu'ils demandent
à être bouillis. – Le plus malin est de quitter ce continent, où la folie rôde pour pourvoir d'otages ces misérables. J'entre au vrai royaume des enfants de Cham[2].

Connais-je encore la nature ? me connais-je ? – *Plus
de mots*. J'ensevelis les morts dans mon ventre. Cris,
tambour, danse, danse, danse, danse ! Je ne vois même
pas l'heure où, les blancs débarquant, je tomberai au
néant.

Faim, soif, cris, danse, danse, danse, danse !

———

Les blancs débarquent. Le canon ! Il faut se soumettre
au baptême, s'habiller, travailler.

J'ai reçu au cœur le coup de la grâce. Ah! je ne l'avais pas prévu!

Je n'ai point fait le mal. Les jours vont m'être légers, le repentir me sera épargné. Je n'aurai pas eu les tourments de l'âme presque morte au bien, où remonte la lumière sévère comme les cierges funéraires. Le sort du fils de famille, cercueil prématuré couvert de limpides larmes. Sans doute la débauche est bête, le vice est bête; il faut jeter la pourriture à l'écart. Mais l'horloge ne sera pas arrivée à ne plus sonner que l'heure de la pure douleur! Vais-je être enlevé comme un enfant, pour jouer au paradis dans l'oubli de tout le malheur!

Vite! est-il d'autres vies? – Le sommeil dans la richesse est impossible. La richesse a toujours été bien public. L'amour divin seul octroie les clefs de la science. Je vois que la nature n'est qu'un spectacle de bonté. Adieu chimères, idéals, erreurs.

Le chant raisonnable des anges s'élève du navire sauveur: c'est l'amour divin. – Deux amours! je puis mourir de l'amour terrestre, mourir de dévouement. J'ai laissé des âmes dont la peine s'accroîtra de mon départ! Vous me choisissez parmi les naufragés; ceux qui restent sont-ils pas mes amis?

Sauvez-les!

La raison m'est née. Le monde est bon. Je bénirai la vie. J'aimerais mes frères. Ce ne sont plus des promesses d'enfance. Ni l'espoir d'échapper à la vieillesse et à la mort. Dieu fait ma force, et je loue Dieu.

———

L'ennui n'est plus mon amour. Les rages, les débauches, la folie, dont je sais tous les élans et les désastres, – tout mon fardeau est déposé. Apprécions sans vertige l'étendue de mon innocence.

Je ne serai plus capable de demander le réconfort d'une bastonnade. Je ne me crois pas embarqué pour une noce avec Jésus-Christ pour beau-père.

Je ne suis pas prisonnier de ma raison. J'ai dit : Dieu. Je veux la liberté dans le salut : comment la poursuivre ? Les goûts frivoles m'ont quitté. Plus besoin de dévouement ni d'amour divin. Je ne regrette pas le siècle des cœurs sensibles [1]. Chacun a sa raison, mépris et charité : je retiens ma place au sommet de cette angélique échelle de bon sens.

Quant au bonheur établi, domestique ou non... non, je ne peux pas. Je suis trop dissipé, trop faible. La vie fleurit par le travail, vieille vérité : moi, ma vie n'est pas assez pesante, elle s'envole et flotte loin au-dessus de l'action, ce cher point du monde.

Comme je deviens vieille fille, à manquer du courage d'aimer la mort !

Si Dieu m'accordait le calme céleste, aérien, la prière, – comme les anciens saints. – Les saints ! des forts ! les anachorètes, des artistes comme il n'en faut plus !

Farce continuelle ! Mon innocence me ferait pleurer. La vie est la farce à mener par tous.

———

Assez ! Voici la punition. – *En marche !*

Ah ! les poumons brûlent, les tempes grondent ! la nuit roule dans mes yeux, par ce soleil ! le cœur... les membres...

Où va-t-on ? au combat ? Je suis faible ! les autres avancent. Les outils, les armes... le temps !...

Feu ! feu sur moi ! Là ! ou je me rends. – Lâches ! – Je me tue ! Je me jette aux pieds des chevaux !

Ah !...

– Je m'y habituerai.

Ce serait la vie française, le sentier de l'honneur !

———

NUIT DE L'ENFER[1]

J'ai avalé une fameuse gorgée de poison[2]. – Trois fois béni soit le conseil qui m'est arrivé! – Les entrailles me brûlent. La violence du venin tord mes membres, me rend difforme, me terrasse. Je meurs de soif[3], j'étouffe, je ne puis crier. C'est l'enfer, l'éternelle peine! Voyez comme le feu se relève! Je brûle comme il faut. Va, démon!

J'avais entrevu la conversion au bien et au bonheur, le salut. Puis-je décrire la vision, l'air de l'enfer ne souffre pas les hymnes! C'était des millions de créatures charmantes, un suave concert spirituel, la force et la paix, les nobles ambitions, que sais-je?

Les nobles ambitions!

Et c'est encore la vie! – Si la damnation est éternelle! Un homme qui veut se mutiler est bien damné, n'est-ce pas? Je me crois en enfer, donc j'y suis. C'est l'exécution du catéchisme. Je suis esclave de mon baptême. Parents, vous avez fait mon malheur et vous avez fait le vôtre. Pauvre innocent! – L'enfer ne peut attaquer les païens. – C'est la vie encore! Plus tard, les délices de la damnation seront plus profondes. Un crime, vite, que je tombe au néant, de par la loi humaine.

Tais-toi, mais tais-toi!... C'est la honte, le reproche, ici: Satan qui dit que le feu est ignoble, que ma colère est affreusement sotte. – Assez!... Des erreurs qu'on me souffle, magies, parfums faux, musiques puériles. – Et dire que je tiens la vérité, que je vois la justice: j'ai un jugement sain et arrêté, je suis prêt pour la perfection... Orgueil. – La peau de ma tête se dessèche. Pitié! Seigneur, j'ai peur. J'ai soif, si soif! Ah! l'enfance, l'herbe, la pluie, le lac sur les pierres, *le clair de lune quand le clocher sonnait douze*[4]... le diable est au clocher, à cette heure. Marie! Sainte-Vierge!... – Horreur de ma bêtise

Là-bas, ne sont-ce pas des âmes honnêtes, qui me veulent du bien... Venez... J'ai un oreiller sur la bouche, elles ne m'entendent pas, ce sont des fantômes. Puis, jamais personne ne pense à autrui. Qu'on n'approche pas. Je sens le roussi, c'est certain.

Les hallucinations sont innombrables. C'est bien ce que j'ai toujours eu : plus de foi en l'histoire, l'oubli des principes. Je m'en tairai : poëtes et visionnaires seraient jaloux. Je suis mille fois le plus riche, soyons avare comme la mer.

Ah çà ! l'horloge de la vie s'est arrêtée tout à l'heure. Je ne suis plus au monde. — La théologie est sérieuse, l'enfer est certainement *en bas* — et le ciel en haut. — Extase, cauchemar, sommeil dans un nid de flammes.

Que de malices dans l'attention dans la campagne... Satan, Ferdinand[1], court avec les graines sauvages... Jésus marche sur les ronces purpurines, sans les courber... Jésus marchait sur les eaux irritées. La lanterne[2] nous le montra debout, blanc et des tresses brunes, au flanc d'une vague d'émeraude...

Je vais dévoiler tous les mystères : mystères religieux ou naturels, mort, naissance, avenir, passé, cosmogonie, néant. Je suis maître en fantasmagories.

Écoutez !...

J'ai tous les talents ! Il n'y a personne ici et il y a quelqu'un : je ne voudrais pas répandre mon trésor. — Veut-on des chants nègres, des danses de houris[3] ? Veut-on que je disparaisse, que je plonge à la recherche de l'*anneau* ? Veut-on ? Je ferai de l'or, des remèdes.

Fiez-vous donc à moi, la foi soulage, guide, guérit. Tous, venez, — même les petits enfants, — que je vous console, qu'on répande pour vous son cœur, — le cœur merveilleux ! — Pauvres hommes, travailleurs ! Je ne demande pas de prières ; avec votre confiance seulement, je serai heureux.

— Et pensons à moi. Ceci me fait peu regretter le

monde. J'ai de la chance de ne pas souffrir plus. Ma vie ne fut que folies douces, c'est regrettable.

Bah! faisons toutes les grimaces imaginables.

Décidément, nous sommes hors du monde. Plus aucun son. Mon tact a disparu. Ah! mon château, ma Saxe, mon bois de saules. Les soirs, les matins, les nuits, les jours... Suis-je las!

Je devrais avoir mon enfer pour la colère, mon enfer pour l'orgueil, – et l'enfer de la caresse; un concert d'enfers.

Je meurs de lassitude. C'est le tombeau, je m'en vais aux vers, horreur de l'horreur! Satan, farceur, tu veux me dissoudre, avec tes charmes. Je réclame. Je réclame! un coup de fourche, une goutte de feu.

Ah! remonter à la vie! Jeter les yeux sur nos difformités. Et ce poison, ce baiser mille fois maudit! Ma faiblesse, la cruauté du monde! Mon Dieu, pitié, cachez-moi, je me tiens trop mal! – Je suis caché et je ne le suis pas.

C'est le feu qui se relève avec son damné.

DÉLIRES[1] I

Vierge folle[2]

L'ÉPOUX INFERNAL

Écoutons la confession d'un compagnon d'enfer :

«Ô divin Époux, mon Seigneur, ne refusez pas la confession de la plus triste de vos servantes. Je suis perdue. Je suis soûle. Je suis impure. Quelle vie!

«Pardon, divin Seigneur, pardon! Ah! pardon! Que de larmes! Et que de larmes encore plus tard, j'espère!

« Plus tard, je connaîtrai le divin Époux ! Je suis née soumise à Lui. – L'autre peut me battre maintenant !

« À présent, je suis au fond du monde ! Ô mes amies !... non, pas mes amies... Jamais délires ni tortures semblables... Est-ce bête !

« Ah ! je souffre, je crie. Je souffre vraiment. Tout pourtant m'est permis, chargée du mépris des plus méprisables cœurs.

« Enfin, faisons cette confidence[1], quitte à la répéter vingt autres fois, – aussi morte, aussi insignifiante !

« Je suis esclave de l'Époux infernal, celui qui a perdu les vierges folles. C'est bien ce démon-là. Ce n'est pas un spectre, ce n'est pas un fantôme. Mais moi qui ai perdu la sagesse, qui suis damnée et morte au monde, – on ne me tuera pas ! – Comment vous le décrire ! Je ne sais même plus parler. Je suis en deuil, je pleure, j'ai peur. Un peu de fraîcheur, Seigneur, si vous voulez, si vous voulez bien !

« Je suis veuve... – j'étais veuve - mais oui, j'ai été bien sérieuse jadis, et je ne suis pas née pour devenir squelette !... – Lui était presque un enfant... Ses délicatesses mystérieuses m'avaient séduite. J'ai oublié tout mon devoir humain pour le suivre. Quelle vie ! La vraie vie est absente Nous ne sommes pas au monde. Je vais où il va, il le faut. Et souvent il s'emporte contre moi, *moi, la pauvre âme*. Le Démon ! – C'est un Démon, vous savez, *ce n'est pas un homme*.

« Il dit : "Je n'aime pas les femmes. L'amour est à réinventer[2], on le sait. Elles ne peuvent plus que vouloir une position assurée. La position gagnée, cœur et beauté sont mis de côté : il ne reste que froid dédain, l'aliment du mariage, aujourd'hui. Ou bien je vois des femmes, avec les signes du bonheur, dont, moi, j'aurais pu faire de bonnes camarades, dévorées tout d'abord par des brutes sensibles comme des bûchers..."

« Je l'écoute faisant de l'infamie une gloire, de la cruauté un charme. "Je suis de race lointaine : mes pères étaient Scandinaves: ils se perçaient les côtes, buvaient leur sang. – Je me ferai des entailles par tout le corps, je me tatouerai, je veux devenir hideux comme un Mongol: tu verras, je hurlerai dans les rues. Je veux devenir bien fou de rage. Ne me montre jamais de bijoux, je ramperais et me tordrais sur le tapis. Ma richesse, je la voudrais tachée de sang partout. Jamais je ne travaillerai…» Plusieurs nuits, son démon me saisissant, nous nous roulions, je luttais avec lui! – Les nuits, souvent, ivre, il se poste dans des rues ou dans des maisons, pour m'épouvanter mortellement. – "On me coupera vraiment le cou; ce sera dégoûtant". Oh! ces jours où il veut marcher avec l'air du crime!

«Parfois il parle, en une façon de patois attendri, de la mort qui fait repentir, des malheureux qui existent certainement, des travaux pénibles, des départs qui déchirent les cœurs. Dans les bouges où nous nous enivrions, il pleurait en considérant ceux qui nous entouraient, bétail de la misère. Il relevait les ivrognes dans les rues noires. Il avait la pitié d'une mère méchante pour les petits enfants. – Il s'en allait avec des gentillesses de petite fille au catéchisme. – Il feignait d'être éclairé sur tout, commerce, art, médecine. – Je le suivais, il le faut!

«Je voyais tout le décor dont, en esprit, il s'entourait; vêtements, draps, meubles: je lui prêtais des armes, une autre figure. Je voyais tout ce qui le touchait, comme il aurait voulu le créer pour lui. Quand il me semblait avoir l'esprit inerte, je le suivais, moi, dans des actions étranges et compliquées, loin, bonnes ou mauvaises: j'étais sûre de ne jamais entrer dans son monde. À côté de son cher corps endormi, que d'heures des nuits j'ai veillé, cherchant pourquoi il voulait tant s'évader de la réalité. Jamais homme n'eut pareil vœu. Je reconnaissais, – sans craindre pour lui, – qu'il pouvait être un sérieux danger dans la société. – Il a peut-être des secrets pour *changer la vie*? Non, il ne fait qu'en chercher, me répliquais-je.

Enfin sa charité est ensorcelée, et j'en suis la prison-
nière. Aucune autre âme n'aurait assez de force, – force
de désespoir! – pour la supporter, – pour être protégée
et aimée par lui. D'ailleurs, je ne me le figurais pas
avec une autre âme : on voit son Ange, jamais l'Ange
d'un autre, – je crois. J'étais dans son âme comme dans
un palais qu'on a vidé pour ne pas voir une personne si
peu noble que vous : voilà tout. Hélas! je dépendais
bien de lui. Mais que voulait-il avec mon existence
terne et lâche? Il ne me rendait pas meilleure, s'il ne
me faisait pas mourir! Tristement dépitée, je lui dis
quelquefois : "Je te comprends." Il haussait les épaules.

  «Ainsi, mon chagrin se renouvelant sans cesse, et me
trouvant plus égarée à mes yeux, – comme à tous les
yeux qui auraient voulu me fixer, si je n'eusse été
condamnée pour jamais à l'oubli de tous! – j'avais de
plus en plus faim de sa bonté. Avec ses baisers et ses
étreintes amies, c'était bien un ciel, un sombre ciel, où
j'entrais, et où j'aurais voulu être laissée, pauvre, sourde,
muette, aveugle. Déjà j'en prenais l'habitude. Je nous
voyais comme deux bons enfants, libres de se promener
dans le Paradis de tristesse. Nous nous accordions. Bien
émus, nous travaillions ensemble. Mais, après une
pénétrante caresse, il disait : "Comme ça te paraîtra
drôle, quand je n'y serai plus, ce par quoi tu as passé.
Quand tu n'auras plus mes bras sous ton cou, ni mon
cœur pour t'y reposer, ni cette bouche sur tes yeux.
Parce qu'il faudra que je m'en aille, très-loin, un jour.
Puis il faut que j'en aide d'autres : c'est mon devoir.
Quoique ce ne soit guère ragoûtant..., chère âme..."
Tout de suite je me pressentais, lui parti, en proie au
vertige, précipitée dans l'ombre la plus affreuse : la
mort. Je lui faisais promettre qu'il ne me lâcherait pas.
Il l'a faite vingt fois, cette promesse d'amant. C'était
aussi frivole que moi lui disant : "Je te comprends".

  «Ah! je n'ai jamais été jalouse de lui. Il ne me quit-
tera pas, je crois. Que devenir? Il n'a pas une connais-

sance; il ne travaillera jamais. Il veut vivre somnambule. Seules, sa bonté et sa charité lui donneraient-elles droit dans le monde réel? Par instants, j'oublie la pitié où je suis tombée: lui me rendra forte, nous voyagerons, nous chasserons dans les déserts, nous dormirons sur les pavés des villes inconnues, sans soins, sans peines. Ou je me réveillerai, et les lois et les mœurs auront changé, – grâce à son pouvoir magique, – le monde, en restant le même, me laissera à mes désirs, joies, nonchalances. Oh! la vie d'aventures qui existe dans les livres des enfants, pour me récompenser, j'ai tant souffert, me la donneras-tu? Il ne peut pas. J'ignore son idéal. Il m'a dit avoir des regrets, des espoirs: cela ne doit pas me regarder. Parle-t-il à Dieu? Peut-être devrais-je m'adresser à Dieu. Je suis au plus profond de l'abîme, et je ne sais plus prier.

«S'il m'expliquait ses tristesses, les comprendrais-je plus que ses railleries? Il m'attaque, il passe des heures à me faire honte de tout ce qui m'a pu toucher au monde, et s'indigne si je pleure.

«– Tu vois cet élégant jeune homme, entrant dans la belle et calme maison: il s'appelle Duval, Dufour, Armand, Maurice[1], que sais-je? Une femme s'est dévouée à aimer ce méchant idiot: elle est morte, c'est certes une sainte au ciel, à présent. Tu me feras mourir comme il a fait mourir cette femme. C'est notre sort, à nous, cœurs charitables...» Hélas! il avait des jours où tous les hommes agissant lui paraissaient les jouets de délires grotesques: il riait affreusement, longtemps. – Puis, il reprenait ses manières de jeune mère, de sœur aimée. S'il était moins sauvage, nous serions sauvés! Mais sa douceur aussi est mortelle. Je lui suis soumise. – Ah! je suis folle!

«Un jour peut-être il disparaîtra merveilleusement; mais il faut que je sache, s'il doit remonter à un ciel, que je voie un peu l'assomption de mon petit ami!»

Drôle de ménage!

DÉLIRES II

Alchimie du verbe[1]

À moi[2]. L'histoire d'une de mes folies.

Depuis longtemps je me vantais de posséder tous les paysages possibles, et trouvais dérisoires les célébrités de la peinture et de la poésie moderne.

J'aimais les peintures idiotes, dessus de portes, décors, toiles de saltimbanques, enseignes, enluminures populaires ; la littérature démodée, latin d'église, livres érotiques sans orthographe, romans de nos aïeules, contes de fées, petits livres de l'enfance, opéras vieux, refrains niais, rythmes naïfs.

Je rêvais croisades, voyages de découvertes dont on n'a pas de relations, républiques sans histoires, guerres de religion étouffées, révolutions de mœurs, déplacements de races et de continents : je croyais à tous les enchantements.

J'inventai la couleur des voyelles ! – *A* noir, *E* blanc, *I* rouge, *O* bleu, *U* vert[3]. – Je réglai la forme et le mouvement de chaque consonne, et, avec des rythmes instinctifs, je me flattai d'inventer un verbe poétique accessible, un jour ou l'autre, à tous les sens. Je réservais la traduction.

Ce fut d'abord une étude. J'écrivais des silences, des nuits, je notais l'inexprimable. Je fixais des vertiges.

———

Loin des oiseaux, des troupeaux, des villageoises,
Que buvais-je, à genoux dans cette bruyère
Entourée de tendres bois de noisetiers,
Dans un brouillard d'après-midi tiède et vert !

Que pouvais-je boire dans cette jeune Oise,

– Ormeaux sans voix, gazon sans fleurs, ciel couvert ! –
Boire à ces gourdes jaunes, loin de ma case
Chérie ? Quelque liqueur d'or qui fait suer.

Je faisais une louche enseigne d'auberge.
– Un orage vint chasser le ciel. Au soir
L'eau des bois se perdait sur les sables vierges,
Le vent de Dieu jetait des glaçons aux mares ;

Pleurant, je voyais de l'or – et ne pus boire. –

―――――

À quatre heures du matin, l'été,
Le sommeil d'amour dure encore.
Sous les bocages s'évapore
    L'odeur du soir fêté.

Là-bas, dans leur vaste chantier
Au soleil des Hespérides,
Déjà s'agitent – en bras de chemise –
    Les Charpentiers.

Dans leurs Déserts de mousse, tranquilles,
Ils préparent les lambris précieux
    Où la ville
Peindra de faux cieux.

Ô, pour ces Ouvriers charmants
Sujets d'un roi de Babylone,
Vénus ! quitte un instant les Amants
Dont l'âme est en couronne.

    Ô Reine des Bergers,
Porte aux travailleurs l'eau-de-vie,
Que leurs forces soient en paix
En attendant le bain dans la mer à midi.

―――――

La vieillerie poétique avait une bonne part dans mon alchimie du verbe.

Je m'habituai à l'hallucination simple : je voyais très-franchement une mosquée à la place d'une usine, une école de tambours faite par des anges, des calèches sur les routes du ciel, un salon au fond d'un lac ; les monstres, les mystères ; un titre de vaudeville dressait des épouvantes devant moi.

Puis j'expliquai mes sophismes magiques avec l'hallucination des mots !

Je finis par trouver sacré le désordre de mon esprit. J'étais oisif, en proie à une lourde fièvre : j'enviais la félicité des bêtes, – les chenilles, qui représentent l'innocence des limbes, les taupes, le sommeil de la virginité !

Mon caractère s'aigrissait. Je disais adieu au monde dans d'espèces de romances[1] :

CHANSON DE LA PLUS HAUTE TOUR

Qu'il vienne, qu'il vienne,
Le temps dont on s'éprenne.

J'ai tant fait patience
Qu'à jamais j'oublie.
Craintes et souffrances
Aux cieux sont parties.
Et la soif malsaine
Obscurcit mes veines.

Qu'il vienne, qu'il vienne,
Le temps dont on s'éprenne.

Telle la prairie
À l'oubli livrée,
Grandie, et fleurie

D'encens et d'ivraies,
Au bourdon farouche
Des sales mouches.

Qu'il vienne, qu'il vienne,
Le temps dont on s'éprenne.

J'aimai le désert, les vergers brûlés, les boutiques
fanées, les boissons tiédies. Je me traînais dans les
ruelles puantes et, les yeux fermés, je m'offrais au
soleil, dieu de feu.

« Général, s'il reste un vieux canon sur tes remparts
en ruines, bombarde-nous avec des blocs de terre
sèche. Aux glaces des magasins splendides ! dans les
salons ! Fais manger sa poussière à la ville. Oxyde les
gargouilles. Emplis les boudoirs de poudre de rubis
brûlante... »

Oh ! le moucheron enivré à la pissotière de l'auberge, amoureux de la bourrache, et que dissout un
rayon !

FAIM

Si j'ai du goût, ce n'est guère
Que pour la terre et les pierres.
Je déjeune toujours d'air,
De roc, de charbons, de fer.

Mes faims, tournez. Paissez, faims,
    Le pré des sons.
Attirez le gai venin
    Des liserons.

Mangez les cailloux qu'on brise,
Les vieilles pierres d'église ;

Les galets des vieux déluges,
Pains semés dans les vallées grises.

———

Le loup criait sous les feuilles[1]
En crachant les belles plumes
De son repas de volailles :
Comme lui je me consume.

Les salades, les fruits
N'attendent que la cueillette ;
Mais l'araignée de la haie
Ne mange que des violettes.

Que je dorme ! que je bouille
Aux autels de Salomon.
Le bouillon court sur la rouille,
Et se mêle au Cédron[2].

Enfin, ô bonheur, ô raison, j'écartai du ciel l'azur, qui est du noir, et je vécus étincelle d'or de la lumière *nature*. De joie, je prenais une expression bouffonne et égarée au possible :

Elle est retrouvée !
Quoi ? l'éternité.
C'est la mer mêlée
    Au soleil.

Mon âme éternelle,
Observe ton vœu
Malgré la nuit seule
Et le jour en feu.

Donc tu te dégages
Des humains suffrages,
Des communs élans !
Tu voles selon...

– Jamais l'espérance.
  Pas d'*orietur*.
Science et patience,
Le supplice est sûr.

Plus de lendemain,
Braises de satin,
  Votre ardeur
  Est le devoir.

Elle est retrouvée !
– Quoi ? – l'Éternité
C'est la mer mêlée
  Au soleil.

———————

Je devins un opéra fabuleux : je vis que tous les êtres ont une fatalité de bonheur : l'action n'est pas la vie, mais une façon de gâcher quelque force, un énervement. La morale est la faiblesse de la cervelle.

À chaque être, plusieurs *autres* vies me semblaient dues. Ce monsieur ne sait ce qu'il fait : il est un ange. Cette famille est une nichée de chiens. Devant plusieurs hommes, je causai tout haut avec un moment d'une de leurs autres vies. – Ainsi, j'ai aimé un porc[1].

Aucun des sophismes de la folie, – la folie qu'on enferme, – n'a été oublié par moi : je pourrais les redire tous, je tiens le système.

Ma santé fut menacée. La terreur venait. Je tombais dans des sommeils de plusieurs jours, et, levé, je continuais les rêves les plus tristes. J'étais mûr pour le trépas, et par une route de dangers ma faiblesse me menait aux confins du monde et de la Cimmérie[2], patrie de l'ombre et des tourbillons.

Je dus voyager, distraire les enchantements assemblés sur mon cerveau. Sur la mer, que j'aimais comme si elle eût dû me laver d'une souillure, je voyais se lever la croix consolatrice. J'avais été damné par l'arc-en-ciel. Le Bonheur était ma fatalité, mon remords, mon ver: ma vie serait toujours trop immense pour être dévouée à la force et à la beauté.

Le Bonheur! Sa dent, douce à la mort, m'avertissait au chant du coq, – *ad matutinum*, au *Christus venit*[1], – dans les plus sombres villes:

Ô saisons, ô châteaux!
Quelle âme est sans défauts?

J'ai fait la magique étude
Du bonheur, qu'aucun n'élude.

Salut à lui, chaque fois
Que chante le coq gaulois.

Ah! je n'aurai plus d'envie:
Il s'est chargé de ma vie.

Ce charme a pris âme et corps
Et dispersé les efforts.

Ô saisons, ô châteaux!

L'heure de sa fuite, hélas!
Sera l'heure du trépas.

Ô saisons, ô châteaux!

———

Cela s'est passé. Je sais aujourd'hui saluer la beauté.

———

L'IMPOSSIBLE[1]

Ah! cette vie de mon enfance, la grande route par tous les temps, sobre surnaturellement, plus désintéressé que le meilleur des mendiants, fier de n'avoir ni pays, ni amis, quelle sottise c'était. – Et je m'en aperçois seulement!

– J'ai eu raison de mépriser ces bonshommes qui ne perdraient pas l'occasion d'une caresse, parasites de la propreté et de la santé de nos femmes, aujourd'hui qu'elles sont si peu d'accord avec nous.

J'ai eu raison dans tous mes dédains: puisque je m'évade!

Je m'évade!

Je m'explique.

Hier encore, je soupirais: «Ciel! sommes-nous assez de damnés ici-bas! Moi j'ai tant de temps déjà dans leur troupe! Je les connais tous. Nous nous reconnaissons toujours; nous nous dégoûtons. La charité nous est inconnue. Mais nous sommes polis; nos relations avec le monde sont très-convenables.» Est-ce étonnant? Le monde! les marchands, les naïfs! – Nous ne sommes pas déshonorés. – Mais les élus, comment nous recevraient-ils? Or il y a des gens hargneux et joyeux, de faux élus, puisqu'il nous faut de l'audace ou de l'humilité pour les aborder. Ce sont les seuls élus. Ce ne sont pas des bénisseurs!

M'étant retrouvé deux sous de raison – ça passe vite! – je vois que mes malaises viennent de ne m'être pas figuré assez tôt que nous sommes à l'Occident. Les marais occidentaux! Non que je croie la lumière altérée, la forme exténuée, le mouvement égaré... Bon! voici que mon esprit veut absolument se charger de tous les développements cruels qu'a subis l'esprit depuis la fin de l'Orient... Il en veut, mon esprit!

... Mes deux sous de raison sont finis! – L'esprit est autorité, il veut que je sois en Occident. Il faudrait le faire taire pour conclure comme je voulais.

J'envoyais au diable les palmes des martyrs, les rayons de l'art, l'orgueil des inventeurs, l'ardeur des pillards; je retournais à l'Orient et à la sagesse première et éternelle. – Il paraît que c'est un rêve de paresse grossière!

Pourtant, je ne songeais guère au plaisir d'échapper aux souffrances modernes. Je n'avais pas en vue la sagesse bâtarde du Coran. – Mais n'y a-t-il pas un supplice réel en ce que, depuis cette déclaration de la science, le christianisme, l'homme *se joue*, se prouve les évidences, se gonfle du plaisir de répéter ces preuves, et ne vit que comme cela! Torture subtile, niaise; source de mes divagations spirituelles. La nature pourrait s'ennuyer, peut-être! M. Prudhomme[1] est né avec le Christ.

N'est-ce pas parce que nous cultivons la brume! Nous mangeons la fièvre avec nos légumes aqueux. Et l'ivrognerie! et le tabac! et l'ignorance! et les dévouements! – Tout cela est-il assez loin de la pensée de la sagesse de l'Orient, la patrie primitive? Pourquoi un monde moderne, si de pareils poisons s'inventent!

Les gens d'Église diront: C'est compris. Mais vous voulez parler de l'Éden[2]. Rien pour vous dans l'histoire des peuples orientaux. – C'est vrai; c'est à l'Éden que je songeais! Qu'est-ce que c'est pour mon rêve, cette pureté des races antiques!

Les philosophes: Le monde n'a pas d'âge. L'humanité se déplace, simplement. Vous êtes en Occident, mais libre d'habiter dans votre Orient, quelque ancien qu'il vous le faille, – et d'y habiter bien. Ne soyez pas un vaincu. Philosophes, vous êtes de votre Occident.

Mon esprit, prends garde. Pas de partis de salut violents. Exerce-toi! – Ah! la science ne va pas assez vite pour nous!

– Mais je m'aperçois que mon esprit dort.

S'il était bien éveillé toujours à partir de ce moment, nous serions bientôt à la vérité, qui peut-être nous entoure avec ses anges pleurant !... – S'il avait été éveillé jusqu'à ce moment-ci, c'est que je n'aurais pas cédé aux instincts délétères, à une époque immémoriale !... – S'il avait toujours été bien éveillé, je voguerais en pleine sagesse !...

Ô pureté ! pureté !

C'est cette minute d'éveil qui m'a donné la vision de la pureté ! – Par l'esprit on va à Dieu !

Déchirante infortune !

L'ÉCLAIR[1]

Le travail humain ! c'est l'explosion qui éclaire mon abîme de temps en temps.

« Rien n'est vanité ; à la science, et en avant ! » crie l'Ecclésiaste[2] moderne, c'est-à-dire *Tout le monde*. Et pourtant les cadavres des méchants et des fainéants tombent sur le cœur des autres... Ah ! vite, vite un peu ; là-bas, par delà la nuit, ces récompenses futures, éternelles... les échappons-nous[3] ?...

– Qu'y puis-je ? Je connais le travail ; et la science est trop lente. Que la prière galope et que la lumière gronde... je le vois bien. C'est trop simple, et il fait trop chaud ; on se passera de moi. J'ai mon devoir, j'en serai fier à la façon de plusieurs, en le mettant de côté.

Ma vie est usée. Allons ! feignons, fainéantons, ô pitié ! Et nous existerons en nous amusant, en rêvant amours monstres et univers fantastiques, en nous plaignant et en querellant les apparences du monde, saltimbanque, mendiant, artiste, bandit, – prêtre ! Sur mon lit d'hôpital[4], l'odeur de l'encens m'est revenue si puissante; gardien des aromates sacrés, confesseur, martyr...

Je reconnais là ma sale éducation d'enfance. Puis quoi!... Aller mes vingt ans[1], si les autres vont vingt ans...

Non! non! à présent je me révolte contre la mort! Le travail paraît trop léger à mon orgueil: ma trahison au monde serait un supplice trop court. Au dernier moment, j'attaquerais à droite, à gauche...

Alors, – oh! – chère pauvre âme, l'éternité serait-elle pas perdue pour nous!

MATIN[2]

N'eus-je pas *une fois* une jeunesse aimable, héroïque, fabuleuse, à écrire sur des feuilles d'or. – trop de chance! Par quel crime, par quelle erreur, ai-je mérité ma faiblesse actuelle? Vous qui prétendez que des bêtes poussent des sanglots de chagrin, que des malades désespèrent, que des morts rêvent mal, tâchez de raconter ma chute et mon sommeil. Moi, je ne puis pas plus m'expliquer que le mendiant avec ses continuels *Pater* et *Ave Maria. Je ne sais plus parler!*

Pourtant, aujourd'hui, je crois avoir fini la relation de mon enfer. C'était bien l'enfer; l'ancien, celui dont le fils de l'homme ouvrit les portes.

Du même désert, à la même nuit, toujours mes yeux las se réveillent à l'étoile d'argent, toujours, sans que s'émeuvent les Rois de la vie, les trois mages, le cœur, l'âme, l'esprit. Quand irons-nous, par delà les grèves et les monts, saluer la naissance du travail nouveau, la sagesse nouvelle, la fuite des tyrans et des démons, la fin de la superstition, adorer – les premiers! – Noël sur la terre!

Le chant des cieux, la marche des peuples! Esclaves, ne maudissons pas la vie.

ADIEU [1]

L'automne déjà! – Mais pourquoi regretter un éternel soleil, si nous sommes engagés à la découverte de la clarté divine, – loin des gens qui meurent sur les saisons.

L'automne. Notre barque élevée dans les brumes immobiles tourne vers le port de la misère, la cité énorme au ciel taché de feu et de boue. Ah! les haillons pourris, le pain trempé de pluie, l'ivresse, les mille amours qui m'ont crucifié! Elle ne finira donc point cette goule [2] reine de millions d'âmes et de corps morts *et qui seront jugés*! Je me revois la peau rongée par la boue et la peste, des vers plein les cheveux et les aisselles et encore de plus gros vers dans le cœur, étendu parmi les inconnus sans âge, sans sentiment... J'aurais pu y mourir... L'affreuse évocation! J'exècre la misère.

Et je redoute l'hiver parce que c'est la saison du comfort [3]!

– Quelquefois je vois au ciel des plages sans fin couvertes de blanches nations en joie. Un grand vaisseau d'or, au-dessus de moi, agite ses pavillons multicolores sous les brises du matin. J'ai créé toutes les fêtes, tous les triomphes, tous les drames. J'ai essayé d'inventer de nouvelles fleurs, de nouveaux astres, de nouvelles chairs, de nouvelles langues. J'ai cru acquérir des pouvoirs surnaturels. Eh bien! je dois enterrer mon imagination et mes souvenirs! Une belle gloire d'artiste et de conteur emportée!

Moi! moi qui me suis dit mage ou ange, dispensé de

toute morale, je suis rendu au sol, avec un devoir à chercher, et la réalité rugueuse à étreindre! Paysan!

Suis-je trompé? la charité serait-elle sœur de la mort, pour moi?

Enfin, je demanderai pardon pour m'être nourri de mensonge. Et allons.

Mais pas une main amie! et où puiser le secours?

————

Oui l'heure nouvelle est au moins très-sévère.

Car je puis dire que la victoire m'est acquise : les grincements de dents, les sifflements de feu, les soupirs empestés se modèrent. Tous les souvenirs immondes s'effacent. Mes derniers regrets détalent, – des jalousies pour les mendiants, les brigands, les amis de la mort, les arriérés de toutes sortes. – Damnés, si je me vengeais!

Il faut être absolument moderne.

Point de cantiques : tenir le pas gagné. Dure nuit! le sang séché fume sur ma face, et je n'ai rien derrière moi, que cet horrible arbrisseau!... Le combat spirituel est aussi brutal que la bataille d'hommes; mais la vision de la justice est le plaisir de Dieu seul.

Cependant c'est la veille. Recevons tous les influx de vigueur et de tendresse réelle. Et à l'aurore, armés d'une ardente patience, nous entrerons aux splendides villes.

Que parlais-je de main amie! Un bel avantage, c'est que je puis rire des vieilles amours mensongères, et frapper de honte ces couples menteurs, – j'ai vu l'enfer des femmes là-bas; – et il me sera loisible de *posséder la vérité dans une âme et un corps.*

Avril-août, 1873.

————

Illuminations

APRÈS LE DÉLUGE[1]

Aussitôt que l'idée[2] du Déluge se fut rassise,
Un lièvre s'arrêta dans les sainfoins et les clochettes
mouvantes et dit sa prière à l'arc-en-ciel à travers la
toile de l'araignée.

Oh! les pierres précieuses qui se cachaient, – les
fleurs qui regardaient déjà.

Dans la grande rue sale les étals se dressèrent, et
l'on tira les barques vers la mer étagée là-haut comme
sur les gravures.

Le sang coula, chez Barbe-Bleue, – aux abattoirs,
dans les cirques, où le sceau[3] de Dieu blêmit les
fenêtres. Le sang et le lait coulèrent.

Les castors bâtirent. Les «mazagrans[4]» fumèrent
dans les estaminets.

Dans la grande maison de vitres encore ruisselante les
enfants en deuil regardèrent les merveilleuses images.

Une porte claqua, et sur la place du hameau, l'enfant tourna ses bras, compris des girouettes et des
coqs des clochers de partout, sous l'éclatante giboulée.

Madame*** établit un piano dans les Alpes. La
messe et les premières communions se célébrèrent aux
cent mille autels de la cathédrale.

Les caravanes partirent. Et le Splendide Hôtel[1] fut
bâti dans le chaos de glaces et de nuit du pôle.

Depuis lors, la Lune entendit les chacals piaulant par
les déserts de thym, – et les églogues en sabots grognant
dans le verger. Puis, dans la futaie violette, bourgeon-
nante, Eucharis[2] me dit que c'était le printemps.

– Sourds, étang, – Écume, roule sur le pont, et par-
dessus les bois; – draps noirs et orgues, – éclairs et
tonnerre, – montez et roulez; – Eaux et tristesses,
montez et relevez les Déluges.

Car depuis qu'ils se sont dissipés, – oh les pierres
précieuses s'enfouissant, et les fleurs ouvertes! – c'est
un ennui! et la Reine, la Sorcière qui allume sa braise
dans le pot de terre, ne voudra jamais nous raconter
ce qu'elle sait, et que nous ignorons.

ENFANCE[3]

I

Cette idole, yeux noirs et crin jaune, sans parents ni
cour, plus noble que la fable, mexicaine et flamande;
son domaine, azur et verdure insolents, court sur des
plages nommées, par des vagues sans vaisseaux, de
noms férocement grecs, slaves, celtiques.

À la lisière de la forêt – les fleurs de rêve tintent,
éclatent, éclairent, – la fille à lèvre d'orange, les
genoux croisés dans le clair déluge qui sourd des prés,
nudité qu'ombrent, traversent et habillent les arcs-en-
ciel, la flore, la mer.

Dames qui tournoient sur les terrasses voisines de la
mer; enfantes[4] et géantes, superbes noires dans la
mousse vert-de-gris, bijoux debout sur le sol gras des
bosquets et des jardinets dégelés, – jeunes mères et

grandes sœurs aux regards pleins de pèlerinages, sultanes, princesses de démarche et de costume tyranniques, petites étrangères et personnes doucement malheureuses.

Quel ennui, l'heure du «cher corps» et «cher cœur».

II

C'est elle, la petite morte, derrière les rosiers. – La jeune maman trépassée descend le perron. – La calèche du cousin crie sur le sable. – Le petit frère – (il est aux Indes!) là, devant le couchant, sur le pré d'œillets. – Les vieux qu'on a enterrés tout droits dans le rempart aux giroflées.

L'essaim des feuilles d'or entoure la maison du général. Ils sont dans le midi. – On suit la route rouge pour arriver à l'auberge vide. Le château est à vendre ; les persiennes sont détachées. – Le curé aura emporté la clef de l'église. – Autour du parc, les loges des gardes sont inhabitées. Les palissades sont si hautes qu'on ne voit que les cimes bruissantes. D'ailleurs il n'y a rien à voir là-dedans.

Les prés remontent aux hameaux sans coqs, sans enclumes. L'écluse est levée. Ô les calvaires et les moulins du désert, les îles et les meules !

Des fleurs magiques bourdonnaient. Les talus *le*[1] berçaient. Des bêtes d'une élégance fabuleuse circulaient. Les nuées s'amassaient sur la haute mer faite d'une éternité de chaudes larmes.

III

Au bois il y a un oiseau, son chant vous arrête et vous fait rougir.

Il y a une horloge qui ne sonne pas.

Il y a une fondrière avec un nid de bêtes blanches.

Il y a une cathédrale qui descend et un lac qui monte.

Il y a une petite voiture abandonnée dans le taillis, ou qui descend le sentier en courant, enrubannée.

Il y a une troupe de petits comédiens en costumes, aperçus sur la route à travers la lisière du bois.

Il y a enfin, quand l'on a faim et soif, quelqu'un qui vous chasse.

IV

Je suis le saint, en prière sur la terrasse, – comme les bêtes pacifiques paissent jusqu'à la mer de Palestine.

Je suis le savant au fauteuil sombre. Les branches et la pluie se jettent à la croisée de la bibliothèque.

Je suis le piéton de la grand'route par les bois nains ; la rumeur des écluses couvre mes pas. Je vois longtemps la mélancolique lessive d'or du couchant.

Je serais bien l'enfant abandonné sur la jetée partie à la haute mer, le petit valet, suivant l'allée dont le front touche le ciel.

Les sentiers sont âpres. Les monticules se couvrent de genêts. L'air est immobile. Que les oiseaux et les sources sont loin! Ce ne peut être que la fin du monde, en avançant.

V

Qu'on me loue enfin ce tombeau, blanchi à la chaux avec les lignes du ciment en relief – très loin sous terre.

Je m'accoude à la table, la lampe éclaire très vivement ces journaux que je suis idiot de relire, ces livres sans intérêt.

À une distance énorme au-dessus de mon salon souterrain, les maisons s'implantent, les brumes s'assemblent. La boue est rouge ou noire. Ville monstrueuse, nuit sans fin!

Moins haut, sont des égouts. Aux côtés, rien que l'épaisseur du globe. Peut-être les gouffres d'azur, des puits de feu. C'est peut-être sur ces plans que se rencontrent lunes et comètes, mers et fables.

Aux heures d'amertume je m'imagine des boules de saphir, de métal. Je suis maître du silence. Pourquoi une apparence de soupirail blêmirait-elle au coin de la voûte?

CONTE[1]

Un Prince était vexé de ne s'être employé jamais qu'à la perfection des générosités vulgaires. Il prévoyait d'étonnantes révolutions de l'amour, et soupçonnait ses femmes de pouvoir mieux que cette complaisance agrémentée de ciel et de luxe. Il voulait voir la vérité, l'heure du désir et de la satisfaction essentiels. Que ce fût ou non une aberration de piété, il voulut. Il possédait au moins un assez large pouvoir humain.

Toutes les femmes qui l'avaient connu furent assassinées. Quel saccage du jardin de la beauté ! Sous le sabre, elles le bénirent. Il n'en commanda point de nouvelles. – Les femmes réapparurent.

Il tua tous ceux qui le suivaient, après la chasse ou les libations. – Tous le suivaient.

Il s'amusa à égorger les bêtes de luxe. Il fit flamber les palais. Il se ruait sur les gens et les taillait en pièces. – La foule, les toits d'or, les belles bêtes existaient encore.

Peut-on s'extasier dans la destruction, se rajeunir par la cruauté ! Le peuple ne murmura pas. Personne n'offrit le concours de ses vues.

Un soir il galopait fièrement. Un Génie apparut, d'une beauté ineffable, inavouable même. De sa physionomie et de son maintien ressortait la promesse d'un amour multiple et complexe ! d'un bonheur indicible, insupportable même ! Le Prince et le Génie s'anéantirent probablement dans la santé essentielle. Comment n'auraient-ils pas pu en mourir ? Ensemble donc ils moururent.

Mais ce Prince décéda, dans son palais, à un âge ordinaire. Le prince était le Génie. Le Génie était le Prince.

La musique savante manque à notre désir.

PARADE[1]

Des drôles très solides. Plusieurs ont exploité vos mondes. Sans besoins, et peu pressés de mettre en œuvre leurs brillantes facultés et leur expérience de vos consciences. Quels hommes mûrs! Des yeux hébétés à la façon de la nuit d'été, rouges et noirs, tricolores, d'acier piqué d'étoiles d'or; des facies déformés, plombés, blêmis, incendiés, des enrouements folâtres! La démarche cruelle des oripeaux! – Il y a quelques jeunes, – comment regarderaient-ils Chérubin[1]? – pourvus de voix effrayantes et de quelques ressources dangereuses. On les envoie prendre du dos[2] en ville, affublés d'un *luxe* dégoûtant.

Ô le plus violent Paradis de la grimace enragée! Pas de comparaison avec vos Fakirs et les autres bouffonneries scéniques. Dans des costumes improvisés avec le goût du mauvais rêve ils jouent des complaintes, des tragédies de malandrins et de demi-dieux spirituels comme l'histoire ou les religions ne l'ont jamais été. Chinois, Hottentots, bohémiens, niais, hyènes, Molochs[3], vieilles démences, démons sinistres, ils mêlent les tours populaires, maternels, avec les poses et les tendresses bestiales. Ils interpréteraient des pièces nouvelles et des chansons «bonnes filles». Maîtres jongleurs, ils transforment le lieu et les personnes et usent de la comédie magnétique. Les yeux flambent, le sang chante, les os s'élargissent, les larmes et des filets rouges ruissellent. Leur raillerie ou leur terreur dure une minute, ou des mois entiers.

J'ai seul la clef de cette parade sauvage.

ANTIQUE[4]

Gracieux fils de Pan! Autour de ton front couronné de fleurettes et de baies tes yeux, des boules précieuses, remuent. Tachées de lies brunes[5], tes joues se creusent. Tes crocs luisent. Ta poitrine ressemble à une cithare, des tintements circulent dans tes bras blonds. Ton cœur bat dans ce ventre où dort le double sexe. Promène-toi, la nuit, en mouvant doucement cette cuisse, cette seconde cuisse et cette jambe de gauche.

BEING BEAUTEOUS [1]

Devant une neige un Être de Beauté de haute taille. Des sifflements de mort et des cercles de musique sourde font monter, s'élargir et trembler comme un spectre ce corps adoré ; des blessures écarlates et noires éclatent dans les chairs superbes. Les couleurs propres de la vie se foncent, dansent, et se dégagent autour de la Vision, sur le chantier. Et les frissons s'élèvent et grondent, et la saveur forcenée de ces effets se chargeant avec les sifflements mortels et les rauques musiques que le monde, loin derrière nous, lance sur notre mère de beauté, – elle recule, elle se dresse. Oh ! nos os sont revêtus d'un nouveau corps amoureux.

***[2]

Ô la face cendrée, l'écusson de crin, les bras de cristal ! Le canon sur lequel je dois m'abattre à travers la mêlée des arbres et de l'air léger !

VIES[1]

I

Ô les énormes avenues du pays saint, les terrasses du temple! Qu'a-t-on fait du brahmane qui m'expliqua les Proverbes[2]? D'alors, de là-bas, je vois encore même les vieilles! Je me souviens des heures d'argent et de soleil vers les fleuves, la main de la campagne sur mon épaule, et de nos caresses debout dans les plaines poivrées. – Un envol de pigeons écarlates tonne autour de ma pensée. – Exilé ici j'ai eu une scène où jouer les chefs-d'œuvre dramatiques de toutes les littératures. Je vous indiquerais les richesses inouïes. J'observe l'histoire des trésors que vous trouvâtes. Je vois la suite! Ma sagesse est aussi dédaignée que le chaos. Qu'est mon néant, auprès de la stupeur qui vous attend?

II

Je suis un inventeur bien autrement méritant que tous ceux qui m'ont précédé; un musicien même, qui ai trouvé quelque chose comme la clef[3] de l'amour. À présent, gentilhomme d'une campagne aigre au ciel sobre, j'essaye de m'émouvoir au souvenir de l'enfance mendiante, de l'apprentissage ou de l'arrivée en sabots, des polémiques, des cinq ou six veuvages, et quelques noces où ma forte tête m'empêcha de monter au diapason des camarades. Je ne regrette pas ma vieille part de gaîté divine: l'air sobre de cette aigre campagne alimente fort activement mon atroce scepticisme. Mais comme ce scepticisme ne peut désormais être mis en œuvre, et que d'ailleurs je suis dévoué à un trouble nouveau, – j'attends de devenir un très méchant fou.

III

Dans un grenier où je fus enfermé à douze ans j'ai connu le monde, j'ai illustré la comédie humaine. Dans un cellier j'ai appris l'histoire. À quelque fête de nuit dans une cité du Nord j'ai rencontré toutes les femmes des anciens peintres. Dans un vieux passage à Paris on m'a enseigné les sciences classiques. Dans une magnifique demeure cernée par l'Orient entier j'ai accompli mon immense œuvre et passé mon illustre retraite. J'ai brassé mon sang. Mon devoir m'est remis. Il ne faut même plus songer à cela. Je suis réellement d'outre-tombe, et pas de commissions.

DÉPART[1]

Assez vu. La vision s'est rencontrée à tous les airs.
Assez eu. Rumeurs des villes, le soir, et au soleil, et toujours
Assez connu. Les arrêts de la vie. – Ô Rumeurs et Visions!
Départ dans l'affection et le bruit neufs!

ROYAUTÉ[2]

Un beau matin, chez un peuple fort doux, un homme et une femme superbes criaient sur la place publique. «Mes amis, je veux qu'elle soit reine!» «Je veux être reine!» Elle riait et tremblait. Il parlait aux amis de révélation, d'épreuve terminée. Ils se pâmaient l'un contre l'autre.

En effet ils furent rois toute une matinée où les tentures carminées se relevèrent sur les maisons, et toute
l'après-midi, où ils s'avancèrent du côté des jardins de
palmes.

À UNE RAISON[1]

Un coup de ton doigt sur le tambour décharge tous
les sons et commence la nouvelle harmonie.

Un pas de toi, c'est la levée des nouveaux hommes
et leur en-marche.

Ta tête se détourne: le nouvel amour! Ta tête se
retourne, – le nouvel amour!

«Change nos lots[2], crible les fléaux, à commencer
par le temps», te chantent ces enfants. «Élève n'importe où la substance de nos fortunes et de nos vœux»
on t'en prie.

Arrivée de toujours, qui t'en iras partout.

MATINÉE D'IVRESSE[3]

Ô *mon* Bien! Ô *mon* Beau[4]! Fanfare atroce où je ne
trébuche point! Chevalet[5] féerique! Hourra pour
l'œuvre inouïe et pour le corps merveilleux, pour la
première fois! Cela commença sous les rires des
enfants, cela finira par eux. Ce poison va rester dans
toutes nos veines même quand, la fanfare tournant[6],

nous serons rendu à l'ancienne inharmonie. Ô maintenant nous si digne de ces tortures! rassemblons fervemment cette promesse surhumaine faite à notre
corps et à notre âme créés: cette promesse, cette
démence! L'élégance, la science, la violence! On nous
a promis d'enterrer dans l'ombre l'arbre du bien et du
mal, de déporter les honnêtetés tyranniques, afin que
nous amenions notre très pur amour. Cela commença
par quelques dégoûts et cela finit, – ne pouvant nous
saisir sur-le-champ de cette éternité, – cela finit par
une débandade de parfums.

Rire des enfants, discrétion des esclaves, austérité
des vierges, horreur des figures et des objets d'ici,
sacrés soyez-vous par le souvenir de cette veille. Cela
commençait par toute la rustrerie, voici que cela finit
par des anges de flamme et de glace.

Petite veille d'ivresse, sainte! quand ce ne serait que
pour le masque dont tu nous as gratifié. Nous t'affir-
mons, méthode! Nous n'oublions pas que tu as glorifié
hier chacun de nos âges. Nous avons foi au poison.
Nous savons donner notre vie tout entière tous les jours.

Voici le temps des *Assassins*[1].

PHRASES[2]

Quand le monde sera réduit en un seul bois noir
pour nos quatre yeux étonnés, – en une plage pour
deux enfants fidèles, – en une maison musicale pour
notre claire sympathie, – je vous trouverai.

Qu'il n'y ait ici-bas qu'un vieillard seul, calme et beau,
entouré d'un «luxe inouï», – et je suis à vos genoux.

Que j'aie réalisé tous vos souvenirs, – que je sois
celle qui sais vous garrotter, – je vous étoufferai.

———

Quand nous sommes très forts, – qui recule? très gais, – qui tombe de ridicule? Quand nous sommes très méchants, – que ferait-on de nous?

Parez-vous, dansez, riez, – je ne pourrai jamais envoyer l'Amour par la fenêtre.

———

– Ma camarade, mendiante, enfant monstre! comme ça t'est égal, ces malheureuses et ces manœuvres, et mes embarras. Attache-toi à nous avec ta voix impossible, ta voix! unique flatteur de ce vil désespoir.

[PHRASES II¹]

Une matinée couverte, en Juillet. Un goût de cendres vole dans l'air; – une odeur de bois suant dans l'âtre, – les fleurs rouies² – le saccage des promenades – la bruine des canaux par les champs – pourquoi pas déjà les joujoux et l'encens?

***

J'ai tendu des cordes de clocher à clocher; des guirlandes de fenêtre à fenêtre; des chaînes d'or d'étoile à étoile, et je danse.

***

Le haut étang fume continuellement. Quelle sorcière va se dresser sur le couchant blanc? Quelles violettes frondaisons vont descendre?

***

Pendant que les fonds publics s'écoulent en fêtes de fraternité[1], il sonne une cloche de feu rose dans les nuages.

***

Avivant un agréable goût d'encre de Chine une poudre noire pleut doucement sur ma veillée, – je baisse les feux du lustre, je me jette sur le lit, et tourné du côté de l'ombre je vous vois, mes filles! mes reines!

***

OUVRIERS[2]

Ô cette chaude matinée de février. Le Sud[3] inopportun vint relever nos souvenirs d'indigents absurdes, notre jeune misère.

Henrika[4] avait une jupe de coton à carreau blanc et brun, qui a dû être portée au siècle dernier, un bonnet à rubans, et un foulard de soie. C'était bien plus triste qu'un deuil. Nous faisions un tour dans la banlieue. Le temps était couvert, et ce vent du Sud excitait toutes les vilaines odeurs des jardins ravagés et des prés desséchés.

Cela ne devait pas fatiguer ma femme au même point que moi. Dans une flache[5] laissée par l'inondation du mois précédent à un sentier assez haut elle me fit remarquer de très petits poissons.

La ville, avec sa fumée et ses bruits de métiers, nous suivait très loin dans les chemins. Ô l'autre monde, l'habitation bénie par le ciel et les ombrages! Le Sud me rappelait les misérables incidents de mon enfance, mes désespoirs d'été, l'horrible quantité de force et de science que le sort a toujours éloignée de moi. Non! nous ne passerons pas l'été dans cet avare pays où nous ne serons jamais que des orphelins fiancés. Je veux que ce bras durci ne traîne plus *une chère image*.

LES PONTS[1]

Des ciels[2] gris de cristal. Un bizarre dessin de ponts, ceux-ci droits, ceux-là bombés, d'autres descendant ou obliquant en angles sur les premiers, et ces figures se renouvelant dans les autres circuits éclairés du canal, mais tous tellement longs et légers que les rives chargées de dômes s'abaissent et s'amoindrissent. Quelques-uns de ces ponts sont encore chargés de masures. D'autres soutiennent des mâts, des signaux, de frêles parapets. Des accords mineurs se croisent, et filent, des cordes[3] montent des berges. On distingue une veste rouge, peut-être d'autres costumes et des instruments de musique. Sont-ce des airs populaires, des bouts de concerts seigneuriaux, des restants d'hymnes publics? L'eau est grise et bleue, large comme un bras de mer. – Un rayon blanc, tombant du haut du ciel, anéantit cette comédie.

VILLE[4]

Je suis un éphémère et point trop mécontent citoyen d'une métropole crue moderne parce que tout goût connu a été éludé dans les ameublements et l'extérieur des maisons aussi bien que dans le plan de la ville. Ici

vous ne signaleriez les traces d'aucun monument de
superstition. La morale et la langue sont réduites à
leur plus simple expression, enfin! Ces millions de
gens qui n'ont pas besoin de se connaître amènent[1] si
pareillement l'éducation, le métier et la vieillesse, que
ce cours de vie doit être plusieurs fois moins long que
ce qu'une statistique folle trouve pour les peuples du
continent. Aussi comme[2], de ma fenêtre, je vois des
spectres nouveaux roulant à travers l'épaisse et éternelle fumée de charbon, – notre ombre des bois, notre
nuit d'été! – des Érinnyes[3] nouvelles, devant mon cot-
tage qui est ma patrie et tout mon cœur puisque tout
ici ressemble à ceci, – la Mort sans pleurs, notre active
fille et servante, un Amour désespéré, et un joli Crime
piaulant dans la boue de la rue.

ORNIÈRES[4]

À droite l'aube d'été éveille les feuilles et les vapeurs
et les bruits de ce coin du parc, et les talus de gauche
tiennent dans leur ombre violette les mille rapides
ornières de la route humide. Défilé de féeries. En effet:
des chars chargés d'animaux de bois doré, de mâts et
de toiles bariolées, au grand galop de vingt chevaux de
cirque tachetés, et les enfants et les hommes sur leurs
bêtes les plus étonnantes; – vingt véhicules, bossés[5],
pavoisés et fleuris comme des carrosses anciens ou de
contes, pleins d'enfants attifés pour une pastorale sub-
urbaine. – Même des cercueils sous leur dais de nuit
dressant les panaches d'ébène[6], filant au trot des
grandes juments bleues et noires.

VILLES

I[1]

L'acropole officielle outre les conceptions de la barbarie moderne les plus colossales. Impossible d'exprimer le jour mat produit par le ciel immuablement gris, l'éclat impérial des bâtisses, et la neige éternelle du sol. On a reproduit dans un goût d'énormité singulier toutes les merveilles classiques de l'architecture. J'assiste à des expositions de peinture dans des locaux vingt fois plus vastes qu'Hampton-Court[2]. Quelle peinture! Un Nabuchodonosor norwégien[3] a fait construire les escaliers des ministères; les subalternes que j'ai pu voir sont déjà plus fiers que des Brahmas, et j'ai tremblé à l'aspect des gardiens de colosses et officiers de constructions. Par le groupement des bâtiments en squares[4], cours et terrasses fermées, on a évincé les cochers. Les parcs représentent la nature primitive travaillée par un art superbe. Le haut quartier a des parties inexplicables: un bras de mer, sans bateaux, roule sa nappe de grésil bleu entre des quais chargés de candélabres géants. Un pont court conduit à une poterne immédiatement sous le dôme de la Sainte-Chapelle. Ce dôme est une armature d'acier artistique de quinze mille pieds de diamètre environ.

Sur quelques points des passerelles de cuivre, des plates-formes, des escaliers qui contournent les halles et les piliers, j'ai cru pouvoir juger la profondeur de la ville! C'est le prodige dont je n'ai pu me rendre compte: quels sont les niveaux des autres quartiers sur ou sous l'acropole? Pour l'étranger de notre temps la reconnaissance est impossible. Le quartier commerçant est un circus[5] d'un seul style, avec galeries à arcades. On ne voit pas de boutiques. Mais la neige de la chaussée est écrasée; quelques nababs aussi rares que les promeneurs d'un matin de dimanche à Londres, se dirigent vers une diligence de diamants. Quelques divans de velours rouge : on sert des boissons polaires dont le prix varie de huit cents à huit mille roupies. À l'idée de chercher des théâtres sur ce circus, je me réponds que les boutiques doivent contenir des drames assez sombres. Je pense qu'il y a une police. Mais la loi doit être tellement étrange, que je renonce à me faire une idée des aventuriers d'ici.

Le faubourg, aussi élégant qu'une belle rue de Paris, est favorisé d'un air de lumière. L'élément démocratique compte quelque cent âmes. Là encore les maisons ne se suivent pas; le faubourg se perd bizarrement dans la campagne, le «Comté» qui remplit l'occident éternel des forêts et des plantations prodigieuses où les gentilshommes sauvages chassent leurs chroniques sous la lumière qu'on a créée.

II[1]

Ce sont des villes! C'est un peuple pour qui se sont montés ces Alleghanys et ces Libans de rêve! Des chalets de cristal et de bois qui se meuvent sur des rails et des poulies invisibles. Les vieux cratères ceints de colosses et de palmiers de cuivre rugissent mélodieusement dans les feux. Des fêtes amoureuses sonnent sur les canaux pendus derrière les chalets. La chasse des carillons crie dans les gorges. Des corporations de chanteurs géants accourent dans des vêtements et des oriflammes éclatants comme la lumière des cimes. Sur les plates-formes au milieu des gouffres les Rolands sonnent leur bravoure. Sur les passerelles de l'abîme et les toits des auberges l'ardeur du ciel pavoise les mâts. L'écroulement des apothéoses rejoint les champs des hauteurs où les centauresses séraphiques évoluent parmi les avalanches. Au-dessus du niveau des plus hautes crêtes une mer troublée par la naissance éternelle de Vénus, chargée de flottes orphéoniques et de la rumeur des perles et des conques précieuses, – la mer s'assombrit parfois avec des éclats mortels. Sur les versants des moissons de fleurs grandes comme nos armes et nos coupes, mugissent. Des cortèges de Mabs[1] en robes rousses, opalines, montent des ravines. Làhaut, les pieds dans la cascade et les ronces, les cerfs tettent[2] Diane. Les Bacchantes des banlieues sanglotent et la lune brûle et hurle. Vénus entre dans les cavernes des forgerons et des ermites. Des groupes de beffrois chantent les idées des peuples. Des châteaux bâtis en os sort la musique inconnue. Toutes les légendes évoluent et les élans se ruent dans les bourgs. Le paradis des orages s'effondre. Les sauvages dansent sans cesse la fête de la nuit. Et une heure je suis descendu dans le mouvement d'un boulevard de Bagdad où des compagnies ont chanté la joie du travail nouveau, sous une brise épaisse, circulant sans pouvoir éluder les fabuleux fantômes des monts où l'on a dû se retrouver.

Quels bons bras, quelle belle heure me rendront cette région d'où viennent mes sommeils et mes moindres mouvements?

VAGABONDS[3]

Pitoyable frère! Que d'atroces veillées je lui dus! «Je ne me saisissais pas fervemment de cette entreprise. Je m'étais joué de son infirmité. Par ma faute nous retournerions en exil, en esclavage.» Il me supposait un guignon et une innocence très bizarres, et il ajoutait des raisons inquiétantes.

Je répondais en ricanant à ce satanique docteur, et finissais par gagner la fenêtre. Je créais, par delà la campagne traversée par des bandes[1] de musique rare, les fantômes du futur luxe nocturne.

Après cette distraction vaguement hygiénique je m'étendais sur une paillasse. Et, presque chaque nuit, aussitôt endormi, le pauvre frère se levait, la bouche pourrie, les yeux arrachés, – tel qu'il se rêvait ! – et me tirait dans la salle en hurlant son songe de chagrin idiot.

J'avais en effet, en toute sincérité d'esprit, pris l'engagement de le rendre à son état primitif de fils du soleil, – et nous errions, nourris du vin des cavernes[2] et du biscuit de la route, moi pressé de trouver le lieu et la formule.

VEILLÉES[3]

I

C'est le repos éclairé, ni fièvre ni langueur, sur le lit ou sur le pré.

C'est l'ami ni ardent ni faible. L'ami.

C'est l'aimée ni tourmentante ni tourmentée. L'aimée.

L'air et le monde point cherchés. La vie.

– Était-ce donc ceci ?

– Et le rêve fraîchit.

II

L'éclairage revient à l'arbre de bâtisse. Des deux extrémités de la salle, décors quelconques, des élévations harmoniques se joignent. La muraille en face du veilleur est une succession psychologique de coupes de frises, de bandes atmosphériques et d'accidences géologiques. – Rêve intense et rapide de groupes sentimentaux avec des êtres de tous les caractères parmi toutes les apparences.

III

Les lampes et les tapis de la veillée font le bruit des vagues, la nuit, le long de la coque et autour du steerage[1]

La mer de la veillée, telle que les seins d'Amélie[2].

Les tapisseries, jusqu'à mi-hauteur, des taillis de dentelle, teinte d'émeraude, où se jettent les tourterelles de la veillée.

. . . .

La plaque du foyer noir, de réels soleils des grèves : ah ! puits des magies ; seule vue d'aurore, cette fois.

MYSTIQUE[3]

Sur la pente du talus les anges tournent leurs robes de laine dans les herbages d'acier et d'émeraude.
Des prés de flammes bondissent jusqu'au sommet

du mamelon. À gauche le terreau de l'arête est piétiné par tous les homicides et toutes les batailles, et tous les bruits désastreux filent leur courbe. Derrière l'arête de droite la ligne des orients, des progrès.

Et tandis que la bande en haut du tableau est formée de la rumeur tournante et bondissante des conques des mers et des nuits humaines,

La douceur fleurie des étoiles et du ciel et du reste descend en face du talus, comme un panier, contre notre face, et fait l'abîme fleurant et bleu là-dessous.

AUBE[1]

J'ai embrassé l'aube d'été.

Rien ne bougeait encore au front des palais. L'eau était morte. Les camps d'ombres ne quittaient pas la route du bois. J'ai marché, réveillant les haleines vives et tièdes, et les pierreries regardèrent, et les ailes se levèrent sans bruit.

La première entreprise fut, dans le sentier déjà empli de frais et blêmes éclats, une fleur qui me dit son nom.

Je ris au wasserfall[2] blond qui s'échevela à travers les sapins : à la cime argentée je reconnus la déesse.

Alors je levai un à un les voiles. Dans l'allée, en agitant les bras. Par la plaine, où je l'ai dénoncée au coq. À la grand'ville elle fuyait parmi les clochers et les dômes, et courant comme un mendiant sur les quais de marbre, je la chassais.

En haut de la route, près d'un bois de lauriers, je l'ai entourée avec ses voiles amassés, et j'ai senti un peu son immense corps. L'aube et l'enfant tombèrent au bas du bois.

Au réveil il était midi.

FLEURS[1]

D'un gradin d'or, – parmi les cordons de soie, les gazes grises, les velours verts et les disques de cristal qui noircissent comme du bronze au soleil, – je vois la digitale s'ouvrir sur un tapis de filigranes d'argent, d'yeux et de chevelures.

Des pièces d'or jaune semées sur l'agate, des piliers d'acajou supportant un dôme d'émeraudes, des bouquets de satin blanc et de fines verges de rubis entourent la rose d'eau.

Tels qu'un dieu aux énormes yeux bleus et aux formes de neige, la mer et le ciel attirent aux terrasses de marbre la foule des jeunes et fortes roses.

NOCTURNE VULGAIRE[2]

Un souffle ouvre des brèches opéradiques[3] dans les cloisons, – brouille le pivotement des toits rongés, – disperse les limites des foyers, – éclipse les croisées. – Le long de la vigne, m'étant appuyé du pied à une gargouille, – je suis descendu dans ce carrosse dont l'époque est assez indiquée par les glaces convexes, les panneaux bombés et les sophas contournés. Corbillard de mon sommeil, isolé, maison de berger de ma niaiserie, le véhicule vire sur le gazon de la grande route

effacée : et dans un défaut en haut de la glace de droite
tournoient les blêmes figures lunaires, feuilles, seins ; –
Un vert et un bleu très foncés envahissent l'image.
Dételage aux environs d'une tache de gravier.

– Ici va-t-on siffler pour l'orage, et les Sodomes – et
les Solymes [1], – et les bêtes féroces et les armées,

– (Postillon et bêtes de songe reprendront-ils sous
les plus suffocantes futaies, pour m'enfoncer jusqu'aux
yeux dans la source de soie)

– Et nous envoyer, fouettés à travers les eaux clapo-
tantes et les boissons répandues, – rouler sur l'aboi des
dogues...

– Un souffle disperse les limites du foyer.

MARINE [2]

Les chars d'argent et de cuivre –
Les proues d'acier et d'argent –
Battent l'écume, –
Soulèvent les souches des ronces –
　Les courants de la lande,
Et les ornières immenses du reflux
Filent circulairement vers l'est,
Vers les piliers de la forêt, –
Vers les fûts de la jetée,
Dont l'angle est heurté par des
tourbillons de lumière.

FÊTE D'HIVER [3]

La cascade sonne derrière les huttes d'opéra-
comique. Des girandoles prolongent, dans les vergers et

les allées voisins du Méandre[1], – les verts et les rouges du couchant. Nymphes d'Horace[2] coiffées au Premier Empire, – Rondes Sibériennes, Chinoises de Boucher[3].

ANGOISSE[4]

Se peut-il qu'Elle me fasse pardonner les ambitions continuellement écrasées, – qu'une fin aisée répare les âges d'indigence, – qu'un jour de succès nous endorme sur la honte de notre inhabileté fatale?

(Ô palmes! diamant! – Amour, force! – plus haut que toutes joies et gloires! – de toutes façons, partout, – Démon, dieu, – Jeunesse de cet être-ci; moi!)

Que des accidents de féerie scientifique et des mouvements de fraternité sociale soient chéris comme restitution progressive de la franchise première?...

Mais la Vampire qui nous rend gentils commande que nous nous amusions avec ce qu'elle nous laisse, ou qu'autrement nous soyons plus drôles.

Rouler aux blessures, par l'air lassant et la mer; aux supplices, par le silence des eaux et de l'air meurtriers; aux tortures qui rient, dans leur silence atrocement houleux.

MÉTROPOLITAIN[5]

Du détroit d'indigo aux mers d'Ossian[6], sur le sable rose et orange qu'a lavé le ciel vineux viennent de monter et de se croiser des boulevards de cristal habités incontinent par de jeunes familles pauvres qui s'alimentent chez les fruitiers. Rien de riche. – La ville!

Du désert de bitume fuient droit en déroute avec les nappes de brumes échelonnées en bandes affreuses au ciel qui se recourbe, se recule et descend, formé de la plus sinistre fumée noire que puisse faire l'Océan en deuil, les casques, les roues, les barques, les croupes. – La bataille !

Lève la tête : le pont de bois, arqué ; les derniers potagers de Samarie[1] ; les masques enluminés sous la lanterne fouettée par la nuit froide ; l'ondine niaise à la robe bruyante, au bas de la rivière ; les crânes lumineux dans les plans de pois – et les autres fantasmagories – la campagne.

Des routes bordées de grilles et de murs, contenant à peine leurs bosquets, et les atroces fleurs qu'on appellerait cœurs et sœurs, Damas damnant de longueur, – possessions de féeriques aristocraties ultra-Rhénanes, Japonaises, Guaranies[2], propres encore à recevoir la musique des anciens – et il y a des auberges qui pour toujours n'ouvrent déjà plus – il y a des princesses, et si tu n'es pas trop accablé, l'étude des astres – le ciel.

Le matin où avec Elle, vous vous débattîtes parmi les éclats de neige, les lèvres vertes, les glaces, les drapeaux noirs et les rayons bleus, et les parfums pourpres du soleil des pôles, – ta force.

BARBARE[3]

Bien après les jours et les saisons, et les êtres et les pays,

Le pavillon[4] en viande saignante sur la soie des mers et des fleurs arctiques ; (elles n'existent pas.)

Remis des vieilles fanfares d'héroïsme – qui nous attaquent encore le cœur et la tête – loin des anciens assassins –

Oh! Le pavillon en viande saignante sur la soie des mers et des fleurs arctiques ; (elles n'existent pas)

Douceurs !

Les brasiers, pleuvant aux rafales de givre, – Douceurs ! – les feux à la pluie du vent de diamants jetée par le cœur terrestre éternellement carbonisé pour nous. – Ô monde ! –

(Loin des vieilles retraites et des vieilles flammes, qu'on entend, qu'on sent,)

Les brasiers et les écumes. La musique, virement des gouffres et choc des glaçons aux astres.

Ô Douceurs, ô monde, ô musique ! Et là, les formes, les sueurs, les chevelures et les yeux, flottant. Et les larmes blanches, bouillantes, – ô douceurs ! – et la voix féminine arrivée au fond des volcans et des grottes arctiques.

Le pavillon...

SOLDE[1]

À vendre ce que les Juifs n'ont pas vendu, ce que noblesse ni crime n'ont goûté, ce qu'ignorent l'amour maudit et la probité infernale des masses ; ce que le temps ni la science n'ont pas à reconnaître :

Les Voix reconstituées ; l'éveil fraternel de toutes les énergies chorales et orchestrales et leurs applications instantanées ; l'occasion, unique, de dégager nos sens !

À vendre les Corps sans prix, hors de toute race, de tout monde, de tout sexe, de toute descendance ! Les richesses jaillissant à chaque démarche ! Solde de diamants sans contrôle !

À vendre l'anarchie pour les masses ; la satisfaction irrépressible pour les amateurs supérieurs ; la mort atroce pour les fidèles et les amants !

À vendre les habitations et les migrations, sports, féeries et comforts parfaits, et le bruit, le mouvement et l'avenir qu'ils font!

À vendre les applications de calcul et les sauts d'harmonie inouïs. Les trouvailles et les termes non soupçonnés, possession immédiate,

Élan insensé et infini aux splendeurs invisibles, aux délices insensibles, – et ses secrets affolants pour chaque vice – et sa gaîté effrayante pour la foule.

À vendre les Corps, les voix, l'immense opulence inquestionable[1], ce qu'on ne vendra jamais. Les vendeurs ne sont pas à bout de solde! Les voyageurs n'ont pas à rendre leur commission[2] de si tôt!

FAIRY[3]

Pour Hélène[4] se conjurèrent les sèves ornamentales[5] dans les ombres vierges et les clartés impassibles dans le silence astral. L'ardeur de l'été fut confiée à des oiseaux muets et l'indolence requise à une barque de deuils sans prix par des anses d'amours morts et de parfums affaissés.

– Après le moment de l'air des bûcheronnes à la rumeur du torrent sous la ruine des bois, de la sonnerie des bestiaux à l'écho des vals, et des cris des steppes. –

Pour l'enfance d'Hélène frissonnèrent les fourrures et les ombres – et le sein des pauvres, et les légendes du ciel.

Et ses yeux et sa danse supérieurs encore aux éclats précieux, aux influences froides, au plaisir du décor et de l'heure uniques.

GUERRE[1]

Enfant, certains ciels ont affiné mon optique : tous les caractères nuancèrent ma physionomie. Les Phénomènes s'émurent[2]. – À présent l'inflexion éternelle des moments et l'infini des mathématiques me chassent[3] par ce monde où je subis tous les succès civils, respecté de l'enfance étrange et des affections énormes. – Je songe à une Guerre, de droit ou de force, de logique bien imprévue.

C'est aussi simple qu'une phrase musicale.

JEUNESSE[4]

I

DIMANCHE[5]

Les calculs de côté, l'inévitable descente du ciel, et la visite des souvenirs et la séance des rythmes occupent la demeure, la tête et le monde de l'esprit.

– Un cheval détale sur le turf suburbain, et le long des cultures et des boisements, percé par la peste carbonique. Une misérable femme de drame, quelque part dans le monde, soupire après des abandons improbables. Les desperadoes[6] languissent après l'orage, l'ivresse et les blessures. De petits enfants étouffent des malédictions le long des rivières. –

Reprenons l'étude au bruit de l'œuvre dévorante qui se rassemble et remonte dans les masses.

II

SONNET[1]

Homme de constitution ordinaire, la chair
n'était-elle pas un fruit pendu dans le verger ; – ô
journées enfantes ! le corps un trésor à prodiguer ; – ô
aimer, le péril ou la force de Psyché ? La terre
avait des versants fertiles en princes et en artistes,
et la descendance et la race vous poussaient aux
crimes et aux deuils : le monde votre fortune et votre
péril. Mais à présent, ce labeur comblé, – toi, tes calculs,
– toi, tes impatiences – ne sont plus que votre danse et
votre voix, non fixées et point forcées, quoique d'un
                                                    [double
événement d'invention et de succès [plus][2] une raison, –
en l'humanité fraternelle et discrète par l'univers
sans images ; – la force et le droit réfléchissent la
danse et la voix à présent seulement appréciées.

III

VINGT ANS

Les voix instructives exilées... L'ingénuité physique
amèrement rassise... – Adagio – Ah ! l'égoïsme infini
de l'adolescence, l'optimisme studieux : que le monde
était plein de fleurs cet été ! Les airs et les formes mou-
rant... – Un chœur, pour calmer l'impuissance et l'absence ! Un chœur de verres, de mélodies nocturnes...
En effet les nerfs vont vite chasser[3].

IV

Tu en es encore à la tentation d'Antoine. L'ébat du zèle écourté, les tics d'orgueil puéril, l'affaissement et l'effroi.

Mais tu te mettras à ce travail: toutes les possibilités harmoniques et architecturales s'émouvront autour de ton siège. Des êtres parfaits, imprévus, s'offriront à tes expériences. Dans tes environs affluera rêveusement la curiosité d'anciennes foules et de luxes oisifs. Ta mémoire et tes sens ne seront que la nourriture de ton impulsion créatrice. Quant au monde, quand tu sortiras, que sera-t-il devenu? En tout cas, rien des apparences actuelles.

PROMONTOIRE[1]

L'aube d'or et la soirée frissonnante trouvent notre brick en large en face de cette Villa et de ses dépendances, qui forment un promontoire aussi étendu que l'Épire et le Péloponnèse, ou que la grande île du Japon, ou que l'Arabie! Des fanums[2] qu'éclaire la rentrée des théories[3], d'immenses vues de la défense des côtes modernes; des dunes illustrées de chaudes fleurs et de bacchanales; de grands canaux de Carthage et des Embankments[4] d'une Venise louche, de molles éruptions d'Etnas et des crevasses de fleurs et d'eaux des glaciers, des lavoirs entourés de peupliers d'Allemagne; des talus de parcs singuliers penchant des têtes d'Arbres du Japon; et les façades circulaires des «Royal» ou des «Grand» de Scarbro'[5] ou de Brooklyn; et leurs railways flanquent, creusent, surplombent les dispositions dans cet Hôtel, choisies dans l'histoire

des plus élégantes et des plus colossales constructions
de l'Italie, de l'Amérique et de l'Asie, dont les fenêtres
et les terrasses à présent pleines d'éclairages, de boissons et de brises riches, sont ouvertes à l'esprit des
voyageurs et des nobles – qui permettent, aux heures
du jour, à toutes les tarentelles des côtes, – et même
aux ritournelles des vallées illustres de l'art, de déco-
rer merveilleusement les façades du Palais. Promontoire[1].

SCÈNES[2]

L'ancienne Comédie poursuit ses accords et divise
ses Idylles :
Des boulevards de tréteaux,
Un long pier[3] en bois d'un bout à l'autre d'un
champ rocailleux où la foule barbare évolue sous les
arbres dépouillés.
Dans des corridors de gaze noire suivant le pas des
promeneurs aux lanternes et aux feuilles.
Des oiseaux des mystères[4] s'abattent sur un ponton
de maçonnerie mû par l'archipel couvert des embar-
cations des spectateurs.
Des scènes lyriques accompagnées de flûte et de
tambour s'inclinent dans des réduits ménagés sous les
plafonds, autour des salons de clubs modernes ou des
salles de l'Orient ancien.
La féerie manœuvre au sommet d'un amphithéâtre
couronné par les taillis, – Ou s'agite et module pour les
Béotiens[5], dans l'ombre des futaies mouvantes sur
l'arête des cultures.
L'opéra-comique se divise sur une scène à l'arête
d'intersection de dix cloisons dressées de la galerie
aux feux[6].

SOIR HISTORIQUE[1]

En quelque soir, par exemple, que se trouve le touriste naïf, retiré de nos horreurs économiques, la main d'un maître anime le clavecin des prés ; on joue aux cartes au fond de l'étang, miroir évocateur des reines et des mignonnes, on a les saintes, les voiles, et les fils d'harmonie, et les chromatismes légendaires, sur le couchant.

Il frissonne au passage des chasses et des hordes. La comédie goutte sur les tréteaux de gazon. Et l'embarras des pauvres et des faibles sur ces plans stupides !

À sa vision esclave, – l'Allemagne s'échafaude vers des lunes ; les déserts tartares s'éclairent – les révoltes anciennes grouillent dans le centre du Céleste Empire, par les escaliers et les fauteuils de rois – un petit monde blême et plat, Afrique et Occidents, va s'édifier. Puis un ballet de mers et de nuits connues, une chimie sans valeur, et des mélodies impossibles.

La même magie bourgeoise à tous les points où la malle[2] nous déposera ! Le plus élémentaire physicien sent qu'il n'est plus possible de se soumettre à cette atmosphère personnelle, brume de remords physiques, dont la constatation est déjà une affliction.

Non ! – Le moment de l'étuve, des mers enlevées, des embrasements souterrains, de la planète emportée, et des exterminations conséquentes, certitudes si peu malignement indiquées dans la Bible et par les Nornes[3] et qu'il sera donné à l'être sérieux de surveiller. – Cependant ce ne sera point un effet de légende.

BOTTOM[1]

La réalité étant trop épineuse pour mon grand caractère, – je me trouvai néanmoins chez ma dame, en gros oiseau gris bleu s'essorant vers les moulures du plafond et traînant l'aile dans les ombres de la soirée.

Je fus, au pied du baldaquin supportant ses bijoux adorés et ses chefs-d'œuvre physiques, un gros ours aux gencives violettes et au poil chenu de chagrin, les yeux aux cristaux et aux argents des consoles.

Tout se fit ombre et aquarium ardent. Au matin, – aube de juin batailleuse, – je courus aux champs, âne, claironnant et brandissant mon grief, jusqu'à ce que les Sabines de la banlieue[2] vinrent se jeter à mon poitrail

H[3]

Toutes les monstruosités violent les gestes atroces d'Hortense. Sa solitude est la mécanique érotique, sa lassitude, la dynamique amoureuse. Sous la surveillance d'une enfance elle a été, à des époques nombreuses, l'ardente hygiène des races. Sa porte est ouverte à la misère. Là, la moralité des êtres actuels se décorpore en sa passion, ou en son action – Ô terrible frisson des amours novices, sur le sol sanglant et par l'hydrogène clarteux[4]! trouvez Hortense.

MOUVEMENT[1]

Le mouvement de lacet sur la berge des chutes du
[fleuve,
Le gouffre à l'étambot[2],
La célérité de la rampe,
L'énorme passade[3] du courant,
Mènent par les lumières inouïes
Et la nouveauté chimique
Les voyageurs entourés des trombes du val
Et du strom[4].

Ce sont les conquérants du monde
Cherchant la fortune chimique personnelle;
Le sport et le comfort[5] voyagent avec eux;
Ils emmènent l'éducation
Des races, des classes et des bêtes, sur ce Vaisseau.
Repos et vertige
À la lumière diluvienne,
Aux terribles soirs d'étude.

Car de la causerie parmi les appareils, – le sang; les
[fleurs, le feu, les bijoux –
Des comptes agités à ce bord fuyard,
– On voit, roulant comme une digue au-delà de la route
[hydraulique motrice,
Monstrueux, s'éclairant sans fin, – leur stock d'études; –
Eux chassés dans l'extase harmonique
Et l'héroïsme de la découverte.

Aux accidents atmosphériques les plus surprenants
Un couple de jeunesse s'isole sur l'arche,
– Est-ce ancienne sauvagerie qu'on pardonne? –
Et chante et se poste.

DÉVOTION[1]

À ma sœur Louise Vanaen de Voringhem : – Sa cornette bleue tournée à la mer du Nord. – Pour les naufragés.

À ma sœur Léonie Aubois d'Ashby. Baou[2] – l'herbe d'été bourdonnante et puante. – Pour la fièvre des mères et des enfants.

À Lulu, – démon – qui a conservé un goût pour les oratoires du temps des Amies et de son éducation incomplète. Pour les hommes ! À madame***.

À l'adolescent que je fus. À ce saint vieillard, ermitage ou mission.

À l'esprit des pauvres. Et à un très haut clergé.

Aussi bien à tout culte en telle place de culte mémoriale et parmi tels événements qu'il faille se rendre, suivant les aspirations du moment ou bien notre propre vice sérieux,

Ce soir à Circeto des hautes glaces, grasse comme le poisson, et enluminée comme les dix mois de la nuit rouge, – (son cœur ambre et spunck[3]), – pour ma seule prière muette comme ces régions de nuit et précédant des bravoures plus violentes que ce chaos polaire.

À tout prix et avec tous les airs, même dans des voyages métaphysiques. – Mais plus *alors*.

DÉMOCRATIE[4]

« Le drapeau va au paysage immonde, et notre patois étouffe le tambour[5].

« Aux centres nous alimenterons la plus cynique prostitution. Nous massacrerons les révoltes logiques.

«Aux pays poivrés[1] et détrempés! – au service des plus monstrueuses exploitations industrielles ou militaires.

«Au revoir ici, n'importe où. Conscrits du bon vouloir, nous aurons la philosophie féroce; ignorants pour la science, roués pour le confort; la crevaison pour le monde qui va. C'est la vraie marche. En avant, route!»

GÉNIE[2]

Il est l'affection et le présent puisqu'il a fait la maison ouverte à l'hiver écumeux et à la rumeur de l'été, lui qui a purifié les boissons et les aliments, lui qui est le charme des lieux fuyants et le délice surhumain des stations. Il est l'affection et l'avenir, la force et l'amour que nous, debout dans les rages et les ennuis, nous voyons passer dans le ciel de tempête et les drapeaux d'extase.

Il est l'amour, mesure parfaite et réinventée, raison merveilleuse et imprévue, et l'éternité: machine aimée des qualités fatales. Nous avons tous eu l'épouvante de sa concession et de la nôtre: ô jouissance de notre santé, élan de nos facultés, affection égoïste et passion pour lui, lui qui nous aime pour sa vie infinie...

Et nous nous le rappelons et il voyage... Et si l'Adoration s'en va, sonne, sa promesse sonne: «Arrière ces superstitions, ces anciens corps, ces ménages et ces âges. C'est cette époque-ci qui a sombré!»

Il ne s'en ira pas, il ne redescendra pas d'un ciel, il n'accomplira pas la rédemption des colères de femmes et des gaîtés des hommes et de tout ce péché: car c'est fait, lui étant, et étant aimé.

Ô ses souffles, ses têtes, ses courses; la terrible célérité de la perfection des formes et de l'action.

Ô fécondité de l'esprit et immensité de l'univers!

Son corps! Le dégagement rêvé, le brisement de la grâce croisée de violence nouvelle!

Sa vue, sa vue! tous les agenouillages anciens et les peines *relevés* à sa suite.

Son jour! l'abolition de toutes souffrances sonores et mouvantes dans la musique plus intense.

Son pas! les migrations plus énormes que les anciennes invasions.

Ô Lui et nous! l'orgueil plus bienveillant que les charités perdues.

Ô monde! et le chant clair des malheurs nouveaux!

Il nous a connus tous et nous a tous aimés. Sachons, cette nuit d'hiver, de cap en cap, du pôle tumultueux au château, de la foule à la plage, de regards en regards, forces et sentiments las, le héler et le voir, et le renvoyer, et sous les marées et au haut des déserts de neige, suivre ses vues, ses souffles, son corps, son jour.

Lettre du 14 octobre 1875

À ERNEST DELAHAYE[1]

[Charleville,] 14 octobre [18]75.

Cher ami,
Reçu le Postcard et la lettre de V.[2] il y a huit jours.
Pour tout simplifier, j'ai dit à la Poste d'envoyer ses
restantes chez moi, de sorte que tu peux écrire ici, si
encore rien aux restantes. Je ne commente pas les dernières grossièretés du Loyola, et je n'ai plus d'activité
à me donner de ce côté-là à présent, comme il paraît
que la 2e «portion» du «contingent» de la «classe 74»
va-t-être appelée le trois novembre «suivant[3]» ou prochain: la chambrée de nuit:

RÊVE

On a faim dans la chambrée –
                C'est vrai...
Émanations, explosions. Un génie:
                «Je suis le gruère! –
Lefêbvre[4]: «Keller[5]!»

Le génie : « Je suis le Brie ! –
Les soldats coupent sur leur pain :
    « C'est la vie !
Le génie. – « Je suis le Roquefort !
    – « Ça s'ra not' mort !...
    – Je suis le gruère
    Et le Brie !... etc.

VALSE

On nous a joints, Lefêvre et moi, etc.

de telles préoccupations ne permettent que de s'y
absorbère [1]. Cependant renvoyer obligeamment, selon
les occases, les « Loyolas » qui rappliqueraient.

Un petit service : veux-tu me dire précisément et
concis – en quoi consiste le « bachot » ès sciences
actuel, partie classique, et mathém., etc. – Tu me
dirais le point de chaque partie que l'on doit atteindre :
mathém., phys., chim., etc., et alors des titres, immé-
diat, (et le moyen de se procurer) des livres employés
dans ton collège ; par ex. pour ce « Bachot », à moins
que ça ne change aux diverses universités : en tous cas,
de professeurs ou d'élèves compétents, t'informer à ce
point de vue que je te donne. Je tiens surtout à des
choses précises, comme il s'agirait de l'achat de ces
livres prochainement. Instruct[ion] militaire et
« bachot », tu vois, me feraient deux ou trois agréables
saisons ! Au diable d'ailleurs ce « gentil labeur ». Seulement sois assez bon pour m'indiquer le plus mieux
possible la façon comment on s'y met.

Ici rien de rien.

J'aime à penser que le Petdeloup [2] et les gluants [3]
pleins d'haricots patriotiques ou non ne te donnent

pas plus de distraction qu'il ne t'en faut. Au moins ça
ne schlingue pas la neige, comme ici.

À toi « dans la mesure de mes faibles forces ».

Tu écris :

A. RIMBAUD.
31, rue S[ain]t-Barthélémy,
Charleville (Ardennes), va sans dire.

P.-S. – La corresp. en « passepoil [1] » arrive à ceci que
le « Némery [2] » avait confié les journaux du Loyola à un
agent de police pour me les porter !

Monsieur Ernest Delahaye,
À Rethel.

DOSSIER

CHRONOLOGIE

1854-1891

1854 *20 octobre*: naissance, à Charleville, de Jean Nicolas
Arthur Rimbaud, fils du capitaine d'infanterie Frédéric Rimbaud et de Vitalie Cuif. De cette union, est
déjà né Frédéric (1853-1911); ultérieurement naî-
tront: Vitalie (morte à quelques semaines en 1857),
Vitalie (1858-1875), Isabelle (1860-1917).
20 novembre: baptême d'Arthur Rimbaud.

1861 Séparation de fait des parents d'Arthur.

1862 *Octobre*: Arthur entre, en 9e, à l'Institut Rossat, à
Charleville. Il y poursuit sa scolarité jusqu'à *Pâques
1865*.

1865 *Avril-juillet*: en 6e au Collège de Charleville.
Octobre: toujours au Collège: 1865-1866, 5e; 1866-
1867: 4e. Sa scolarité se poursuit régulièrement et
brillamment (1867-1868: 3e; 1868-1869: 2e; 1869-
1870: rhétorique). Il est nommé au palmarès du
concours académique en 1869.

1870 *Janvier*: Georges Izambard remplace M. Feuillâtre
comme professeur de rhétorique au Collège. *La
Revue pour tous* publie « Les Étrennes des orphelins ».
Juillet: guerre franco-prussienne.
1er août: bataille de Sarrebrück.
Fin août: Rimbaud se rend à Paris, via la Belgique.
Arrêté à l'arrivée, il est transféré à la prison de
Mazas.
2-4 septembre: défaite de Sedan; déchéance de l'Empire; proclamation de la République.
5-8 septembre: Rimbaud obtient son élargissement et
se rend à Douai.

25 septembre: il publie dans *Le Libéral du Nord* un compte rendu de réunion politique.

Début octobre: nouveau départ: Fumay, Vireux, Givet, Charleroi, Bruxelles, Douai.

Début novembre: il est de retour à Charleville.

1871 *25 février*: délaissant les cours du Collège, dont la réouverture est annoncée, il part pour Paris.

10 mars: retour à Charleville.

18 mars-28 mai: la Commune de Paris, achevée dans la Semaine sanglante. Rimbaud s'est-il à nouveau rendu à Paris durant ce temps? Le fait est discuté: on perd toute trace de Rimbaud entre le 18 avril et le 12 mai.

13-14 mai: Rimbaud à Charleville; première communion de sa sœur Isabelle, le 14. Le 13: première lettre dite du Voyant.

15 mai: seconde lettre du Voyant.

Septembre, dernière semaine: à nouveau à Paris; il est accueilli par Charles Cros et Paul Verlaine, à qui il avait écrit et qui lui avait répondu: «Venez, chère grande âme, on vous appelle, on vous attend.» Verlaine le loge quelque temps, rue Nicolet. Il est hébergé ensuite par Banville, puis Cros (*seconde quinzaine de novembre*).

Dès cette époque, il fréquente les Zutistes (groupe de bohème littéraire) et collabore à leur *Album*, en compagnie de Verlaine avec qui il se lie d'une amitié particulière. Il fait des expériences de drogue (haschisch).

1872 *Janvier*: depuis plusieurs semaines, Rimbaud est diversement jugé: les uns prônent son génie poétique, les autres vitupèrent son inadaptation sociale. Des incidents éclatent avec quelques jeunes poètes.

Fin janvier: Verlaine cherche violemment querelle à sa femme.

Début mars-début mai: Rimbaud quitte Paris pour Charleville, puis revient dans la capitale.

7 juillet: fuite de Verlaine et Rimbaud: Arras, Charleville.

9 juillet-8 septembre: Bruxelles. Fausse réconciliation de Verlaine et de sa femme. Verlaine et Rimbaud à Malines, Ostende, Douvres, Londres.

Automne: vie misérable à Londres.

Décembre (le 20, au plus tard): Rimbaud est de retour à Charleville.

1873 *Janvier*: il revient auprès de Verlaine malade à Londres. Nouveau séjour dans cette ville (jusqu'au *début avril*): promenades, lectures au British Museum. *4 avril*: Verlaine et Rimbaud quittent Douvres pour Ostende. Verlaine se rend à Jéhonville en Belgique, Rimbaud à Roche, propriété de sa mère, dans les Ardennes. Il travaille à une œuvre qui deviendra, pour partie, *Une saison en enfer*.
24 mai: il rejoint Verlaine. Les deux amis regagnent Londres, via la Belgique.
3 juillet: dispute. Verlaine part pour Ostende et Bruxelles où Rimbaud le rejoint quelques jours plus tard, *le 8*.
10 juillet: Rimbaud qui faisait mine de repartir à Paris est blessé d'un coup de revolver par Verlaine, et transporté à l'hôpital Saint-Jean.
13-18 juillet: interrogatoires de Rimbaud, suivis de son désistement, *le 19*. Peu après, il rentre à Roche. *Octobre*: l'impression d'*Une saison en enfer* est achevée.

1874 *Fin mars*: Rimbaud est à Londres avec Germain Nouveau. Ce dernier rentre en France au début de l'été. Publication des *Romances sans paroles* de Verlaine.
31 juillet: Rimbaud quitte Londres. On le retrouve à Reading, où il reste jusqu'en novembre, dans un Institut pour l'enseignement des langues.
Fin de l'année (novembre ou décembre): Rimbaud à Charleville (?).

1875 *Février*: Rimbaud est à Stuttgart, où il revoit Verlaine (sans doute pour la dernière fois), avant d'entamer un long périple: Milan (*mai*); Livourne, d'où il est rapatrié pour Marseille (*juin*); Paris (*juillet*); Charleville (*début octobre*).

1876 *Avril*: il est à Vienne. Refoulé par la police autrichienne, il revient en France.
Mai: il gagne la Hollande, via Bruxelles. Il signe un engagement de six ans dans l'armée hollandaise.
19 mai: il atteint le port de Harderwijk.
10 juin: embarqué à cette date, il est «déserteur» le *15 août* à Batavia; embarqué à nouveau sur un autre navire, il revient finalement en *décembre* à Charleville.

1877 *Mai* : Rimbaud est à Cologne, puis à Brême. Il s'offre à s'engager dans la marine américaine.
       Juin : sa présence est signalée à Stockholm.
       Automne-hiver : il part de Marseille pour Alexandrie. Malade, il est débarqué à Civitavecchia, d'où il rejoint Charleville via Rome.

1878 *Printemps* : des témoins aperçoivent Rimbaud à Paris.
       Été : à Roche.
       20 octobre : Rimbaud gagne Gênes, à travers la Suisse, le Saint-Gothard et Milan.
       Novembre : il s'embarque pour Alexandrie.
       Décembre : il est employé, comme chef de chantier, dans une carrière à Chypre.

1879 *Mai* : une fièvre typhoïde oblige Rimbaud à rentrer à Roche. Il y séjourne jusqu'en mars de l'année suivante.

1880 *Mars* : nouveau départ pour Chypre. Rimbaud y dirige un autre chantier.
       Juillet : il quitte Chypre pour Alexandrie, puis la mer Rouge.
       Août : à Aden, il est employé dans la maison Mazeran, Viannay, Bardey et Cie.
       Novembre : on lui confie la succursale de Harar.

1881 Rimbaud opère des expéditions dans l'intérieur du territoire.
       Mai : il dit son intention de quitter Harar.
       Décembre : il est à nouveau à Aden.

1882 Rimbaud s'ennuie en cette ville plus qu'il ne s'était ennuyé à Harar : au point qu'il accepte de revenir en ce dernier endroit.

1883 En dépit du climat d'insécurité, il organise des expéditions en Ogaden (ou Ogadine). Il établit des rapports à ce sujet ; ils sont transmis à la Société de Géographie.

1884 La maison qui l'emploie est liquidée, puis reprise par les frères Bardey seuls, qui embauchent à nouveau Rimbaud.

1885 *Octobre* : mais celui-ci les quitte et décide de se lancer dans le trafic d'armes pour le compte du Choa. Il s'associe avec Labatut.

1886 *Avril* : divers obstacles retardent le projet.
       Mai-juin : les *Illuminations* paraissent dans *La*

Vogue, à l'insu de Rimbaud. Son œuvre commence à être connue.

Juin: maladie de Labatut qui rentre en France où il meurt.

Octobre: Rimbaud se lance, seul, dans l'expédition projetée.

1887 *Février*: il atteint Ankober, mais ne trouve personne avec qui négocier. Engagé dans de mauvaises affaires, il revient à Aden en *octobre*.

1888 *Février-mai*: un trafic d'armes, entrepris avec Savouré, échoue.

Juin: il traite avec la maison César Tian, d'Aden, pour fonder une succursale à Harar.

1891 *Février*: violentes douleurs au genou.

Avril: retour sur Aden en litière.

Mai: hospitalisé à Marseille et, peu après, amputé d'une jambe.

Fin juillet-août: Rimbaud est à Roche.

Fin août: il part pour Marseille. Son état rend nécessaire une admission immédiate à l'hôpital de la Conception de cette ville.

Début novembre: l'éditeur Genonceaux publie des poèmes de Rimbaud (dont quatre apocryphes!) sous le titre de *Reliquaire*.

10 novembre: Rimbaud achève son «aventure terrestre».

NOTICE

En l'espace de dix années, Racine produit ses grandes tragédies et l'on admire une telle rapidité. Il ne faut pas plus de cinq ou six ans à Rimbaud pour laisser à la postérité une œuvre sans égale. L'adolescent, *de Charleville s'arrivé*, vit dans la hâte du lieu et de la formule à découvrir. Il veut tout expérimenter et tout savoir. Dans la fièvre d'un départ perpétuel, il abandonne aujourd'hui le cheminement d'hier et se lance sur une route inconnue, divergente. Mais il sait toujours y reconnaître *l'essaim des feuilles d'or*; et, toujours en passant, il éveille l'aube d'été. Poésie du départ et du mouvement, elle n'est pas faite pour les *assis*.

Pour aborder Rimbaud, il faut faire preuve d'une totale disponibilité et se débarrasser des idées reçues, ce qui ne veut pas dire qu'il faut ignorer ou mépriser les recherches antérieures. Il est important de savoir, cependant, qu'un des principaux obstacles à l'étude du poète est constitué par l'accumulation malencontreuse de traditions de toutes sortes. Il est vrai, aussi, que l'homme et l'œuvre posent des problèmes réels dont beaucoup sont loin d'être entièrement résolus.

La biographie de l'enfant prodige est moins nette et moins sûre qu'on le croit. Il nous offre le type de ces existences pour lesquelles nous connaissons de multiples détails que nous ne parvenons pas à accorder correctement entre eux. C'est un peu comme une chaîne qui serait dépourvue d'une trame solide et dont on ne pourrait jamais faire un tissu. La participation de Rimbaud à la Commune, par exemple. On sait que, ayant quitté Paris, il rentre à Charleville le 10 mars 1871 : vraiment huit jours trop tôt! On sait encore que, le 13 mai, il se trouve à Charleville. Faut-il écrire : il se trouve *toujours*, ou *à nouveau*? selon qu'on suppose, ou non, un autre voyage dans la capitale, durant lequel Arthur aurait fait le coup de feu parmi les insurgés. On ne sait.

Il n'y a d'ailleurs pas plus à s'étonner de nos ignorances que des suppositions gratuites. Rimbaud aime la vie libre ; en marge de la société ; il est ami des envolées soudaines et des sentiers imprévus. Rien d'étonnant, pour le chercheur ou l'archiviste, à ce que chaque piste se perde dans les sables ! sauf à suppléer par l'imagination aux carences de l'histoire. Justement, Rimbaud a été un personnage suffisamment étonnant pour qu'on se soit trouvé tenté de lui constituer une légende dès avant sa mort. Ce qu'on sait de lui est si surprenant qu'on n'hésite guère à remplir les vides de son existence à l'aide d'événements supposés et, pour tout dire, *mythiques*. Jamais un écrivain n'a sollicité à ce point l'illumination créatrice de ses contemporains et de la postérité. On le sait ; et pourtant l'on s'en défend mal ! Il faut avoir longtemps fréquenté Rimbaud pour dépasser les exégèses, pour se trouver, face au poète-dieu, dans une clarté qui n'est jamais la même pour personne. On se sent alors isolé, tant l'œuvre vous a conduit haut et loin. Parmi les poètes les plus rapprochés dans le temps, je ne vois guère que Nerval – à la rigueur Lautréamont – qui me fasse éprouver les mêmes sensations.

Il faut donc se détacher de ces visages d'Arthur Rimbaud, dont aucun n'est ni tout à fait faux ni tout à fait vrai. On s'écrie d'admiration devant la photographie de quelqu'un, et l'on trouve que « c'est bien lui » ! Pourtant le film n'a saisi qu'une attitude fugitive, celle peut-être que le sujet n'offre qu'une fois sur mille. Et soudain, en scrutant le cliché, on saisit à la fois l'identité et la dissemblance : ce *je est*, en même temps, *un autre*.

C'est, par exemple, un trait de Rimbaud que le côté *voyou*. Il souffle sa pipe brûlante aux naseaux d'un cheval… il déchire les poèmes d'un ami… Mais il est capable d'attendrissement et de sensibilité. Il caresse et il injurie, sans mesure et sans discernement, excessif et maladroit comme un adolescent qui s'agace lui-même de son rire en pleurs. Est-il davantage le « voyant » ? On peut toujours dire que oui. Il faut pourtant reconnaître qu'on ne peut le définir de façon exclusive d'après les termes de ses lettres des 13 et 15 mai 1871. L'homme et son œuvre échappent à ces espaces limités.

C'est qu'il refuse toute contrainte ; il se refuse aux pactes sociaux. Une époque récente s'est complu à découvrir un Rimbaud « gauchiste » auquel une autre pourra s'amuser à opposer l'apôtre nietzschéen d'une volonté de puissance, le chantre d'un surhomme situé au-delà du bien et du mal. À quoi l'on répliquera, pour finir, qu'une telle attitude est impossible puisque, précisera-t-on, Rimbaud vit l'expérience du mal et du péché, connaît la rédemption : il va donc de soi qu'il est chrétien. Sa sœur Isabelle, brillamment interprétée par Claudel, a fait longtemps prévaloir cette thèse. À l'inverse, Breton s'attache à démontrer le surréalisme du poète en soulignant, entre autres, son hostilité aux tabous patriotiques, religieux, familiaux, sexuels.

Devant de telles divergences, l'erreur est de se demander où est la vérité. Elle est partout et nulle part, comme cette poésie que Paul Eluard essaie de définir. Il faut accueillir Rimbaud dans sa multiplicité.

On le fait d'autant plus volontiers qu'on peut se passer, à l'extrême rigueur, de la biographie, et interroger l'œuvre seule. Encore faut-il posséder les textes de façon sûre. Je ne parle pas même des difficultés de sens qui sont réelles, mais qui relèvent d'un autre ordre.

Ce qui pose un problème, c'est l'état dans lequel nous est parvenue l'œuvre d'un écrivain, qui, à une exception près, n'a jamais recueilli sa production en volume. Seul *Une saison en enfer* apparaît comme un livre voulu dans la forme définitive qu'il revêt. Pour le reste, l'essentiel nous est livré à travers des copies, dont beaucoup ne sont pas de Rimbaud ; parfois même, nous devons nous contenter, en l'absence de tout manuscrit, du texte donné par quelque petite revue. Plus grave est que l'on ignore jusqu'à la structure que l'auteur aurait donnée à ses œuvres s'il les avait recueillies ; même, n'en aurait-il pas sacrifié quelques-unes ? Les *Poésies*, les *Illuminations* n'ont été constituées en volume que tardivement et par des éditeurs plus ou moins diligents.

Une fois dissipées toutes ces ombres et dégagées les difficultés matérielles qui masquent l'accès direct à la connaissance de l'œuvre, on découvre quelques points de vue. L'impression la plus apparente est que Rimbaud témoigne d'une crise.

Le poète aborde l'âge d'homme en un temps de transformations économiques, sociales, morales, politiques. La guerre de 1870, qui provoque le passage d'un régime à un autre, marque, plus profondément, la fin d'une époque, la disparition d'un mode de vie et de certaines façons de penser. Positivisme et scepticisme vont triompher durant quelques années ; l'anticléricalisme est promis à de beaux jours ; les caractéristiques et les oppositions des classes sociales se précisent. Cependant, dès 1871, tout a paru recommencer comme avant. Charles Cros chante :

> *Voici refleurir comme avant ces drames*
> *Les bleuets, les lys, les roses, les femmes.*

Avec plus de force et de brutalité, Rimbaud dénonce «l'orgie parisienne» revenue après la Semaine sanglante ; dégoûté, il perçoit de nouveau *l'ancien râle aux anciens lupanars*. À ses yeux, la Commune pouvait apporter un changement. Elle sombre dans un bain de sang, après quoi l'Ordre moral prend le dessus. Cette crise de maturité politique d'un pays se solde par un échec dont Rimbaud ressent durement les effets. Telle lettre à Izambard (13 mai 1871), tels poèmes le prouvent. Quant à *Une saison en enfer*, c'est bien l'œuvre de quelqu'un qui s'est trouvé aux prises avec *la réalité rugueuse*. Comme beaucoup de jeunes, surtout dans les époques de transition, il arrivait plein de joie devant la vie et d'espérance devant l'avenir. Naturellement, il refusait les valeurs admises. Puis, un matin, il est *rendu au sol*. Il semble accepter ce qu'il rejetait. Il y a peut-être là une des raisons de son silence ultérieur.

Cette crise de la société coïncide, précisément, avec la crise d'adolescence de Rimbaud. *Vivre, c'est survivre à un enfant mort*, écrit quelque part Jean Genet. Peut-être le mot, vrai pour beaucoup, s'applique-t-il encore plus étroitement à ce jeune gamin. Jusque dans les *Illuminations* les plus tardives (autant qu'une sûre chronologie soit possible), le thème de l'enfant revient comme une obsession.

Il suffit de lire les textes pour retrouver tout ce qui peut choquer ou préoccuper un adolescent.

Constamment, il se heurte à l'hostilité ou à l'incompréhension. Les *assis* ne sont pas seulement des «hommes-chaises», sortes de phénomènes monstrueux qu'on pourrait à la rigueur contempler comme des curiosités. Ils sont dangereux. Malheur à l'imprudent qui les dérange :

> *Oh! ne les faites pas lever* [...]
> *Ils ont une main invisible qui tue* [...]
> *Rassis, les poings noyés dans des manchettes sales,*
> *Ils songent à ceux-là qui les ont fait lever.*

Un abîme se creuse entre le jeune homme de dix-sept ans et tous ceux qui roulent *dans la bonne ornière : prêtres, professeurs, maîtres*. De part et d'autre, la conception des valeurs est si opposée que toute entente devient impossible. Rimbaud refuse de jouer un jeu social dont il dénonce les règles : pourquoi – demande-t-il – serait-il une brute, un être immoral ? Ceux qui le condamnent se trompent ; il faut les en persuader. «Mauvais sang» pose ces questions en termes dramatiques.

Parmi les croyances imposées et les contraintes inutiles, Rimbaud n'omet pas la religion. Ce n'est pas par un anticléricalisme de façade, ni un goût de la provocation manifesté en gestes et propos qu'Ernest Delahaye s'est complu à rapporter. Ce n'est pas même dans certaines créations ou formules caricaturales qu'il faut chercher le sentiment de l'adolescent: pas plus dans l'évocation du séminariste amoureux que dans l'évocation de l'homme *noir grotesque dont fermentent les pieds*, prétextes à quolibets. Attitude révélatrice cependant: Rimbaud s'en prend aux prêtres, au dogme, à tout ce qui fait de la religion une grande machine à asservir. «Les Pauvres à l'église» dénonce ce christianisme dispensateur d'illusions, propagateur de l'abêtissement humain.

Une telle attitude rejoint l'illuminisme démocratique et social qui fait compatir d'instinct aux misères populaires. Cette tendance est flattée et confirmée par la lecture de quelques-unes des œuvres de Michelet ou de Victor Hugo. On la retrouve dans «Le Forgeron» ou «Les Mains de Jeanne-Marie». *Le Monde a soif d'amour*, écrit Rimbaud. Cet être, souvent timide, mais qui se donne des airs de «casseur», proteste et s'indigne et veut *changer la vie* au nom d'une générosité très naturelle à un esprit jeune. Souvent, révolte et charité marchent de pair.

Alors, n'est-ce pas le mot *amour* qui permettrait de comprendre le mieux Rimbaud? L'amour, c'est cette forme de compréhension et d'altruisme qui suscite la volonté de changement et se heurte aussitôt à des interdits et des impossibilités. Et puis, c'est aussi l'inquiétude sexuelle de la puberté. Rimbaud n'y échappe nullement. Un critique (dont je respecte l'anonymat puisqu'il l'a voulu) écrit : «De quoi voulait-on qu'il nourrît sa poésie à quatorze, dix-sept ou dix-neuf ans, sinon des tourments – et des jeux – de la puberté et de l'adolescence? À ces âges, le commun des mortels peut traverser pareilles épreuves, mais ne risque pas d'en nourrir *un génie littéraire*, qui demande normalement beaucoup plus d'années pour atteindre à la maîtrise d'expression du jeune Rimbaud. Le commun des mortels va jusqu'à éliminer de sa mémoire les inepties et les dépravations purement cérébrales d'une courte période de l'existence.

Rimbaud, lui, en laisse une trace indélébile et publique.»

Il est bien vrai que l'œuvre est la défense et illustration de plus d'un jeu de la sexualité. Il serait absurde de s'en choquer ; mais il est dangereux d'y voir l'unique explication de la création poétique. La même précocité, qui rend vraisemblable la transposition d'inquiétudes érotiques sur le plan littéraire, justifie la multiplicité d'intérêts que manifeste Rimbaud. Il n'en reste pas moins que, déréglés ou non, les sens tiennent un rôle capital dans ces poèmes.

Une saison en enfer tente de surmonter le déchirement et le déséquilibre de cette adolescence. C'est au prix d'un sacrifice ; il n'est pas impossible qu'à partir de là Rimbaud survive réellement, en effet, à un enfant mort.

Cet enfant a eu la rage d'écrire! Dès le collège, il rédige des vers latins dignes de retenir l'attention; en même temps, il remet des devoirs français d'une habileté surprenante. L'«Invocation à Vénus» (traduite d'un célèbre passage de Lucrèce) est plus qu'un bon travail pour un élève âgé de quinze ans. Quant au discours de Charles d'Orléans à Louis XI, composé un an plus tard, il dénote de précieuses qualités d'observation et d'assimilation. Il est à la limite du pastiche, genre à quoi Rimbaud se laisse aller dans l'*Album zutique*.

En effet, très sensible aux lectures et aux influences, il décèle vite les procédés d'un texte. Il est également apte à «faire» du Villon, du Victor Hugo, du Banville ou du Coppée..., avant de faire du Rimbaud! Mais qu'on y prenne garde: ce don est singulièrement dangereux. D'un côté – et par le biais d'une parodie consciente ou non – c'est une façon de jeter le discrédit sur ce qui est faussement pris au sérieux: rien n'est plus séditieux. D'un autre côté, rien ne prouve davantage l'intérêt que, tout jeune, Rimbaud accorde au fait d'écriture. Cette conscience aiguë de la fabrication littéraire (*poésie*, au sens étymologique) me paraît aussi importante que le contenu créé.

N'est-ce pas l'adolescence que ce vouloir écrire pour devenir soi-même? Et l'adolescence toujours que ce mélange de volonté destructrice et de désir créateur?

Il me semble que, si Rimbaud traduit précocement en poèmes les inquiétudes et les déchirements d'un âge de transition, il n'y a pas lieu de chercher à son œuvre de signification ésotérique, mystique, compliquée (ce qui ne veut pas dire que l'expression, elle, soit toujours simple); il ne faut pas davantage y rechercher, à toute force, une unité factice (ce qui n'empêche pas d'être attentif à des thèmes, des idées forces, des mots clefs). Nous sommes devant une suite d'*essais*, au sens strict où Montaigne l'entendait, c'est-à-dire d'expériences ou de tentatives.

Ainsi, toute volonté de ramener à une seule image cet adolescent divers qui se cherche est une monstruosité; pour ce qui est du même être, devenu homme, il nous échappe, prétendant n'avoir plus rien à faire de la littérature. C'est qu'il ne trouve peut-être pas de solutions aux expériences qu'il tente. Comme sa vie, son œuvre est une perpétuelle remise en question d'elle-même. Elle est diverse; elle est inégale: pourquoi chercher à la dissimuler, puisqu'il est le premier à condamner – jusqu'à en cesser d'écrire – de réelles faiblesses? C'est la rançon d'une évidente volonté de renouvellement.

Chaque texte apparaît donc comme un objet constitué en un tout sensé et cohérent. Ce n'est ni un rébus, ni un puzzle éclaté. Aller au sens littéral doit être la tâche essentielle du lecteur; Rimbaud a voulu se faire entendre (et quand il transmet un message codé, il invite à chercher la clef). *Ça* [son poème] *ne veut pas rien dire*, affirme-t-il. Et c'est ici que reprennent batailles et divergences.

Pour simplifier, disons que certains tiennent l'œuvre pour la pure transposition de faits biographiques ; d'autres en font une vue abstraite et sublime de l'esprit. Depuis de longues années, Rimbaud se trouve ainsi aux prises avec les historiens et les métaphysiciens. Il y a gros à parier que ni les uns ni les autres n'ont expérimenté ce qu'est écrire un poème ou un roman.

Rimbaud nous dit comment un texte est signifiant : *littéralement et dans tous les sens*. Il n'a pas un sens *ou* un autre ; il est une multiplicité de possibles. C'est proclamer que, dans une telle poésie, le mot reprend l'initiative de dire tout ce qu'il peut. En cela tient la recherche essentielle de Rimbaud, comme celle de Mallarmé. Au discours linéaire et rationnel, ils substituent l'explosion de chaque mot, bibelot qui s'abolit dans les multiples directions de sa gerbe de feu.

La difficulté de la poésie rimbaldienne tient en ces sollicitations divergentes et qui toutes cependant – comme la palme scintillante d'une pièce d'artifice – sont issues du même noyau dynamique et fulgurant, devenu obscur aussitôt qu'éclaté en «illumination». Il me semble donc intéressant et fructueux de mener diverses lectures : au point de convergence, est le cœur «éclatant» du poème.

Deux lectures, notamment, peuvent interférer, surtout dans les *Illuminations*. L'une s'inscrit dans le temps et traduit l'expérience personnelle de l'auteur : ainsi la trame de «Mémoire» ou d'«Enfance» est constituée d'éléments repérables dans la biographie (quoique souvent disjoints et bouleversés). Mais le poème n'existe pas tant qu'on n'a pas entrelacé la chaîne. Elle est ce qui échappe au temps, ce qui opère une distorsion sur l'expérience, une modification sur l'espace au profit d'une vision plus profondément symbolique. Rimbaud le dit : il s'est habitué à voir une chose à la place d'une autre ; nous savons aussi qu'il juxtapose parfois des moments différents de son existence. C'est qu'il s'intéresse moins aux faits eux-mêmes qu'à l'*idée* commune à ces faits, à leur ensemble et aux relations qui les unissent. Il n'y a pas à s'étonner d'une telle démarche : elle est poétique par excellence et, surtout, naturelle à un bon élève doué en mathématiques et en lettres. À la limite, Rimbaud apparaît, avec Baudelaire et surtout Nerval, comme quelqu'un qui substituerait une poésie des ensembles à une vieille poésie analytique.

Ainsi remet-il en question les formes traditionnelles, et se remet-il lui-même en question jusqu'à parvenir à cette hantise de l'artiste : la page blanche, ou le silence.

BIBLIOGRAPHIE SOMMAIRE

PREMIÈRES ÉDITIONS

Une saison en enfer, Bruxelles, Alliance typographique, M.-J. Poot et Cie, 1873.

Illuminations [plaquette reprenant les textes de prose et de vers parus dans *La Vogue* de mai à juin 1886], 1886.

Reliquaire. Poésies, préface de Rodolphe Darzens, Genonceaux, 1891.

Les Illuminations, Une saison en enfer, avec une notice de Paul Verlaine, Vanier, 1892.

Poésies complètes, Vanier, 1895.

ÉDITIONS MODERNES

Poésies [1939]; *Une saison en enfer* [1941]; *Illuminations* [1949], 3 vol., éd. critique par Henry de Bouillane de Lacoste, Mercure de France.

Œuvres complètes, édition établie, présentée et annotée par Antoine Adam, « Bibliothèque de la Pléiade », Gallimard, 1972.

Œuvres poétiques, textes présentés et commentés par Cecil A. Hackett, coll. « Lettres françaises », Imprimerie nationale, 1986.

Œuvres, édition de Suzanne Bernard (1960), revue et complétée par André Guyaux (1981 et 1987), Garnier.
[I] *Poésies*. [II] *Vers nouveaux, Une saison en enfer*. [III] *Illumi-*

nations, 3 vol., préfaces et notes de Jean-Luc Steinmetz, Garnier-Flammarion, 1990.

Œuvres complètes, Correspondance, édition présentée et établie par Louis Forestier, «Bouquins», Robert Laffont (1992), édition revue 1993.

Œuvres complètes, édition et commentaire de Pierre Brunel, Le Livre de poche classique, 1999.

Œuvres complètes, [I] *Poésies*, édition critique avec introduction et notes de Steve Murphy, Honoré Champion, 1999.

Un cœur sous une soutane, édition et commentaire de Steve Murphy, «Bibliothèque sauvage», Musée-Bibliothèque Rimbaud, Charleville-Mézières, 1991.

Poésies, édition établie par Frédéric Eigeldinger et Gérald Schaeffer, À la Baconnière, Neuchâtel, 1981.

Une saison en enfer, texte présenté et commenté par Pierre Brunel, José Corti, 1987.

Illuminations, texte établi et commenté par André Guyaux, À la Baconnière, Neuchâtel, 1985.

ICONOGRAPHIE, FAC-SIMILÉS

Album Rimbaud, par Henri Matarasso et Pierre Petitfils, Gallimard, 1967.

Poésies (fac-similés des autographes ou copies de Verlaine), coll. «Les Manuscrits des Maîtres», Messein, 1919.

Jeancolas, Claude (éd.), *L'Œuvre intégrale manuscrite*, Paris, Textuel, 1996.

Œuvres complètes, [IV] *fac-similés*, édition critique avec introduction et notes de Steve Murphy, Honoré Champion, 2002.

OUTILS BIBLIOGRAPHIQUES

Petitfils, Pierre, *L'Œuvre et le visage d'Arthur Rimbaud*, Nizet, 1949.

Taute, Stéphane, *Rimbaud dans les collections municipales de Charleville-Mézières*, Charleville-Mézières, 1966 et 1969.

Étiemble, *Le Mythe de Rimbaud*, t. I, *Genèse du mythe* (1954), Gallimard (nouvelle édition revue et augmentée, 1968).

Bivort, Olivier, et Guyaux, André, *Bibliographie des* Illuminations *(1878-1990)*, Champion-Slatkine, Paris-Genève, 1991.

Bivort, Olivier, Murphy, Steve, *Rimbaud. Publications autour d'un centenaire*, Rosenberg et Sellier, Turin, 1994.

TRAVAUX CRITIQUES

Bernard, Suzanne, *Le Poème en prose de Baudelaire jusqu'à nos jours*, Nizet, 1959.

Bonnefoy, Yves, *Rimbaud*, Le Seuil, 1961.

Bouillane de Lacoste, Henry de, *Rimbaud et le problème des* Illuminations, Mercure de France, 1949.

Briet, Suzanne, *Madame Rimbaud*, Lettres modernes-Minard, 1968.

Brunel, Pierre, *Rimbaud ou l'éclatant désastre*, Champ Vallon, 1983.

– *Rimbaud, projets et réalisations*, Champion, 1983.

– *Ce sans-cœur de Rimbaud : essai de biographie intérieure*, Herne, 1999.

– *Rimbaud*, Le Livre de Poche, « Références », 2002.

Cornulier, Benoît de, *Théorie du vers : Rimbaud, Verlaine, Mallarmé*, Le Seuil, 1982.

Davies, Margaret, *Une saison en enfer, analyse du texte*, Lettres modernes-Minard, 1975.

Eigeldinger, Frédéric, et Gendre, André, *Delahaye témoin de Rimbaud*, À la Baconnière, Neuchâtel, 1974.

Étiemble, *Le Mythe de Rimbaud*, 3 vol., Gallimard (nouvelles éditions 1961 et 1968).

Fongaro, Antoine, *Matériaux pour lire Rimbaud*, Presses Universitaires du Mirail, Toulouse, 1990.

Giusto, Jean-Pierre, *Rimbaud créateur*, P.U.F., 1980.

Guyaux, André, *Poétique du fragment. Essai sur les* Illuminations *de Rimbaud*, À la Baconnière, Neuchâtel, 1985.

– *Duplicités de Rimbaud*, Champion-Slatkine, 1991.

– (dirigé par), *Arthur Rimbaud*, L'Herne, nº 64, 1993.

– (recueillies par), *Dix études sur* Une saison en enfer, À la Baconnière, Neuchâtel, 1994.

Hackett, Cecil A., *Rimbaud l'enfant*, José Corti, 1948.

Henry, Albert, *Lectures de quelques* Illuminations, Bruxelles, Palais des Académies, 1989.

Izambard, Georges, *Rimbaud tel que je l'ai connu*, Mercure de France, 1946.

Jong-Ho Kim, *Le Vide et le corps des* Illuminations, Musée-Bibliothèque Rimbaud, Charleville-Mézières, 1993.

Kittang, Atle, *Discours et jeu, essai d'analyse des textes d'Arthur Rimbaud*, Presses Universitaires d'Oslo et Grenoble, 1975.

Magny, Claude-Edmonde, *Arthur Rimbaud*, « Poètes d'aujour-d'hui », Seghers, 1967.

Matucci, Mario, *Les Deux Visages de Rimbaud*, À la Baconnière, Neuchâtel, 1986.

Mondor, Henri, *Rimbaud ou le génie impatient*, Gallimard, 1955.

Murat, Michel, *L'Art de Rimbaud, étude sur le vers et le poème en prose*, José Corti, 2002.

Murphy, Steve, *Le Premier Rimbaud ou l'apprentissage de la sub-version*, CNRS-Presses Universitaires de Lyon, 1990.

– *Rimbaud et la ménagerie impériale*, CNRS-Presses Universi-taires de Lyon, 1991.

Nakaji, Yoshikazu, *Combat spirituel ou immense dérision ? essai d'analyse textuelle d'*Une saison en enfer, José Corti, 1987.

Richard, Jean-Pierre, *Poésie et profondeur*, Éd. du Seuil, 1955.

Starkie, Enid, *Rimbaud* [1961,1973], trad. française, Flamma-rion, 1982.

Steinmetz, Jean-Luc, *Arthur Rimbaud : une question de présence*, Tallandier, 1991.

PÉRIODIQUES

Parade sauvage, revue d'études rimbaldiennes, Musée-Biblio-thèque Rimbaud, Charleville-Mézières.

NOTES

PREMIERS ECRITS

Page 17. CHARLES D'ORLÉANS À LOUIS XI

1. Le manuscrit de ce texte a figuré au catalogue de la succession Jean Hugues (Paris-Drouot, 20 mars 1998). Il s'agit d'un devoir écrit par Rimbaud alors qu'il était en rhétorique (en première, comme on dit aujourd'hui). Le sujet avait été proposé par Georges Izambard, jeune professeur au collège de Charleville. L'enseignant avait d'ailleurs prêté à son élève divers ouvrages de documentation, dont *Notre-Dame de Paris*, ce qui ne fut pas du goût de Mme Rimbaud mère. On reconnaît aussi, dans ces pages, des souvenirs de Villon, Rabelais, Charles d'Orléans, bien sûr, et – pour les contemporains – du *Gringoire* de Banville. Ce qui frappe surtout, c'est l'extrême aisance d'un travail composé dans les premiers mois de 1870, alors que Rimbaud a environ quinze ans et demi. On comprend qu'Izambard ait gardé ces pages.

Page 20. LES ÉTRENNES DES ORPHELINS

1. Si l'on excepte une traduction des premiers hexamètres du *De rerum natura*, ces vers (publiés dans *La Revue pour tous* du 2 janvier 1870) représentent le premier poème français de Rimbaud; à l'origine il était peut-être plus long. À peu près contemporain du texte précédent, il dénote, comme lui, chez le jeune garçon, un talent déjà formé et des lectures visibles: entre autres, Victor Hugo et François Coppée («Les Enfants trouvées», *Poèmes modernes*, 1869). «Les Étrennes des orphelins» comporte cependant des aspects plus personnels: par

exemple, la perception de la solitude et de l'abandon au sein d'une cellule familiale sans père ni mère.

2. On trouve probablement ici une réminiscence du début des « Pauvres gens » de Victor Hugo.

> *Le logis est plein d'ombre et l'on sent quelque chose*
> *Qui rayonne à travers ce crépuscule obscur.*
> *[...] quelque humble vaisselle*
> *Aux planches d'un bahut vaguement étincelle*

Page 21.

1. Le rire en pleurs est un thème de la poésie grecque et latine antique. Toutefois, cette aptitude à éprouver simultanément les contraires est bien propre à Rimbaud : par exemple, dans *Une saison en enfer* : « Je suis caché et je ne le suis pas » (p. 187. Plusieurs critiques ont signalé ici des souvenirs possibles de Baudelaire (« Crépuscule du matin » et « Recueillement »).

Page 22.

1. Rimbaud songe-t-il à sa propre situation : absence réelle du père et éloignement de la mère en raison du peu de tendresse qu'elle manifeste.

2. *Affriandé* : rendu friand, dit Littré ; attiré par quelque chose d'agréable.

3. Rimbaud reprend une expression de Coppée dans « Les Enfants trouvés » : « la gaieté bruyante et permise ».

Page 23.

1. On trouve, dans « Le Buffet » (p. 74), tout un semblable remuement d'histoires.

2. Cet « ange des berceaux » présente quelque analogie avec l'ange qu'on trouve dans « L'Ange et l'enfant » de Jean Reboul, qui, durant l'année scolaire 1868-1869, avait été donné à Rimbaud comme thème de composition latine.

Page 24.

1. Les bambins s'émerveillent devant les couronnes funéraires faites de perles de verre.

UN CŒUR SOUS UNE SOUTANE

2. Certains avaient voulu refuser à Rimbaud la paternité d'un texte qu'ils jugeaient peu convenable à sa réputation. Leur projet se trouve ruiné par l'existence du manuscrit qui a figuré dans la collection Jean Hugues et a fait partie de sa succession (Paris-Drouot, 20 mars 1998). Steve Murphy a pu l'examiner et

l'a publié avec beaucoup de soin. C'est le texte de ce manuscrit que nous publions ici. Si nous lui apportons quelque normalisation dans l'orthographe (Rimbaud écrit indifféremment *Thimothina* ou *Timothina*, par exemple), nous conservons, dans la mesure où elle ne risque pas de heurter le lecteur, la ponctuation très atypique de ces lignes : elle leur donne un surcroît d'affectivité, d'ironie et de pugnacité.

Bien qu'il n'ait pas été ignoré de quelques amis de Rimbaud (Verlaine notamment) *Un cœur sous une soutane* ne doit qu'aux surréalistes de s'être remis à battre après une longue période de silence. Ayant pris connaissance d'une copie, Aragon et Breton en publièrent des fragments dans *Littérature* en 1924. Peu après, tout le texte paraissait en plaquette chez Ronald Davis.

Ces pages sont en rapport avec certains poèmes des Cahiers de Douai, en particulier « Le Châtiment de Tartufe », et peuvent se dater de juillet ou août 1870. Rimbaud les charge de beaucoup de souvenirs personnels. Elles comportent aussi une part non négligeable de plaisanteries. Mais on aurait tort de n'y voir que cela. Au même titre que d'autres textes réputés plus « sérieux », *Un cœur sous une soutane* entre dans toute une tactique de sape et de dénigrement des institutions. Steve Murphy résume les objectifs de l'entreprise : « polémique contre l'Église, portrait caricatural de l'enseignement dans le Second Empire, répudiation de la poésie lyrique des romantiques et Parnassiens ».

Consulter : Arthur Rimbaud, *Un cœur sous une soutane*, édition et commentaire par Steve Murphy, Musée-Bibliothèque Rimbaud, Charleville-Mézières, 1991.

Page 26.

1. Il n'était pas rare que, déjà au temps de Rimbaud, le mot *effluve* – normalement masculin – soit ressenti comme un féminin.

2. *Fort de mon intérieur* est une confusion avec *for intérieur*. Cela revient à prêter au séminariste une langue aussi vicieuse que l'ambiance dans laquelle il évolue.

3. *Brid'oison* : dans *Le Mariage de Figaro* de Beaumarchais, personnage de juge particulièrement peu subtil ; *Joseph* avait refusé les avances de la femme de Putiphar, d'où le sens de « faire le délicat » pris par l'expression « faire le Joseph » ; *faire le bêtiot* : jouer les imbéciles.

Page 27.

1. *Dégingandé* était encore un mot familier – qui gardait de son étymologie l'idée de *gigoter* – d'où les hésitations du supérieur à l'employer.

Page 30.

1. Il s'agit de sainte Thérèse d'Avila. Les docteurs de l'Église sont mis à rude épreuve !

Page 34.

1. Il y a, dans nombre de mots de ce texte, des sous-entendus polissons : ici, la *lance* ; ailleurs, le *chat* de Thimothina, etc.

2. Le même emploi de ce mot se trouve dans « Vénus anadyomène ».

Page 35.

1. Rimbaud n'a pas lésiné sur le grotesque des noms : Riflandouille (souvenir de Rabelais ?), Labinette, Césarin, etc.

Page 37.

1. Lamartine est mort en 1869. Mais il faut aussi comprendre : la poésie de Lamartine est morte...

Page 41.   LES CAHIERS DE DOUAI

Durant l'automne de 1870, Rimbaud séjourne à Douai, chez Georges Izambard, son ancien professeur du collège de Charleville. À cette occasion, il entreprend de recopier un certain nombre de ses poèmes. Un premier ensemble de 19 feuillets recto-verso contient les poèmes qui vont de « Les Reparties de Nina » à « Soleil et chair ». Un deuxième ensemble (on peut donc parler des *Cahiers* de Douai, au pluriel) est écrit au recto seulement et contient la partie qui va du « Dormeur du val » à « Ma bohème » (6 feuillets). Ce deuxième cahier est recopié après une escapade en Belgique, probablement dans la seconde quinzaine du mois d'octobre 1870.

Le fait que Rimbaud, en constituant ce « volume », se livre à des choix (par exemple, il ne retient pas « Les Étrennes des orphelins »), opère des corrections non négligeables, et, même, se met à écrire au recto seulement comme il est d'usage pour des textes qu'on destine à l'imprimerie, tout cela montre qu'il a un projet : probablement celui de composer un volume destiné à la publication. Pourquoi pas ? Paul Demeny, un jeune poète que lui avait présenté Izambard, venait bien de publier *Les Glaneuses* ; c'est au moins ce que pouvait se dire Rimbaud. Au bas de certains de ses poèmes, il a porté une date : elle indique vraisemblablement le moment auquel il a recopié le poème, plutôt que celui auquel il l'a composé.

Comme l'a montré Pierre Brunel (*Rimbaud, projets et réalisations*), les Cahiers de Douai correspondraient effectivement à un premier projet de publication de la part de Rimbaud. Mais sa réalisation n'aurait pas abouti et il serait resté sans titre (*Les Cahiers de Douai* est un titre proposé par les éditeurs modernes). Si tel est bien le cas, ce que la plupart des critiques s'accordent aujourd'hui à penser, il faut donner une grande importance à cet ensemble.

Ces cahiers sont parfois appelés *Recueil Demeny*, car Rimbaud les confia à ce dernier en quittant Douai. L'original se trouve aujourd'hui à la British Library à Londres. C'est le texte que nous publions. Nous prenons en particulier le parti, nouveau jusqu'ici, de donner les textes dans l'ordre des feuillets du manuscrit des Cahiers et non, comme la plupart des éditions précédentes, dans celui du fac-similé qui en a été fait chez Messein en 1919 (pour les raisons de ce choix, voir: Steve Murphy, «Autour des "Cahiers Demeny" de Rimbaud», *Studi francesi*, nº 103, janvier-avril 1991).

Page 43.   LES REPARTIES DE NINA

1. Rimbaud avait donné à Izambard une autre version de ce poème, intitulée «Ce qui retient Nina» et datée du 15 août 1870.

Page 44.

1. Après cette strophe, le manuscrit Izambard en ajoute une autre:

> *Dix-sept ans! Tu seras heureuse!*
> *Oh! les grands prés!*
> *La grande campagne amoureuse!*
> *– Dis, viens plus près!...*

Page 45.

1. Cette strophe ne figure pas dans le manuscrit Izambard.

Page 46.

1. *Claire*: forme archaïque pour *éclaire*.

2. Après ces mots une strophe supplémentaire dans le manuscrit Izambard:

> *Noire, rogue, au bord de sa chaise,*
> *Affreux profil,*
> *Une vieille devant la braise*
> *Qui fait du fil,*

Page 47.

1. *Bureau* est pris ici au sens de *employé de bureau*, comme dans «*À la musique*».

VÉNUS ANADYOMÈNE

2. Le motif de Vénus anadyomène (sortant de l'onde) est presque un poncif de la création pictu1ale ou sculpturale aussi bien que littéraire. À l'époque de Rimbaud, un Bouguereau ou un Cabanel montrent bien, dans certaines de leurs œuvres, vers quoi tend le sujet: une déification de la beauté à travers la femme. En prenant le contrepied de la tradition, non seulement le poète se livre à une de ces provocations dont il était friand, mais il pose les vraies questions: qu'est-ce que la Beauté? qu'est-ce que la création?

3. *Baise ses cheveux fortement pommadés* lit-on dans un poème d'Albert Glatigny (*Les Vignes folles*, «Les Antres malsains»). De là à penser que Rimbaud a trouvé chez cet écrivain la source de son inspiration, il n'y a qu'un pas. Cependant, plus que Glatigny, il fait preuve de force et de concision.

4. *Ulcère à l'anus* peut passer pour le presque anagramme de *Clara Venus*, ce qui – indépendamment du jeu formel – établit une relation esthétique nouvelle entre le beau et le hideux.

Page 48. MORTS DE QUATRE-VINGT-DOUZE.

1. Paul Granier de Cassagnac (1842-1904) dirigeait le quotidien *Le Pays* où il déployait ses talents de polémiste. Fervent bonapartiste, il justifiait la guerre de 1870 en l'inscrivant dans la tradition de la Révolution française. L'épigraphe ne constitue pas une citation précise, mais plutôt un résumé d'article.

2. Dans son édition des *Poésies* de Rimbaud, Bouillane de Lacoste rappelle qu'Izambard donnait pour titre à ce poème: «Aux morts de Valmy».

3. Valmy: 20 septembre 1792; Fleurus: 26 juin 1794. D'autre part, en évoquant les morts d'Italie, Rimbaud pense certainement à la première campagne d'Italie, celle de Bonaparte (1796-1797).

4. Paul de Cassagnac, déjà cité, et son père, Bernard Granier de Cassagnac (1806-1880).

5. Mazas est la prison dans laquelle Rimbaud s'est trouvé incarcéré après son arrivée et son arrestation à Paris à la fin du mois d'août 1870. La date donnée ici n'est ni celle de la composition (qu'Izambard place, avec vraisemblance, le 17 juillet 1870), ni celle de la copie (plus tardive). Comme le suggère Jean-François Laurent (Arthur Rimbaud, *L'Œuvre-vie*, édition établie

sous la direction d'Alain Borer, Arléa, 1991): «Le 3 septembre 1870, au lendemain de Sedan, à la veille de la proclamation de la IIIe République, Rimbaud se trouvait emprisonné à Mazas, où avaient séjourné nombre d'opposants à Napoléon III.»

Page 49.   PREMIÈRE SOIRÉE

1. Publication dans *La Charge* du 13 août 1870, sous le titre «Trois baisers». Rimbaud avait donné à son professeur Izambard un manuscrit de ce texte, le titre en était «Comédie en trois baisers».

2. *Malinement*: forme archaïque ou provinciale pour *malignement*. On trouve encore cette forme dans le titre du poème «La Maline» (p. 71).

Page 50.

1. Ce poème évoque «Intérieur» de Charles Cros, publié dans *L'Artiste* du 1er mai 1870 et recueilli dans *Le Coffret de santal*.

SENSATION

2. Une première version non titrée de ce poème accompagnait une lettre à Théodore de Banville du 24 mai 1870.

Rimbaud, avec ces deux quatrains, s'inscrit dans le courant qui porte son époque à privilégier la sensation en art; mais l'abondance des futurs de l'indicatif dans ces lignes laisse supposer que le poète non seulement aspire à une autre vie actuellement absente, mais encore est sûr de la vivre et qu'elle lui permettra des dépassements: l'aventure peut commencer.

BAL DES PENDUS

3. Dans cette sorte de danse macabre, Rimbaud se souvient moins de Villon et de sa «Ballade des pendus» que de Gautier («Bûchers et tombeaux») ou de Banville (*Gringoire*). On comparera ce poème à la lettre de «Charles d'Orléans à Louis XI» (p. 17), écrite elle aussi en 1870.

Page 51.

1. Comprendre: de l'intérieur des forêts, les loups répondent au sifflement et au mugissement.

Page 52.   LES EFFARÉS

1. Rimbaud avait envoyé un manuscrit dédicacé de cette pièce au poète Jean Aicard. Verlaine voit dans cette œuvre quelque chose de «gentiment caricatural et de si cordial». En 1878, un périodique anglais (*The Gentleman's Magazine*) reprit ces vers avec le titre «Petits pauvres». Le terme *effaré* est un des mots clefs du vocabulaire de Rimbaud et de quelques-uns de ses compagnons (il figure chez Charles Cros): la vogue du mot vient probablement de Victor Hugo; on peut le définir comme une sorte de surprise contemplative.

Page 53.

1. Par inadvertance, et peut-être en ayant en tête le verbe *grelotter*, Rimbaud a mis deux *t* à **tremblotte*. Mais peut-être aussi est-ce une hardiesse volontaire afin de donner à *culotte*, du vers précédent, une rime parfaitement correcte. Si c'était le cas, il faudrait maintenir dans le texte l'orthographe présumée fautive.

ROMAN

2. Dans ce poème, que son titre place sur le double registre de l'histoire personnelle et de l'imaginaire, Rimbaud va s'abandonner à une de ces ambivalences auxquelles il se plaît: délectation à une expérience intime et distance ironique prise par rapport à elle.

Page 54.

1. *Robinsonner*: Maurice Rheims, en citant le présent passage dans son *Dictionnaire des mots sauvages*, fournit cette définition: «battre la campagne par désir d'aventure». Bien sûr, le terme est forgé par Rimbaud d'après le *Robinson Crusoé* de Defoe et, peut-être aussi, le *Robinson suisse* (1812) de Wyss.

Page 55.   RAGES DE CÉSARS

1. Que ce poème vise Napoléon III, c'est évident. Il va plus loin, le pluriel du titre le prouve: ceux, quels qu'ils soient, qui voudraient «souffler la Liberté» sont avertis qu'ils seront mis en échec.
2. Les pelouses du château de Wilhelmshöhe en Prusse où l'Empereur, fait prisonnier après Sedan, a été conduit.
3. Saint-Cloud (v. 14) et les Tuileries étaient deux résidences

impériales. Je ne sais si Rimbaud a mis quelque sous-entendu dans l'adjectif *ardents* du v. 4 : l'aile napoléonienne des Tuileries brûla durant la Commune.

4. L'expression «Compère en lunettes» vise très certainement Émile Ollivier qui était ministre au moment de la déclaration de guerre de 1870. Pour tout ce qui concerne les relations entre le Second Empire et l'œuvre de Rimbaud, voir l'important travail de Steve Murphy : *Rimbaud et la ménagerie impériale*, éd. du CNRS-P.U.L., 1991.

Page 56.   LE MAL

1. En réactivant le vieux problème du mal dans le monde – si tristement illustré par la guerre – Rimbaud lui donne une solution antireligieuse et anticléricale courante chez quelques philosophes depuis le XVIIIe siècle, dont Voltaire.

2. Les uniformes des soldats constituent de grandes masses colorées. Les critiques se partagent sur la question de savoir de quelles troupes il s'agit. Pour Cecil A. Hackett, il s'agirait de Français (des fantassins, en rouge, et des guides, en vert) ; pour Suzanne Bernard, ce seraient des Français (rouges) et des Prussiens (verts). L'essentiel est que, dans tous les cas, ce sont des hommes destinés à une mort contraire à toute loi de nature (et de religion).

OPHÉLIE

3. Ces vers accompagnaient une lettre à Banville du 24 mai 1870.

Rimbaud brode très librement sur la tragédie de Shakespeare. Le thème d'Hamlet et le personnage d'Ophélie sont alors à la mode, comme le montre «Ophélie», tableau du peintre préraphaélite Millais. Rimbaud leur donne un tour très personnel : le goût d'une «âpre liberté», le désir et l'angoisse d'un abandon au gré des flots, le fait que cette mort soit l'inévitable prix dont se paie la connaissance de certains secrets, enfin une affirmation qui exprime peut-être déjà un drame de l'écriture : «*Tes grandes visions étranglaient ta parole.*»

Page 57.

1. *Norwège* : orthographe courante au temps de Rimbaud. On notera que le poète, par étourderie ou volonté délibérée, déplace l'action d'*Hamlet* qui se situe au Danemark.

Page 58. LE CHÂTIMENT DE TARTUFE

1. Le caractère de ce poème est à rapprocher d'«Un cœur sous une soutane».

2. *Rabats*: pièce d'étoffe que les ecclésiastiques ont portée au cou jusqu'au début du xxᵉ siècle.

3. Ce vers fait référence à *Tartuffe* de Molière (III, 2, vers 867-868):

> *Et je vous verrais nu du haut jusques en bas*
> *Que toute votre peau ne me tenterait pas.*

Page 59. À LA MUSIQUE

1. Une première version de ce poème avait été donnée à Georges Izambard; sa composition en remonte au début de juin 1870. Rimbaud évoque ici un fait réel: les concerts hebdomadaires du jeudi à Charleville.

2. Le manuscrit Izambard porte ici: «*tous les jeudis soirs*», précision que l'ancien professeur a ajoutée sur son exemplaire de *Reliquaire* (succession Jean Hugues, Paris-Drouot, 20 mars 1998, nº 26 du catalogue).

3. Le titre exact de ce morceau est la «Polka des fifres» de Pascal. Il fut joué au concert du jeudi 2 juin.

4. Le manuscrit Izambard offre une tournure plus banale:

> *Les notaires montrer leurs breloques à chiffres.*

5. *Bureaux*: employés de bureau.

6. On peut comprendre, à travers cette tournure embarrassée, que Rimbaud veut parler des dames de compagnie.

7. Ces traités sont peut-être les accords économiques conclus entre les États allemands.

8. *Prisent en argent*: prennent du tabac à priser dans des tabatières en argent.

9. *Onnaing*: pipe de prix fabriquée dans la ville d'Onnaing.

10. *Des roses*: des paquets de cigarettes entourés de papier rose, c'est-à-dire d'un coût modéré (les plus chers étaient les verts, les plus économiques les bleus).

Page 60.

1. Rimbaud avait d'abord écrit (manuscrit Izambard):

> *Et mes désirs brutaux s'accrochent à leurs lèvres...*

Puis il se laissa convaincre par Izambard de le remplacer par la formule définitive. Dans la perspective probable d'une publication, le désir de ne choquer personne l'emporta.

LE FORGERON

2. Un manuscrit qui ne comporte pas les 22 derniers vers (à partir de : « Il reste des mouchards ») était en la possession de Georges Izambard.

3. Le même manuscrit porte : *Vers le 20 juin 92*. C'est bien le 20 juin, en effet, que Louis XVI, interpellé par le boucher (et non le forgeron) Legendre, fut contraint de coiffer le bonnet phrygien. Si les Cahiers de Douai sont postérieurs au manuscrit Izambard, il faut admettre qu'ils substituent une date fausse à une autre qui était juste. Étourderie du copiste ou erreur intentionnelle ? On ne sait. Pierre Brunel, qui soulève la difficulté (*Rimbaud, projets et réalisations*, p. 51, note 17) pense que Rimbaud a voulu remplacer la date d'un fait ponctuel et limité par celle d'une insurrection générale qui débouche sur la chute de la royauté.

4. Ce développement est peut-être inspiré par une illustration de cet épisode dans l'*Histoire de la Révolution française* de Thiers.

Page 62.

1. L'influence du Victor Hugo de *La Légende des siècles* est nette en plusieurs endroits de ce poème, en particulier ici.

2. Suzanne Bernard (voir la Bibliographie) a fait observer que, le 11 juillet 1789, « Camille Desmoulins avait invité le peuple à prendre des cocardes vertes, "couleur de l'espérance"; ceux qui n'avaient pas de ruban mirent des feuilles vertes à leur chapeau. »

3. Même affirmation au vers 32 de « Soleil et chair ».

Page 63.

1. *Droguailles* : dérivé péjoratif de *drogues* pour désigner de mauvais remèdes.

Page 64.

1. Le mot manque dans les Cahiers de Douai. On le restitue d'après le manuscrit Izambard.

2. Ces vers sont comme un écho de « Mon rêve familier » de Verlaine (*Poèmes saturniens*) d'abord publié dans *Le Parnasse contemporain* de 1866.

Page 66.   SOLEIL ET CHAIR

1. Une version de ce poème, intitulée «Credo in unam»,
figure dans une lettre à Théodore de Banville du 24 mai 1870.
Elle comporte 36 vers supplémentaires (voir ci-dessous).

«Soleil et chair» est riche de réminiscences classiques : écrivains latins comme Horace, Virgile ou Lucrèce (invocation à
Vénus du *De rerum natura*) ou français comme Chénier, Musset
(«Rolla»), Hugo («Le Satyre», «Le Sacre de la femme»), Théodore de Banville («L'Exil des dieux», «La Cithare»). Il ne faut
pas en déduire l'absence de toute originalité : le motif de l'aube,
de la future vigueur ou de la royauté humaine, qu'on retrou-
vera dans les *Illuminations*, sont en germe ici.

Page 68.

1. Après la ligne de points, le manuscrit adressé à Banville
comporte 36 vers que – volontairement ou non ? – les Cahiers
de Douai omettent. Les voici :

> *Ô! L'Homme a relevé sa tête libre et fière!*
> *Et le rayon soudain de la beauté première*
> *Fait palpiter le dieu dans l'autel de la chair !*
> *Heureux du bien présent, pâle du mal souffert,*
> *L'Homme veut tout sonder, – et savoir! La Pensée,*
> *La cavale longtemps, si longtemps oppressée*
> *S'élance de son front! Elle saura Pourquoi!...*
> *Qu'elle bondisse libre, et l'Homme aura la Foi!*
> *– Pourquoi l'azur muet et l'espace insondable?*
> *Pourquoi les astres d'or fourmillant comme un sable?*
> *Si l'on montait toujours, que verrait-on là-haut?*
> *Un Pasteur mène-t-il cet immense troupeau*
> *De mondes cheminant dans l'horreur de l'espace?*
> *Et tous ces mondes-là, que l'éther vaste embrasse,*
> *Vibrent-ils aux accents d'une éternelle voix?*
> *– Et l'Homme, peut-il voir? peut-il dire : Je crois :*
> *La voix de la pensée est-elle plus qu'un rêve?*
> *Si l'homme naît si tôt, si la vie est si brève,*
> *D'où vient-il? Sombre-t-il dans l'Océan profond*
> *Des Germes, des Fœtus, des Embryons, au fond*
> *De l'immense Creuset d'où la Mère-Nature*
> *Le ressuscitera, vivante créature,*
> *Pour aimer dans la rose, et croître dans les blés?...*
>
> *Nous ne pouvons savoir! – Nous sommes accablés*
> *D'un manteau d'ignorance et d'étroites chimères!*

Singes d'hommes tombés de la vulve des mères,
Notre pâle raison nous cache l'infini!
Nous voulons regarder: – le Doute nous punit!
Le doute, morne oiseau, nous frappe de son aile...
– Et l'horizon s'enfuit d'une fuite éternelle!...

. . . .

Le grand ciel est ouvert! les mystères sont morts
Devant l'Homme, debout, qui croise ses bras forts
Dans l'immense splendeur de la riche nature!
Il chante... et le bois chante, et le fleuve murmure
Un chant plein de bonheur qui monte vers le jour!...
– C'est la Rédemption! c'est l'amour! c'est l'amour!...

Page 69.

1. *Lysios*: un des surnoms de Bacchus.

Page 70.   LE DORMEUR DU VAL

1. Avec ce poème commence le second cahier recopié à Douai. Il présente plus d'unité que le précédent. En effet, on observe, d'une part qu'il ne contient que des sonnets (diversement réguliers), d'autre part que tous se rapportent plus ou moins étroitement à l'équipée belge commencée le 7 octobre 1870.

On a souvent voulu faire du « Dormeur du val » une « chose vue ». C'est peu probable (voir: Claude Duchet, *Revue d'Histoire Littéraire de la France*, 1962, p. 371). Ce qui est évident, c'est le scandale que constitue ce jeune mort au milieu du débordement sensoriel et vivant de la nature.

2. *Glaïeul*: il s'agit du glaïeul d'eau, autrement appelé fleur de glais.

3. On a souvent rapproché ce dernier vers d'un passage de « Souvenir de la nuit du 4 » de Victor Hugo (*Châtiments*, II, 4):

L'enfant avait reçu deux balles dans la tête.

Page 71.   AU CABARET-VERT

1. À la manière des impressionnistes, Rimbaud fixe un instant privilégié. Peintres et poète diffèrent, cependant, les premiers sentent l'extrême fugacité de l'instant, le second s'y installe et s'y « épate » (comme il est dit dans « La Maline ») de façon à en sentir la plénitude et à le prolonger.

2. Pour être tout à fait exact, Rimbaud aurait dû parler de la Maison-Verte: tel était le nom d'un cabaret de routiers qui se trouvait dans les faubourgs de Charleroi.

3. À l'imitation de la tapisserie tendue sur le mur, Rimbaud compose aussi des poèmes naïfs (ce sera encore plus vrai de « L'Éclatante Victoire de Sarrebrück »). C'est ce type d'écriture qu'il déclarera révolu dans *Une saison en enfer* (« Alchimie du verbe »).

4. *Épeurer* : effrayer.

LA MALINE

5. À la différence des « Assis » qu'il vitupère ailleurs (p. 80, Rimbaud trouve dans son oisiveté une plénitude active de tous les sens.

6. Rimbaud a supprimé le *s* de *mets* afin de respecter les exigences de la rime.

Page 72.

1 *M'aiser* : *me mettre à l'aise.*

L'ÉCLATANTE VICTOIRE
DE SARREBRÜCK

2. André Guyaux a signalé l'existence d'une image d'Épinal qui pourrait bien être le point de départ du poème de Rimbaud. Quant à la « victoire » de Sarrebrück, elle consista en un simple accrochage qu'on fit passer pour un fait héroïque de l'armée impériale.

3. *Pitou* : c'est le surnom qu'on donnait, à l'époque, à un soldat par trop crédule.

Page 73.

1. C'est en 1831 que les spectateurs découvrirent le personnage de *Dumanet* dans *La Cocarde tricolore*, vaudeville de Cogniard. Il devint le prototype du soldat niais.

2. *Chassepot* : fusil perfectionné qui tire son nom de celui de son inventeur, en 1866. Utilisé à grande échelle, en 1867, à la bataille de Mentana contre les Italiens, il provoqua cette phrase célèbre et malheureuse d'un général : « Les chassepots ont fait merveille. »

3. *Boquillon* est un personnage qui doit son existence à Albert Humbert. Il a été popularisé par la caricature dans le journal *La Lanterne de Boquillon* et s'inscrit dans la tradition de la satire anti-impériale, comme François Caradec (*Parade sauvage* 1, revue d'études rimbaldiennes) et Steve Murphy (*op. cit.*) l'ont montré

RÊVÉ POUR L'HIVER

4. Le poème orchestre les impressions de départ ressenties par Rimbaud lors de sa fugue pour la Belgique, le 7 octobre 1870.

Il est intéressant de voir comment il tente de rendre les distorsions d'un paysage vu d'un train en marche. L'expérience avait été tentée (d'une voiture à cheval il est vrai) par Gérard de Nerval ; elle le sera à nouveau par Proust.

Page 74.   LE BUFFET

1. Ce sonnet qui, avec le suivant, figure parmi les plus célèbres de Rimbaud, est sans doute victime d'un malentendu. On le prend pour une scène intimiste, un tableau de genre, grâce auquel Rimbaud viendrait sagement prendre place entre un François Coppée et un Francis Jammes. Observons que le poète y effleure le vieux motif du coffre aux vieilleries (traité justement par Coppée au début du *Reliquaire*) et passablement éculé. Surtout, il y a, dans les profondeurs du buffet, un remuement qui présage des contes. Le sonnet s'installerait donc entre la vieillerie et l'espérance d'une *parole*. Rimbaud s'achemine, de manière voilée, vers les attitudes poétiques du printemps de 1871.

MA BOHÈME

2. *Ma* bohème dit Rimbaud. Il se différencie donc de la bohème romantique des années 1820-1830. Sa bohème se caractérise d'abord par la «fantaisie» (un libre jeu de l'imagination), par l'errance et la liberté. Approfondie, transformée, cette expérience rimbaldienne pourra s'achever avec «Aube» d'*Illuminations*.

3. *Idéal* : inexistant tellement il était usé.

Page 75.

1 Comprendre : je logeais en plein air à la belle étoile.

Page 77   *POÉSIES (1870-1871)*

L'ensemble que nous publions ci-dessous ne correspond peut-être pas tout à fait à la tranche chronologique que nous proposons : des variations de quelques semaines ou quelques mois peuvent s'exercer à ses extrémités (ainsi «Les Mains de Jeanne-Marie» peuvent très bien dater du tout début de 1872).

Il est, en effet, à peu près impossible de proposer un classement cohérent pour les poèmes de cette époque: leur date de composition est mal établie pour beaucoup d'entre eux, celle de publication ou de première apparition aboutit à d'inutiles confusions. Je prends donc le parti de juxtaposer un certain nombre d'ensembles à travers lesquels s'entremêlent l'histoire de Rimbaud et l'Histoire tout court. On trouvera d'abord des poèmes relatifs à l'hiver de la guerre (peut-être composés plus tard, comme «Les Corbeaux») et au séjour impatient de Rimbaud à Charleville; puis des poèmes contenus dans des lettres (notamment celles du Voyant de mai 1871); ensuite, «Les Mains de Jeanne-Marie», évocatrice de la période communarde; puis la série des poèmes recopiés par Verlaine; enfin, «Le Bateau ivre», œuvre avec laquelle Rimbaud comptait éblouir Paris lorsqu'il y débarqua vers la mi-septembre 1871).

L'ordre que nous suivons est — comme celui de presque toutes les éditions — arbitraire et disparate. Cependant un lien réunit ces textes: une même impatience, une même révolte et, à partir de mai 1871, une poétique commune, celle que définissent les lettres des 13 et 15 mai 1871. Quelques mois plus tard, il condamnera ces tendances (voir «Alchimie du verbe», dans *Une saison en enfer*) et cela déterminera de nouvelles recherches d'écriture.

Page 79.   LES CORBEAUX

1. Publié dans *La Renaissance littéraire et artistique* (14 septembre 1872). Lorsque cette revue imprime le poème de Rimbaud, ce dernier a quitté la capitale depuis plusieurs mois et rompu avec les milieux parisiens. La composition de ces vers est donc antérieure: les critiques hésitent entre le début de 1872 ou (en raison de leur style et de leur versification) l'hiver de 1870-1871.

Page 80.   LES ASSIS

1. Texte de la copie Verlaine. Ce dernier a accrédité l'anecdote selon laquelle ce poème viserait le bibliothécaire de Charleville qui rechignait à se lever pour fournir à Rimbaud les ouvrages qu'il désirait lire. Ce poème frappe par sa virulence et par l'abondance des néologismes. Il développe une poétique implicite du départ, par opposition aux «assis», incapables de se lever et procréateurs de monstres.

2. *Loupes*: tumeurs de la peau.

3. *Boulus*: couverts de boules et déformés comme les doigts des arthritiques. Le mot est un néologisme.

4. *Sinciput* : sommet du crâne.

5. *Hargnosités* : mauvaises humeurs (néologisme).

6. *Percaliser* : rendre fin comme l'étoffe appelée *percale* (néologisme).

Page 81.

1. *Lisière* : cordon d'étoffe au moyen duquel, autrefois, on maintenait debout les enfants qui commençaient à marcher. Les Assis rêvent de bébés-chaises.

LES DOUANIERS

2. Texte de la copie de Verlaine.

3. *Macache* : juron emprunté à l'argot des soldats d'Afrique et signifiant *rien du tout*. Le mot était encore neuf au temps de Rimbaud.

4. *Soldats des Traités* : les soldats en poste aux frontières en exécution de l'armistice de Versailles et de la paix de Francfort de 1871.

5. Après 1871, c'est en bleu, ou en vert, que la frontière était dessinée sur les cartes.

Page 82.

1. *Faust* : opéra de Gounod (1859) ; *Fra Diavolo* : opéra d'Auber (1830).

2. Comprendre : le douanier se contente de vérifier les « appas » des filles jeunes.

Page 83.   *LETTRES DITES DU VOYANT*

Étant donné l'importance que ces lettres ont dans l'élaboration de la poétique de Rimbaud, nous avons préféré les insérer parmi les poèmes dont on peut penser qu'ils sont approximativement de la même période.

La première lettre est du 13 mai 1871 (la date se tire du cachet postal de l'enveloppe), elle est adressée à Georges Izambard, l'ancien professeur de Rimbaud à Charleville. On voit s'y esquisser les formules et arguments de la seconde lettre, celle à Demeny, jeune poète chez qui il avait séjourné quelques mois plus tôt. Ces pages sont à la fois une histoire cursive de la poésie et une profession de foi poétique de Rimbaud, accompagnée de poèmes à titre d'exemples. Certains sont, d'ailleurs, déjà dépassés, d'où l'annotation que l'auteur porte en marge : « quelles rimes ! »

Nous avons volontairement laissé les poèmes dans le corps de la missive pour donner une idée de la méthode que Rimbaud

utilise avec beaucoup de régularité durant cette année 1871
expédition à des correspondants choisis (Banville, Izambard
Demeny, Verlaine) de lettres réflexives auxquelles sont joints
des poèmes. Théorie et pratique vont de pair. On y lira l'impatience, la révolte et les espoirs d'un jeune homme, mais aussi
son appel à l'écoute, à la compréhension, à l'encouragement.

Pour ne pas alourdir cette édition, nous n'avons pas annoté
le texte des lettres proprement dites. Afin de combler cette
lacune, on se reportera aux *Lettres du Voyant*, éditées et com-
mentées par Gérald Schaeffer, Genève, Droz, 1975. La lettre
du 15 mai 1871 a figuré dans la collection Jean Hugues (vente
à l'Hôtel Drouot le 20 mars 1998); elle est actuellement conser-
vée à la Bibliothèque Nationale de France.

Page 84.   LE CŒUR SUPPLICIÉ

1. Outre celle-ci, on connaît deux autres versions de ce texte.
L'une (intitulée «Le Cœur du pitre») figure dans une lettre à
Paul Demeny du 10 juin 1871, l'autre (intitulée «Le Cœur volé»)
est une copie effectuée par Verlaine en octobre 1871. Exceptionnellement, nous donnons ci-dessous ces deux versions:

Le Cœur du pitre

> *Mon triste cœur bave à la poupe,*
> *Mon cœur est plein de caporal;*
> *Ils y lancent des jets de soupe,*
4   *Mon triste cœur bave à la poupe:*
> *Sous les quolibets de la troupe*
> *Qui pousse un rire général,*
> *Mon triste cœur bave à la poupe,*
8   *Mon cœur est plein de caporal!*

> *Ithyphalliques et pioupiesques*
> *Leurs insultes l'ont dépravé:*
> *À la vesprée, ils font des fresques*
12 *Ithyphalliques et pioupiesques:*
> *Ô flots abracadabrantesques,*
> *Prenez mon cœur, qu'il soit sauvé:*
> *Ithyphalliques et pioupiesques*
16 *Leurs insultes l'ont dépravé!*

> *Quand ils auront tari leurs chiques,*
> *Comment agir, ô cœur volé?*
> *Ce seront des refrains bachiques*
20 *Quand ils auront tari leurs chiques:*
> *J'aurai des sursauts stomachiques,*

Si mon cœur triste est ravalé :
Quand ils auront tari leurs chiques,
Comment agir, ô cœur volé ?   24

Le Cœur volé

Mon triste cœur bave à la poupe,
Mon cœur couvert de caporal :
Ils y lancent des jets de soupe,
Mon triste cœur bave à la poupe :
Sous les quolibets de la troupe
Qui pousse un rire général,
Mon triste cœur bave à la poupe
Mon cœur couvert de caporal !   8

Ithyphalliques et pioupiesques
Leurs quolibets l'ont dépravé !
Au gouvernail on voit des fresques
Ithyphalliques et pioupiesques   12
Ô flots abracadabrantesques
Prenez mon cœur, qu'il soit lavé
Ithyphalliques et pioupiesques
Leurs quolibets l'ont dépravé !   16

Quand ils auront tari leurs chiques,
Comment agir, ô cœur volé ?
Ce seront des hoquets bachiques
Quand ils auront tari leurs chiques   20
J'aurai des sursauts stomachiques
Moi, si mon cœur est ravalé :
Quand ils auront tari leurs chiques,
Comment agir, ô cœur volé ?   24

Ces textes, pour certains commentateurs, trouvent leur origine et leur explication dans un viol que les Communards auraient fait subir à Rimbaud revenu à Paris pour quelques jours durant l'insurrection parisienne. Cette hypothèse, que rien ne confirme, n'est pas dénuée d'arrière-pensées. Qu'il y ait des allusions sexuelles dans ces vers, et même que le mot *cœur* y désigne un organe moins noble, c'est indiscutable ; qu'elles aient trait à un viol, rien n'est moins sûr.

Rimbaud traverse une période de doute, de nausée. Après avoir touché un peu à tout, la politique, la littérature et les femmes, après avoir fréquenté les accroupis, les assis et les révolutionnaires, il s'interroge : déçu et sali par le contact du monde, il aspire à une nouvelle action, sans en trouver encore le moyen

2. Le *caporal* est une variété de tabac bon marché. Cepen-

dant, la proximité des termes *général* (bien qu'employé dans une acception non militaire), *troupe, pioupiesque,* n'exclut pas une polysémie du mot.

Page 85.

1. *Ithyphallique*: dont le sexe est en érection; *pioupiesque*: caractéristique du soldat (ou pioupiou). Des insultes *ithyphalliques et pioupiesques* sont obscènes et brutales. Mais on peut aussi prendre ces deux vers au pied de la lettre.

2. *Abracadabrantesque*: adjectif formé par Rimbaud. En magie, la formule *abracadabra* était censée éloigner certaines maladies.

Page 86.   CHANT DE GUERRE PARISIEN

1. « Psaume d'actualité » dit la lettre dans laquelle ce poème s'insère. Il fait allusion, en effet, à une actualité immédiate : la Commune. Le fait de savoir s'il est inspiré du « Chant de guerre circassien » de Coppée me semble secondaire. Ce qui fait particulièrement difficulté, c'est le nombre et surtout l'imbrication des allusions : pour n'en citer qu'une, dans la première strophe, le rapprochement des mots *Propriétés* et *vol* renvoie à Proudhon (« La Propriété c'est le vol »).

2. Rimbaud évoque les bombardements, pratiqués depuis Versailles par Thiers (1797-1877), alors président de la République, et Ernest Picard (1821-1877), ministre de l'Intérieur. Allant plus loin, ce sont les deux hommes eux-mêmes qu'il imagine en objets volant. Enfin, Rimbaud joue sur le double sens du mot *vol*.

3. On peut accepter de voir dans les *culs-nus* ces angelots ou Amours de stuc dont raffole la décoration baroque. Du coup, par rapprochement avec les mots précédents, Thiers et Picard sont assimilés à un vol de *putti fessus*: image cocasse et satirique !

4. Malgré l'ingéniosité des commentateurs, et notamment de Steve Murphy, cette *boîte à bougies* reste mystérieuse: pièce d'armement nécessaire pour charger un fusil de modèle désuet ? ou allusion à *La Lanterne* de Rochefort, journal républicain ?

5. Allusion à la chanson du *Petit Navire*; et à certains accrochages qui eurent lieu sur le lac du bois de Boulogne, au début de la semaine sanglante.

6. Il s'agit des obus.

7. Si Thiers et Picard sont des amours (voir note 3), ils peuvent, en effet, être des *Éros*; mais, si l'on fait la liaison, *des Éros* sont aussi *des zéros* !

8. Les incendies provoqués par les bombes suscitent des paysages à la manière de ceux de Corot

9. Jeu de mots sur *trope*, figure de rhétorique, et *trope*, vieux mot français pour *troupe*.

10. Le *Grand Truc* c'est peut-être le monde de la politique et des affaires. En se fondant sur les mémoires de Lacenaire, où *truc* signifie *assassinat*, Steve Murphy pense que Rimbaud donnerait à voir, en Thiers, Picard et les autres, des familiers du meurtre (allusion à la répression de la Commune par les Versaillais).

Page 87.

1. Le larmoiement de Jules Favre était un sujet de moquerie.

2. Ce surnom désigne les propriétaires terriens, conservateurs, élus à l'Assemblée nationale à la suite du scrutin du 8 février 1871.

Page 89.   MES PETITES AMOUREUSES

1. Rimbaud prend ici le contrepied de la poésie sentimentale traditionnelle et de l'image sacralisée de la femme. Le titre peut provenir d'un poème de Glatigny: «Les Petites Amoureuses» (*Les Flèches d'or*).

2. *Hydrolat lacrymal*: périphrase cocasse qui désigne simplement la pluie.

3. Les caoutchoucs semble désigner des chaussures en caoutchouc; formé sur *tendron*, l'adjectif *tendronnier* laisse entendre soit qu'il s'agit d'un jeune arbre, soit que cet arbre abrite des «jeunesses» (suivant le terme employé dans «Les Douaniers»).

4. Le sens des vers 4-6 est peu clair; Cecil A. Hackett y décèle «une valeur circonstancielle, analogue à celle d'un ablatif absolu latin» et interprète: «les chaussures des jeunes filles sont couvertes de traces blanches en forme de lunes, particulières aux larmes rondes de la pluie».

Page 90.

1. La *bandoline* était une pommade pour les cheveux.

2. *Fouffes*: terme du Nord qui signifie chiffons (pour rembourrer les poitrines trop plates).

Page 91.

1. *Éclanches*: en terme de boucherie, désigne l'épaule.

Page 94.   ACCROUPISSEMENTS

1. *Darne*: Stéphane Taute propose de donner à ce terme son sens ardennais de «pris de vertige».

Page 95.   L'ORGIE PARISIENNE

1. On ne possède pas de manuscrit de ce poème; nous suivons
le texte de l'édition Vanier (1895) La première partie du titre
n'est peut-être pas de Rimbaud. Une discussion s'est élevée sur
la question de savoir à quelle période Rimbaud fait allusion:
février 1871, après la guerre franco-prussienne? ou fin mai
de la même année, après la répression de la Commune? La
seconde date paraît plus vraisemblable. Elle est confirmée par
Verlaine dans *Les Poètes maudits.*

Page 96.

1. Après les incendies de la Semaine sanglante, on éleva des
palissades pour cacher les ruines d'un certain nombre de
monuments
2. *Tordeuses de hanches*: allusion à la démarche onduleuse
des prostituées.
3. L'expression «maisons d'or» peut désigner des habitations
de riches; elle peut aussi évoquer la fameuse Maison dorée,
restaurant de luxe où se retrouvait le Tout-Paris mondain et
demi-mondain.

Page 97.

1. *Stryx*: vampire nocturne.

Page 98.   LES MAINS DE JEANNE-MARIE

1. Le manuscrit est conservé à la B.N.F.; c'est une copie
pour partie de la main de Rimbaud et pour partie de celle de
Verlaine. Rimbaud célèbre ici clairement les Communardes.
Le poème, s'il a été écrit après les événements de mai 1871, a
dû être repris et retravaillé ultérieurement (au moins après
l'été de 1871); le manuscrit est daté «fév. 72», ce qui peut
n'être que la date où il fut recopié.
2. *Juana*: ce féminin de Juan donne à imaginer à la fois une
séductrice et une personne de la haute société.

Page 99.

1. Comprendre: mains qui chassent les insectes, bourdon-
nants et bleutés, qui viennent, au matin, boire le nectar des
fleurs. Le mot *bombiner* est employé dans «Voyelles»; *nectaire*
(organe sécréteur de suc) est un mot rare; *bleuisons* est un néologisme.
2. La *pendiculation* désigne l'extension des membres et le
rejet en arrière du torse et de la tête.

3. *Khenghavars* : le mot ne correspond à rien. Rimbaud nous entraîne dans une géographie imaginaire.

4. Cette *cousine* a fait couler beaucoup d'encre. Le mot peut signifier «ouvrière en couture» ou, plutôt, «fille peu sage» comme le proposent Cecil A. Hackett et Albert Henry.

5. Les *Eleisons* (par allusion au *Kyrie eleison* de la liturgie catholique) sont les implorations à la pitié à quoi s'opposent les hymnes de force, d'énergie et de révolte du vers précédent.

Page 100.

1. Allusion probable à la répression exercée contre les Communards en général et, plus particulièrement, contre les pétroleuses.

Page 101.   LES POÈTES DE SEPT ANS

1. Ce poème figure dans une lettre à Demeny du 10 juin 1871. Rimbaud y priait son correspondant de brûler les poèmes des Cahiers de Douai : nous sommes bien dans une nouvelle période poétique. Sans tenir totalement le poème pour une autobiographie, on ne peut en exclure des souvenirs et des sentiments personnels.

2. *S'illunait* : s'illuminait des clartés de la lune.

3. *Darne* : voir page 94, note 1.

4. *Foire* : excrément.

Page 103.   LES PAUVRES À L'ÉGLISE

1. Le poème figure dans une lettre à Demeny du 10 juin 1871. Sous couvert de décrire des «types» (comme les douaniers ou les assis), Rimbaud se laisse aller à un violent anticléricalisme.

2. *Orrie* : ornements en or.

3. Tel quel le vers est faux. On a proposé diverses corrections : «Dehors, le froid, la faim, et *puis* l'homme en ribote» (Vanier, 1895) ; «Dehors, *la nuit*, le froid, l'homme en ribote» (Bouillane de Lacoste, 1939 et Etiemble, dans son édition des *Poésies* de Rimbaud, classiques Larousse, 1957).

Page 104.

1. *Fringalant* : néologisme formé sur le substantif fringale.

CE QU'ON DIT AU POÈTE
À PROPOS DE FLEURS

2. Poème contenu dans une lettre à Banville du 15 août 1871. Ces vers parodient sans doute l'auteur des *Stalactites* ; mais ils

sont aussi une façon de rivaliser avec lui et d'attaquer, à ses côtés, certains aspects de la poésie et du monde contemporains.

Page 105.

1. *Sagou* : sorte de farine tirée de l'arbre à pain. Opposition entre la plante utile et l'inutile, comme le lys.

2. Andreu de Kerdrel (1815-1899) défendait la monarchie, d'où l'association de son nom avec le lys.

3. Évocation des fleurs données en récompense aux lauréats des jeux floraux de Toulouse.

Page 106.

1. *Açoka* : plante exotique. Les Parnassiens affectionnaient ce type de termes rares.

2. Il faut comprendre : strophe qui aguiche le lecteur comme fait une jeune femme à sa fenêtre pour attirer le passant.

3. Grandville, célèbre dessinateur (1803-1847), avait notamment composé un volume de *Fleurs animées* que Rimbaud jugeait assez cavalièrement : « Dites-moi un peu s'il y a jamais eu quelque chose de plus idiot que les dessins de Grandville ? » (lettre à Izambard, 25 août 1870).

4. *Lisières*, voir « Les Assis » (page 81, note 1).

Page 108.

1. *Incaguer* : couvrir d'excréments.

2. *Mangliers* : palétuviers.

Page 109.

1. *Alfénide* : alliage imitant l'argent. Inventé en 1850, il était très utilisé dans la fabrication des couverts.

2. Le chat Mürr donne son nom à une nouvelle fantastique d'Hoffmann.

Page 110.

1. Tréguier est la patrie du philosophe Ernest Renan.

2. Louis Figuier (1819-1894) était un infatigable polygraphe et vulgarisateur.

3. *Alcide Bava* : ce surnom de Rimbaud est expliqué par Jean-Luc Steinmetz comme une allusion à Hercule : c'est un homme puissant qui laisse échapper le flot de ce texte. Jacques Bienvenu a proposé aussi une explication (*Parade sauvage*, n° 12, décembre 1995) : le pseudonyme renverrait à un sonnet de Baudelaire (« Vous avez empoigné les crins... », précisément dédié à Banville, voir éd. Folio, p. 212) où sont évoqués à la fois Hercule et la bave des serpents qu'il étrangle ; Rimbaud indi-

querait par là qu'il a choisi, lui aussi, de porter une sorte de tunique de Nessus pour devenir poète.

LES CHERCHEUSES DE POUX

4. On ne connaît pas de manuscrit de ce poème ; texte de la dernière édition des *Poètes maudits* de Verlaine (1888). On ne connaît pas non plus la date de ce texte. Certains le rattachent à des anecdotes de l'année 1870 (le séjour de Rimbaud à Douai chez les demoiselles Gindre). Peut-être sommes-nous en présence d'une de ces «notations» auxquelles Rimbaud s'est complu à une certaine époque de sa création (voir «Les Douaniers», «Les Assis», etc.).

Page 111. L'HOMME JUSTE

1. Autographe de l'ancienne collection Barthou (Bibliothèque Nationale de France). Le texte est incomplet, au début, d'une vingtaine de vers ; quant au titre il se tire d'une copie de Verlaine. Le «juste» dont il est question ici est sans doute Victor Hugo, dont Rimbaud critiquait les poses, l'emphase et les attitudes ambiguës au lendemain de la Commune.

2. *Ostiaire* : portier, d'où le sens de *porte* qu'on trouve ici.

Page 112.

1. *Lice* : femelle du chien de chasse.

2. *Thrènes* : déporations funèbres ; ici : lamentations pathétiques.

3. Les becs de canne désignent des poignées de porte et font, probablement, allusion à l'agression perpétrée contre le domicile de Victor Hugo à Bruxelles (28 mai 1871) après la décision du poète d'ouvrir sa maison aux anciens Communards.

Page 113.

1. Le manuscrit est difficile à lire ; nous donnons l'interprétation proposée par la plupart des éditeurs.

TÊTE DE FAUNE

2. Texte de la copie Verlaine. On ne connaît pas la date de composition de cette pièce : entre fin 1870 et 1872, selon les commentateurs. On y retrouve certains termes déjà employés antérieurement (*effaré* ou *épeure*), mais l'impressionnisme dont fait preuve Rimbaud est passablement nouveau. Cette pièce illustre assez bien une confidence que le poète aurait faite à son ami Delahaye : «Nous avons seulement à ouvrir nos sens à la

sensation, puis fixer avec des mots ce qu'ils ont reçu [...] notre unique soin doit être d'entendre, de voir et de noter. Et cela, sans choix, sans intervention de l'intelligence. Le poète doit écouter et noter *quoi que ce soit*» (*Rimbaud l'artiste et l'être moral*, 1923, dans *Delahaye témoin de Rimbaud*, par F. Eigeldinger et A. Gendre, À la Baconnière, Neuchâtel, 1974, p. 42).

Page 114.   VOYELLES

1. Texte de l'autographe donné à Émile Blémont (Musée-Bibliothèque Rimbaud, Charleville-Mézières). Ce poème a suscité une foule d'interprétations. Beaucoup sont ingénieuses, aucune n'est convaincante. Depuis quelque temps, Rimbaud a découvert tout le parti qu'on peut tirer du mot : signe ou objet qui ne traduit pas seulement (ou pas du tout) des réalités extérieures, mais permet de donner l'essor à des images intuitives et personnelles qui sont, déjà, des «illuminations».

Le problème de «Voyelles» n'est pas de savoir pourquoi A est noir, il est d'admettre que A est un objet dont on peut jouer, auquel on peut donner diverses valeurs arbitraires dans une sorte d'algèbre du langage. C'est une nouvelle langue que le voyant tente de créer, mais dont la constitution est encore «latente».

2. *Bombiner* : bourdonner.

3. *Candeurs* : blancheurs.

                    L'ÉTOILE A PLEURÉ ROSE...

4. Texte de la copie Verlaine (B.N.F.). On ne sait si ces quatre vers constituent un poème autonome ou s'ils ne sont qu'un fragment d'un plus long ensemble. Tels qu'ils sont, ils constituent un magnifique hommage au corps féminin et à l'amour charnel. Ils sont une sorte de contrepoint de «Voyelles» où des couleurs appelaient des impressions sensorielles ; ici, la sensualité de chaque partie du corps féminin appelle une couleur.

Page 115.   ORAISON DU SOIR

1. Texte du manuscrit donné à Léon Valade (Bibliothèque municipale de Bordeaux). Ce dernier fut un animateur du groupe des Vilains bonshommes, surtout actif dans l'hiver de 1871 ; il précéda de peu et côtoya les Zutistes (voir p. 141) ; comme eux, il s'attaquait à certaines vieilleries littéraires et s'exprima dans *La Renaissance littéraire et artistique*. Valade figure sur *Le Coin de table*, toile de Fantin-Latour. L'oraison dont il est question ici est assez peu catholique.

2. *Gambier*: variété de pipe qui tire son nom de celui du fabricant.

3. Rimbaud reprend une expression biblique courante; cependant, il lui restait peut-être de son enfance le souvenir que le mot *hysope* figure dans le psaume qui, avant les messes solennelles selon l'ancien rituel catholique, accompagnait le geste de... l'aspersion.

LES SŒURS DE CHARITÉ

4. Texte de la copie par Verlaine. Ce dernier inscrit la date de «juin 1871» au bas du texte, qui a pu être composé légèrement plus tôt. Ces vers expriment la déception de Rimbaud devant la femme qu'il avait déjà appelée «la sœur de charité» dans une lettre à Demeny du 17 avril 1871.

Page 116.

1. La syntaxe de cette strophe est fort resserrée. On peut comprendre que si la femme inspire (ou ressent?) une pitié douce, elle n'est jamais, malgré toute sa féminité, une sœur de charité.

2. Pierre Brunel voit, dans cette «Muse verte», une allégorie du printemps.

3. *Almes*: nourriciers.

Page 117. LES PREMIÈRES COMMUNIONS

1. Texte de la copie de Verlaine. La sœur d'Arthur Rimbaud fit sa première communion en mai 1871. Le fait, qui put servir d'incitation au poème, n'est pas absolument essentiel. En revanche, on trouve ici, comme en parallèle aux «Poètes de sept ans», quelques-unes des inquiétudes sensuelles de l'adolescence, envisagées du point de vue féminin. Le désir y est interdit au nom de la religion. L'amour mystique tente d'étouffer l'amour charnel.

2. *Fuireux*: foireux. De manière dépréciative, c'est une notation de couleur (brun rouillé) que Rimbaud marque par ce terme.

Page 118.

1. Ce Petit Tambour est Joseph Bara, mort durant les guerres de Vendée. Il était une des figures de l'idéologie républicaine.

Page 119.

1. *Nitide*: blanc brillant.

Page 120.

1. *Illunés* · illuminés par la lune.

Page 122   LE BATEAU IVRE

1. Texte de la copie de Verlaine. Le même Verlaine, dans *Les Poètes maudits*, supprime l'article du titre, mais cela tient à l'insertion de ce dernier dans la syntaxe de la phrase et ne constitue pas à proprement parler une variante.

Delahaye rapporte que Rimbaud aurait composé «Le Bateau ivre» pour le «présenter aux gens de Paris» lors de son arrivée dans la capitale en septembre 1871.

Page 123.

1. *Démarrées* : qui ont rompu leurs amarres.
2. *Falots* est ici synonyme de fanal.
3. *Lactescent* : qui devient laiteux.

Page 124.

1. *Léviathan* : monstre marin mentionné par la Bible. Ce nom avait été donné à un gigantesque vapeur anglais construit en 1853. Cf. Victor Hugo, *La Légende des siècles*, «Pleine mer».
2. *Bonace* : calme plat en mer avant ou après l'orage.
3. *Dérade* : sortie de la rade.

Page 125

1. *Monitors* : navires de guerre américains. *Hanses* : anciennes compagnies maritimes et commerciales constituées, au Moyen Âge, entre certains pays d'Europe.
2. *Monté de* : Cecil A. Hackett propose le sens de *équipé de* ou *gréé de*.
3. *Ultramarins* : d'une couleur bleu outremer.
4. *Behemots* : bête prodigieuse mentionnée par la Bible
5. *Maëlstroms* : gouffres marins.
6. *Flache* : flaque d'eau.

Page 126.

1. Michel Décaudin (Hachette, coll. «Le Flambeau», 1958) explique ce vers ainsi : faire disparaître le sillage des bateaux porteurs de coton en les suivant de très près.

Page 127.   ALBUM ZUTIQUE

Ces textes, qui ne figurent pas toujours dans les éditions courantes de l'œuvre de Rimbaud, ont de quoi surprendre par leur aspect parodique ou scatologique, en tout cas par leur mépris total des bienséances. En ce sens, ils illustrent parfaitement l'attitude du groupe au sein duquel ils ont pris naissance : le cercle Zutique (ou Zutiste). Le mot *zut*, sur lequel ces adjectifs sont formés, laisse très bien deviner l'objectif : refuser les valeurs trop aveuglément admises et scandaliser le bourgeois.

Ce «cercle», tout aussi bachique que poétique, était loin d'être structuré. Il était issu de la rencontre hasardeuse d'un certain nombre de jeunes écrivains, essentiellement poètes, que réunissaient un dégoût des formes dominantes (Art pour l'art, Parnasse, voire romantisme attardé) et un désir encore mal défini d'expression nouvelle. Ainsi, durant l'hiver 1871 et le printemps de 1872, se retrouvèrent, simultanément ou successivement, Charles Cros, Léon Valade, Verlaine, puis Germain Nouveau et Raoul Ponchon, et d'autres plus obscurs. Rimbaud a été introduit dans cette assemblée par ses deux mentors à Paris : Cros et Verlaine.

Le point d'attache du groupe était une chambre de l'Hôtel des Étrangers, sis en plein Quartier latin, à l'angle des rues Racine et de l'École de Médecine. Au cours de leurs réunions, les participants consignaient, sur une sorte de registre, leurs impressions, des poèmes – souvent parodiques et presque toujours libertins – et des dessins fort libres. Ce recueil, qu'on désigne sous le nom d'*Album Zutique*, nous est parvenu et c'est là que se trouvent les œuvres de Rimbaud que nous donnons ici. Il s'agit d'un album de format oblong à l'italienne d'environ 17 × 27 cm. Il a été reproduit et commenté par Pascal Pia (Cercle du Livre Précieux, 1962).

La grivoiserie des poèmes de Rimbaud, leurs allusions multiples et diverses, ne doit pas masquer l'intérêt qu'ils présentent sur d'autres points. Ils permettent de préciser certaines antipathies : la platitude d'un réalisme poétique à la François Coppée. Ils affirment un talent de pasticheur qui se laisse vite déborder par des images personnelles. Ils témoignent d'inquiétudes profondes, comme le prouvent «Les Remembrances du vieillard idiot». André Guyaux a souligné que Rimbaud «reste un poète de la parodie. Sa poésie est toujours le miroir d'une autre, fût-ce la sienne» (avant-propos aux *Œuvres* de Rimbaud, classiques Garnier, 1987). Aussi les poèmes de l'*Album Zutique* sont-ils plus importants qu'on ne pense, tout comme l'était *Un cœur sous une soutane*.

Page 129. L'IDOLE

1. F°2 v° de l'Album. Le sonnet reprend, pour le parodier, le titre d'un recueil d'Albert Mérat paru en 1869. Il y célébrait les diverses beautés du corps féminin, sans aller jusqu'aux mêmes «intimités» qu'ici.

2. La signature Albert Mérat est évidemment une plaisanterie des deux auteurs du sonnet dont les initiales s'interprètent aisément : Paul Verlaine-Arthur Rimbaud. Dans une lettre du 25 octobre 1883, Verlaine a précisé la part respective de cette collaboration : les quatrains pour lui, les tercets pour Rimbaud

Page 130. LYS

1. F°2 v° de l'Album. L'auteur prétendu de ce texte, Armand Silvestre (1837-1901), avait participé au *Parnasse contemporain* et publié deux recueils auxquels certains avaient reproché un excès de sensualité.

2. *Balançoirs* est bien l'orthographe du manuscrit.

3. Le clysopompe est un appareil à lavement.

LES LÈVRES CLOSES

4. F°3 r° de l'Album. Comme pour «L'Idole», Rimbaud reprend le titre d'un recueil effectivement publié par Léon Dierx (1838-1912), mais il ne parvient pas vraiment à attraper le ton de l'auteur qu'il parodie.

5. Selon certaines croyances, le Graal (vase contenant le sang du Christ) fut déposé à Rome et gardé par des moines. Des souvenirs du *Lohengrin* de Wagner, bien connu de la plupart des Zutistes, sont peut-être présents ici.

Page 131. FÊTE GALANTE

1. F°3 r° de l'Album. C'est le poème «Colombine» des *Fêtes galantes* que Rimbaud parodie ici d'une façon fort polissonne.

J'OCCUPAIS UN WAGON...

2. F°3 r° de l'Album. Du temps où les chemins de fer comportaient trois classes, la troisième était la plus économique.

3. Inadvertance de Rimbaud pour *brocards*.

4. Le *caporal* est une variété bon marché de tabac.

Page 132. *JE PRÉFÈRE SANS DOUTE...*

1. F°3 r° de l'Album. Comme dans le poème précédent (c'est pourquoi il n'y a qu'une seule attribution pour les deux textes), Rimbaud parodie Coppée dans une de ses spécialités les plus connues, le dizain. Il en saisit notamment tout le prosaïsme.

L'HUMANITÉ CHAUSSAIT...

2. F°3 r° de l'Album. Louis-Xavier de Ricard (1843-1911), outre qu'il avait joué un grand rôle dans la fondation du Parnasse, manifestait dans le progrès une confiance que confirmait le titre d'une des revues qu'il avait créée et dirigée en 1863-1864 : *Revue du Progrès moral*. C'est cette religion aveugle du Progrès que ridiculise Rimbaud.

Page 133. CONNERIES

I. Jeune goinfre

1. F°6 v° de l'Album. Tout en rimes fémines et en dissyllabes (rythme que Victor Hugo avait employé dans « Les Djinns » des *Orientales*), ce poème présente un certain Paul, gourmand de nourriture et de libertinage. L'identité avec le prénom de Verlaine est-elle une simple coïncidence ?

II. Paris

2. F°6 v° de l'Album. C'est un petit annuaire du Paris de 1871 que Rimbaud dresse ici : affiches, marques commerciales, faits divers, ténors du journalisme, figures du Tout-Paris. Rimbaud donne de la capitale une vision moderne, éclatée, tout en vertige et mobilité.

Je rectifie, ci-dessous, l'orthographe de quelques noms écorchée par Rimbaud. Alexis Godillot – son nom est devenu commun ! – fournissait des chaussures, notamment à l'armée. La Gambier était une marque de pipe (cf. « Oraison du soir »). Galopeau était pédicure et Wolff facteur de pianos comme Pleyel. Menier était un célèbre chocolatier, tandis que Leperdriel vendait des bas à varices. Kinck, victime de Troppmann (cf. vers 6), avait été assassiné, en 1869, avec sa femme et ses six enfants. Il y avait deux Jacob à l'époque : un fabricant de pipes et un guérisseur. Bombonnel, dit « le tueur de panthères », était un célèbre chasseur. Louis Veuillot : journaliste catholique ; Émile Augier : auteur dramatique (*Le Gendre de M. Poirier*).

André Gill, caricaturiste et poète à l'occasion, fréquenta les Zutistes. Catulle Mendès, écrivain et homme influent des milieux littéraires du temps. Eugène Manuel avait publié des *Poèmes populaires* et un drame, *Les Ouvriers*. Guido Gonin : dessinateur. Panier des grâces : peut-être un magasin de modes. L'Hérissé : enseigne célèbre d'un chapelier (un chapeau haut-de-forme au-dessus d'une chevelure hirsute). Enghien chez soi : formule publicitaire pour les eaux d'Enghien, mais si l'on prononce ce nom « engin », on obtient un sens obscène qu'on trouve dans un autre poème de Rimbaud (« L'enfant qui ramassa les balles… », Pléiade, p. 217) où il est parlé de « son bel Enghien » (= engin, ou membre viril).

Page 134.   CONNERIES. 2ᵉ série

I. Cocher ivre

1. Fᵒ8 vᵒ de l'Album. Le sonnet monosyllabique, rare en poésie française, était cependant en honneur chez les Zutistes : on en trouve plusieurs dans l'Album.
2. *Pouacre* : sale

Page 135.   VIEUX DE LA VIEILLE !

1. Fᵒ9 rᵒ de l'Album. On appelait « vieux de la vieille » les survivants de la garde de Napoléon Iᵉʳ. La naissance du Prince impérial, fils de Napoléon III, avait de quoi les réjouir puisqu'elle assurait la continuation de l'Empire. Mais voilà ! le Prince était né le *16* mars (1856), tandis que ce qui était né le *18* mars (1871), c'était la Commune.

ÉTAT DE SIÈGE ?

2. Fᵒ9 rᵒ de l'Album. Ce dizain est faussement attribué à Coppée qui, en 1870, avait publié *Écrit pendant le siège*. Le titre du poème de Rimbaud joue, en effet, sur les mots : être en « état de siège » c'est, soit être assiégé, soit être assis. Mais « Les Assis » (p. 80) montrent bien qu'à force d'adopter cette position le « membre s'agace » ; c'est ce qui se passe ici.
3. *L'honnête intérieur* : l'intérieur de l'omnibus composé d'honnêtes gens.
4. Le vers évoque la fin de « Crépuscule du matin » de Baudelaire.

Page 136.   LE BALAI

1. F°9 v° de l'Album. Sous les initiales F.C. – l'auteur à qui le dizain est faussement attribué –, il faut lire François Coppée qui se complaisait aux «intimités» et aux détails «humbles».

EXIL

2. F°12 r° de l'Album; la lecture du titre est douteuse: ce pourrait être «Exils». Ce fragment est supposé écrit par l'empereur Napoléon III, déchu, à son médecin, Henri Conneau (son nom était une inépuisable source de plaisanteries).

3. *L'Oncle vainqueur*: Napoléon Ier; *Ramponneau*: célèbre cabaretier.

4. *Bari-barou*: en argot de marin le mot désigne, selon Steve Murphy, le tonnerre.

Page 137.   L'ANGELOT MAUDIT

1. F°12 v° de l'Album. Louis Ratisbonne (1827-1900) s'était spécialisé dans la mièvrerie enfantine (*La Comédie enfantine*, 1860; *Petits Hommes*, 1868; *Petites Femmes*, 1871).

MAIS ENFIN...

2. F°13 r° de l'Album. Le feuillet de l'album a été en partie déchiré. Il ne reste donc que les débuts de vers d'un dizain.

Page 138.   LES SOIRS D'ÉTÉ...

1. F°13 r° de l'Album. Le thème de la promenade parisienne, cher à Coppée, est bien vu par Rimbaud, mais il est rabaissé à des sites d'un charme relatif et des besoins très viscéraux.

2. *Kiosque*: vespasienne.

3. *Ibled*: marque de chocolat.

BOUTS-RIMÉS

4. F°13 v°. À l'origine, il s'agit d'un exercice de bouts-rimés, comme le montre l'écriture plus appuyée des rimes sur le manuscrit. Il se trouve que, paradoxalement, le poème reste, ou peu s'en faut, en sa suggestion d'origine. En effet, la déchirure du folio 13, qui ne laissait au verso que le début d'un dizain (ci-dessus), laisse inversement ici la fin d'un sonnet.

Page 139. AUX LIVRES DE CHEVET..

1. F°15 r° de l'Album. Les livres de chevet sont l'*Obermann* de Senancour (1806), les ouvrages sur l'éducation de Mme de Genlis, *Vert-Vert* de Gresset et *Le Lutrin* de Boileau, tous livres «classiques» à divers titres, notamment pour son caractère burlesque en ce qui concerne le troisième.

2. Le Dr Venette (dont Rimbaud italianise le nom) était l'auteur, au xviie siècle (un «classique» aussi), d'un célèbre *Tableau de l'amour conjugal*, illustré. On a suggéré qu'il pourrait s'agir aussi d'un autre docteur Venette, plus récent, qui avait publié, en 1869, un livre de même sujet et de même titre.

Page 140. HYPOTYPOSES SATURNIENNES.
EX BELMONTET

1. F°22 r° de l'Album. La postérité n'a guère retenu Belmontet, illustrateur d'un style néo-classique. Que ses hypotyposes (peintures vives et figurées des choses) soient «saturniennes» n'est pas bon signe : cela les renvoie à une époque légendaire ou à un style archaïque (comme les vers saturniens des latins). Rimbaud s'amuse peut-être aussi sur le titre des *Poèmes saturniens* de Verlaine.

2. *Ex* : tirées de.

LES REMEMBRANCES DU VIEILLARD IDIOT

3. F°25 r° de l'Album. Dans son édition de l'album, Pascal Pia écrivait : «Ce qui prévaut dans "Les Remembrances", c'est la sexualité que laissaient déjà deviner "Les Accroupissements" et "Les Poètes de sept ans".» Ainsi, les allusions érotiques (dans le mot *remembrances*, il ne faut pas seulement percevoir le vieux mot *souvenirs*, mais aussi le mot *membre*, viril naturellement), sont le signe d'une inquiétude juvénile plus vaste.

Page 142. RESSOUVENIR

1. F°25 v° de l'Album. Souvenir impossible pour Rimbaud (né en 1854) que cette naissance du Prince impérial (en 1856) : ce n'est que pour un Coppée, tendre admirateur du Prince, qu'il peut y avoir mémoire d'un fait qui assure la pérennité de l'Empire, donc d'une liberté menacée. En parodiant Coppée, Rimbaud dévalorise par contre-coup le régime impérial, même si c'est *a posteriori*.

2. *Sainte espagnole* : l'Impératrice, Eugénie de Montijo

Page 143. POÉSIES 1872

Les poèmes réunis ici sont, en général, présentés par les éditeurs sous deux titres opposés : soit « Derniers vers », soit « Vers nouveaux » (et, parfois, « Vers nouveaux et chansons »). Ces titres recouvrent des présupposés, chronologique pour le premier, poétique pour le second qui, en ce sens, paraîtrait plus défendable. En effet, ces divers poèmes traduisent une nouvelle inspiration et un nouveau mode d'expression chez Rimbaud. ils sont donc bien un renouvellement de sa création, à la fois dans le domaine de l'écriture et dans la façon de régler sa vie.

On ne sait ce que l'auteur aurait fait de ces pièces. Elles correspondent peut-être à un projet évoqué par Verlaine en 1895 : « vers dix-sept ans au plus tard, Rimbaud s'avisa d'assonances, de rythmes qu'il appelait "néants" et il avait même l'idée d'un recueil : *Études néantes*, qu'il n'écrivit à ma connaissance, pas. » Ce qui est sûr, c'est que Rimbaud renoncera très vite à ce type de poésie comme le montre la section « Alchimie du verbe » d'*Une saison en enfer*.

La plupart de ces poèmes remontent au printemps et à l'été de 1872 ; presque tous sont datés et il n'y a pas lieu de mettre gravement en doute ces indications.

Page 145. QU'EST-CE POUR NOUS, MON CŒUR...

1. Texte de l'autographe conservé dans la collection Pierre Berès. Certains placent la composition de ce poème au lendemain de la Commune. Cependant, l'imagination dépasse largement l'Histoire pour déboucher sur un cataclysme général. Cette terre qui vacille et se dérobe est à l'image de la destinée de Rimbaud.

2. *Que nous*. si ce n'est nous.

Page 146.

1. Certes, l'auteur a survécu aux séismes évoqués dans le poème, mais c'est pour se retrouver aux prises avec une réalité toujours aussi « rugueuse à étreindre ».

MÉMOIRE

2. Texte de l'autographe de l'ancienne collection Lucien-Graux. Rimbaud transpose librement des souvenirs personnels Souvenir ? Inventaire ? On peut interpréter le titre comme on veut. Rimbaud tente de faire le point en un moment de crise intérieure. Images neuves, associations surgies de l'incons-

cient, juxtapositions insolites donnent à ce poème, tout en rimes féminines, un éclat exceptionnel.

3. Plusieurs éditions donnent «ayant». Le texte doit bien se lire «avant», qui n'est pas incompréhensible.

4. *Carreau*: la surface de l'eau qui est, à la fois, transparence et miroir.

Page 148.   LARME

1. Texte de l'autographe donné à Forain. Le poème exprime évidemment le regret d'un désir inassouvi, d'une soif d'inconnu non étanchée. Il s'ensuit une impression d'échec. Une version différente de ce poème figure dans *Une saison en enfer* («Alchimie du verbe»).

2. Oise: on s'est demandé ce qu'était cette rivière. Selon Robert Goffin (*Rimbaud et Verlaine vivants*, Paris-Bruxelles, 1937, p. 176), ce serait le nom d'un petit cours d'eau coulant à proximité de Roche.

3. *Colocase*: plante comestible de l'Inde.

LA RIVIÈRE DE CASSIS

4. Texte de l'autographe donné à Forain. Ce poème qui, selon Delahaye, évoquerait la Semoy (un affluent de la Meuse), peut se rattacher à l'inspiration des «Corbeaux». Ici, on est cependant en présence d'un paysage plus «étrange» et mystérieux.

Page 149.

1. C'est presque le vers 6 des «Corbeaux».

COMÉDIE DE LA SOIF

2. Texte de l'autographe donné à Forain. Cette «comédie» a quelque chose d'infernal, comme le suggère le titre donné par un autre manuscrit (collection Ronald Davis: «Enfer de la soif»). Ce thème de la soif, qui se situe entre le désir et l'échec, apparaissait déjà dans «Larme»: à la fois attente d'une boisson qui désaltère et régénère, et refus de breuvages connus trop fades ou trop corsés.

Page 150

1. La ponctuation de ce vers et du précédent a été l'occasion d'une polémique entre Etiemble et Char (voir *Le Dernier Couac*, GLM, 1958). Ce dernier (dans son édition du Club français du livre, 1957) adoptait la ponctuation du manuscrit Forain (celle

que nous donnons), tandis qu'Etiemble trouvait plus logique la leçon de l'édition pré-originale dans *La Vogue* :

> *Descendons en nos celliers*
> *Après le cidre, ou le lait.*

Dans ce dernier cas, *après* est préposition et équivaut à un sens tel que : *pour aller chercher*, qui serait un ardennisme. Dans l'autre cas, *après* a le sens de *ensuite*.

2. *Boulloires* pour *bouilloires* est un ardennisme.

Page 151.

1. Le *bitter* est un alcool de genièvre dans lequel ont macéré diverses plantes aromatiques.

2. Une absinthe était quelquefois familièrement désignée sous le nom d'une «verte». Cros, dans *Le Coffret de santal*, avait célébré la fin d'après-midi, ou moment de l'apéritif, sous le nom d'«heure verte».

Page 152.

1. Ce vers fait penser au «Cabaret-Vert» (p. 71).

BONNE PENSÉE DU MATIN

2. Texte du premier des deux fac-similés publiés aux éditions Messein, 1919 (collection «Les Manuscrits des Maîtres»). Entre le petit matin et midi (comme dans «Aube» des *Illuminations*), Rimbaud savoure des heures qui lui sont chères et dont il parle dans une lettre à Delahaye datée de junphe [juin] 1872. Cette célébration – vraie ou feinte – d'un monde du travail et des ouvriers est très vite dépassée et transformée par un imaginaire mythique.

Une autre version de ce poème figure dans *Une saison en enfer* («Alchimie du verbe»).

Page 153.

1. Les Hespérides, qui séjournent à l'ouest du monde antique, peuvent être perçues comme solaires du fait qu'elles sont au soleil couchant et qu'elles ont la garde de pommes d'or.

2. S'appuyant sur une chanson paillarde (*Le Plaisir des Dieux*) Antoine Fongaro donne une signification érotique à ce passage dans lequel il voit une sodomisation en chaîne.

3. Cette dernière strophe a soulevé des commentaires parfois inattendus et surprenants. Pourquoi ne pas dire tout simplement, comme le fait Jean-Luc Steinmetz, «que Vénus anadyomène était née de l'écume»?

FÊTES DE LA PATIENCE

4. C'est Rimbaud lui-même qui a décidé du groupement de ces quatre textes. Il l'a noté au verso du feuillet sur lequel figure «Âge d'or».

Page 154.   Bannières de mai

1. Texte de l'autographe donné à Richepin. Ce poème laisse entendre une déception de la part de Rimbaud.
2. On ne s'étonnera pas des distinctions qu'introduit ici Rimbaud : il est des morts qui méritent à peine leur nom, il en est d'autres qui se chargent d'une extrême valeur.

Page 155.   Chanson de la plus haute tour

1. Texte de l'autographe donné à Richepin. Une partie de ce poème est reprise, modifiée, dans *Une saison en enfer* («Alchimie du verbe»). Comme le dit Jean-Luc Steinmetz, c'est le poème d'un «guetteur» qui éprouve la désespérance.

Page 156.   L'Éternité

1. Izambard prétend que ces deux vers seraient issus d'une chanson populaire entendue par Rimbaud.
2. Texte de l'autographe donné à Richepin. La certitude que l'Éternité s'enferme dans l'instant d'une vision, l'aube, fournit à Rimbaud une solution et lui permet de se dégager (voir variantes du même texte contenu dans *Une saison en enfer*, «Alchimie du verbe») d'un quotidien que nulle promesse d'espérance n'illumine.
3. *Orietur* : verbe latin signifiant *il se lèvera*. Donc : il ne se lèvera rien, il n'y aura pas d'aube.

Page 157.   Âge d'or

1. Texte de l'autographe donné à Richepin. Diverses voix sollicitent le poète : il donne l'illusion de s'accorder avec elles.

Page 158.   JEUNE MÉNAGE

1. Texte de l'autographe donné à Forain. Le commentaire de ce poème a été souvent encombré par des références biographiques : qui est ce «jeune ménage» dans lequel les uns recon-

naissent Verlaine et sa femme, les autres Verlaine et Rimbaud ?
Et si ce dernier se livrait simplement à une libre variation
d'images sur cette alliance de mots : *jeune couple*. La fin du
poème, en tout cas, n'est pas négative.

2. *Bleu-turquin* : bleu foncé.

Page 159.

1. *Aristoloche* : plante dont les propriétés favoriseraient l'ac-
couchement.

2. Cette *fée africaine* n'a pas reçu d'explication satisfaisante.

3. *Floué* : trompé.

4. *Malin rat* : Marc Ascione interprète ces mots comme
l'équivalent de *fiasco* sexuel (voir «Le Malin rat», *Parade sauvage*, n° 3, 1986).

MICHEL ET CHRISTINE

5. Texte du manuscrit appartenant à M. Pierre Berès. Je ne
suis pas sûr que la similitude, alléguée par certains, entre le
titre de ce poème et celui d'un vaudeville de Scribe apporte
beaucoup de clarté dans un texte passablement obscur ; en particulier elle n'explique pas le développement, puis l'apaise-
ment, de l'ouragan qui traverse le texte. Pierre Jean Jouve lit
dans ce poème une allégorie de la guerre franco-prussienne ;
Pierre Brunel y voit un adieu au genre de l'idylle ; Yves Reboul
y décèle le mythe de la subversion de la vieille Europe par les
nouveaux Barbares. C'est dire la diversité des interprétations.

Page 161.   *PLATES-BANDES D'AMARANTES...*

1. Texte du manuscrit de M. Pierre Berès. C'est inexactement
que certaines éditions donnent au poème le titre de «Bruxelles»
qui ne constitue qu'une simple indication de lieu. Assurément,
les souvenirs précis d'une ville ne sont pas absents de ces vers,
mais ils sont brouillés par de libres variations et associations
d'images. On sent se former (et peut-être est-il déjà formé) le
procédé qui présidera à l'écriture des «villes» des *Illuminations*. Ici, plus que jamais, il faut réserver la traduction...

2. *Boulevart* : orthographe encore courante au temps de Rimbaud.

3. *Amarante* : plante à fleurs rouges, parfois appelée «immortelle».

4. *Toi* : reprend *Jupiter*.

5. *Veuve* : variété de passereau africain. Mais, en dépit du
vers 8, est-ce le bon sens ?

6. Onomatopées qui évoquent celles de la huppe dans *Les Oiseaux* d'Aristophane.

7. Cette *Folle par affection* renvoie-t-elle au personnage d'Ophélie dans *Hamlet*? ou même à Verlaine qui semble bien se désigner sous le nom de *Folle-par-affection* dans «Images d'un sou» de *Jadis et naguère*?

8. *Fesses*: soit *branches flexibles* (Charles Bruneau, «Le patois de Rimbaud», *La Grive*, n° 53, avril 1947), soit *plates-bandes* (Jean-Pierre Chambon, *Arthur Rimbaud*, n° 4, 1979).

9. *Juliette*: l'héroïne de *Roméo et Juliette*? Le mot *balcon* du vers 11 inciterait à le penser. Quant à cette *Henriette*, qui est-elle? Jean-Luc Steinmetz signale que les deux prénoms, Juliette et Henriette, sont également réunis dans «La Voie lactée», poème des *Stalactites* de Banville.

10. Les *diables bleus* – les *blue devils* de l'anglais – sont bien connus en France depuis le *Stello* de Vigny. Ici, Rimbaud semble les voir comme des sortes de lutins.

11. Cette *blanche Irlandaise* garde tout son mystère.

12. Ce duc est probablement le duc d'Arenberg, dont le palais se trouvait sur le boulevard du Régent.

Page 162.   EST-ELLE ALMÉE?...

1. Texte de l'édition Henri de Bouillane de Lacoste d'après l'autographe de l'ancienne collection Lucien-Graux.

Almée: danseuse orientale.

2. On trouve la même expression dans «Plates-bandes d'amarantes...»

3. La Pêcheuse et le Corsaire seraient, d'après Jacques Chocheyras (*Parade sauvage*, n° 3, 1986), l'apparence revêtue par deux des personnages de la fête imaginaire que se donne Rimbaud.

FÊTES DE LA FAIM

4. Texte du manuscrit de la fondation Martin Bodmer (Cologny, Suisse). Une partie du poème est reprise dans *Une saison en enfer* («Alchimie du verbe»). Comme la soif, la faim travaille Rimbaud, au moins pour ce qui est de l'imaginaire: appétit de posséder l'univers, faim de vagabondages et de liberté.

Page 163.

1. *Doucette*: mâche.

ENTENDS COMME BRAME...

2. Texte de l'édition Henri de Bouillane de Lacoste d'après l'autographe de la collection Ronald Davis. Il n'est pas impossible que Rimbaud s'amuse à pasticher ici la sentimentalité de Verlaine et son goût pour les paysages voilés.

Page 164.   HONTE

1. Texte du manuscrit appartenant à M. Pierre Berès. Deux solutions pour ce texte : ou bien c'est Rimbaud qui parle de *lui* et il prend ses distances en se désignant à la troisième personne ; ou bien c'est un tiers qui en parle et l'on a suggéré le nom de Verlaine.
2. *Lui* : il s'agit de Rimbaud.
3. Verlaine avait parlé des « jambes sans rivales » de Rimbaud (dans l'article des *Hommes d'aujourd'hui* et la préface de l'édition de 1895 aux *Poésies complètes*).

Page 165.

1. Dans *Rocheux* on peut entendre, comme l'ont dit certains critiques, le nom de la propriété des Rimbaud à Roche.

Ô SAISONS, Ô CHÂTEAUX...

2. Texte du manuscrit appartenant à M. Pierre Berès. Une autre version de ce poème figure dans *Une saison en enfer* (« Alchimie du verbe »). Il s'agit ici de saisons de la mémoire, instants d'exception auxquels l'écriture donne forme comme à autant de châteaux privilégiés.

Page 166.

1. Les cinq derniers vers sont barrés sur l'autographe. Nous les donnons entre crochets.

Page 169.   LES DÉSERTS DE L'AMOUR

1. Texte du manuscrit de la BNF. Le titre est de Rimbaud lui-même. Delahaye (*Rimbaud, l'artiste et l'être moral*, édition citée, p. 38) date ces lignes du printemps de 1871. On pense, actuellement, qu'elles sont un peu plus tardives (printemps 1872 probablement). Doit-on y reconnaître, comme l'affirmait Delahaye, des souvenirs de Jean-Jacques Rousseau ? Pourquoi pas ? ce qui est plus évident, c'est une tristesse et une angoisse

qui se manifestent de paragraphe en paragraphe. On voit aussi s'y dessiner un projet de proses poétiques qui n'aboutira pas.

Le mot *homme*, souligné à la première ligne du texte, montre que la jeunesse revendiquée par l'auteur n'exclut pas une certaine maturité.

On observe qu'avec son roman *Le Désert de l'amour*, publié en 1925, François Mauriac reprend presque le titre de Rimbaud.

Page 172. [PROSES EN MARGE DE L'ÉVANGILE]

1. Ces textes, que Rimbaud ne s'est jamais soucié de publier ou de pourvoir d'un titre, ont longtemps figuré dans la collection Jacques Guérin. On ignore leur date de composition. Pierre Brunel penche pour le printemps de 1873, ce qui paraît vraisemblable. Ils sont donc contemporains de la préparation d'*Une saison en enfer* et figurent d'ailleurs au dos de brouillons de ce livre. D'une certaine façon, ils illustrent un mot d'*Une saison en enfer*: «L'Évangile a passé.» En effet, tout en suivant le texte sacré (l'évangile de saint Jean, notamment), Rimbaud se met en marge et récuse le rôle du Christ.

2. *Samarie*: province de Palestine. Rimbaud se fonde sur saint Jean (IV, 5) et, accessoirement, saint Luc (IX); il établit l'impossibilité des propos de Jésus en prenant pour fondement l'hostilité que les Samaritains manifestaient à son égard et, d'une façon générale, à l'égard des prophètes.

3. *Tables antiques*: les tables de la Loi données à Moïse.

4. *La femme à la fontaine*: la Samaritaine.

Page 173.

1. Ici, il s'agit de deux miracles dont la portée est singulièrement minimisée: les noces de Cana, où Jésus changea l'eau en vin; et la guérison du fils de l'officier. Comme le souligne Pierre Brunel (*Une saison en enfer*, p. 125 et 126), la nature apparaît bien plus «magique» que le Christ.

2. *Galilée*: au nord de la Samarie.

3. *Officier*: celui dont il est question dans saint Jean (IV, 46-54), et qui était venu demander à Jésus la guérison de son fils.

4. *Ce bourg*: Cana.

5. Allusion au propos que Jésus tint à sa mère lorsque celle-ci Lui signala que le vin allait manquer. La notion de «hauteur» n'est pas dans l'Évangile dont Rimbaud sollicite manifestement le texte.

6. L'officier était venu de Capharnaüm à Cana.

7. Il s'agit, dans ce dernier texte, de la guérison du paraly-

tique. Ce que laisse entendre Rimbaud, c'est qu'il n'y a même pas besoin de l'intervention de Jésus pour qu'il y ait miracle.

8. *Bethsaïda* : piscine de Jérusalem (saint Jean, V, 2-18).

9. *Mendiants* : désignation péjorative qu'on ne trouve pas dans l'Évangile.

Page 175.   UNE SAISON EN ENFER

De l'ensemble de son œuvre ce volume est le seul que Rimbaud ait lui-même publié. Non qu'il n'ait eu des velléités d'autres volumes, comme le prouve la constitution des Cahiers de Douai (voyez ci-dessus), mais le ou les projets n'avaient pas abouti. Il compte beaucoup sur ce qu'il compose en 1873, aussi peut-il écrire à son ami Delahaye, en mai, que son «sort dépend de ce livre». Sort littéraire et, probablement aussi, sort spirituel. Durant la fin de l'été 1873, Rimbaud a pris contact avec une association ouvrière de Bruxelles, l'Alliance typographique (M.J. Poot et Cie), 37, rue aux Choux. Naturellement, l'édition devait se faire à compte d'auteur et Mme Rimbaud passe généralement pour avoir accepté de faire les frais de l'impression. L'acompte fut versé ; Rimbaud corrigea les épreuves et, dans la troisième semaine du mois d'octobre, vint à Bruxelles pour prendre quelques exemplaires de son volume (il en déposa un à la prison des Petits-Carmes à l'intention de Verlaine). Cependant, il négligea de solder la note de l'impri-neur, aussi le reliquat des 500 exemplaires du tirage dormit-il dans les caves jusqu'à ce qu'un amateur, Léon Losseau, l'y découvrît en 1901 et rendît publique sa trouvaille en 1914.

Quelques volumes seulement avaient été distribués par Rimbaud à divers amis : Verlaine, Richepin, Forain, Delahaye. Entre 1901 et 1914, d'autres exemplaires furent donnés par Léon Losseau à Maeterlinck, Verhaeren, Vielé-Griffin et Zweig.

La date de composition d'*Une saison en enfer* peut paraître claire puisque l'auteur a pris soin de l'indiquer lui-même au bas de son texte : *avril-août 1873*. Cette période couvre un séjour de Rimbaud à Roche, puis une longue errance avec Verlaine (Belgique, Angleterre, à nouveau Belgique), errance entrecoupée de brouilles et qui s'achève par le drame de Bruxelles, puis le retour de Rimbaud à Roche après sa sortie de l'hôpital Saint-Jean le 20 juillet. On le voit, si la rédaction d'*Une saison en enfer* déborde l'événement biographique que constitua la rupture avec Verlaine, il serait surprenant qu'un souvenir n'en reste pas dans le volume au moment où Rimbaud le reprend et l'achève en août.

À l'origine, c'est-à-dire au printemps de 1873, Rimbaud

semble avoir eu le dessein d'écrire «de petites histoires en prose, titre général: Livre païen ou Livre nègre». Il s'agit, selon le poète, «d'histoires atroces». Il en a déjà composé trois, six restent à écrire. Ce total de neuf correspond au nombre des sections du volume et l'on sait que «Mauvais sang» contient des allusions au monde nègre et au monde païen. La correspondance du printemps 1873 laisse entrevoir un Rimbaud abattu physiquement et moralement, soucieux de retrouver une «naïveté» primitive et désireux d'échapper à tous les obstacles que constituent, selon lui, la tradition occidentale et l'éducation chrétienne. Au cours de la rédaction, le projet a évolué. Cette inquiétude personnelle a pris le dessus; d'où le ton si original du livre, cette omniprésence d'un *je* à l'écoute duquel se met l'écrivain.

Une saison en enfer est le livre d'une crise, le titre le dit, en affirmant du même coup une chose étrange: on peut ne passer qu'une saison dans cet enfer qui est, d'ordinaire, lieu d'éternel séjour. Vraiment une saison – deux, peut-être –, puisque le texte s'enferme entre *le printemps* de la première section et le début de *l'automne* de la dernière. L'œuvre se dit dans le temps; elle est éphéméride, journal, théâtre de personnages divers. C'est le récit d'une descente aux enfers, quête géographique et expérience personnelle. Au terme de ce voyage, Rimbaud sera «rendu au sol, avec un devoir à chercher et la réalité rugueuse à étreindre». Dans cette position, les critiques ont longtemps voulu entendre un adieu de Rimbaud à la littérature et faire d'*Une saison en enfer* le texte ultime de l'œuvre. Il m'apparaît que cette position est difficile à tenir et qu'une partie au moins des *Illuminations* est postérieure.

La «frénésie» de ces lignes n'exclut pas une composition réfléchie de l'ensemble et des détails, comme le prouve l'existence de quelques brouillons relatifs aux sections «Mauvais sang», «Nuit de l'enfer» et «Alchimie du verbe».

Le texte adopté est celui de l'édition de 1873, purgé de ses coquilles évidentes (par exemple: *la clef*, au lieu de *le clef* dans l'édition originale).

Page 177.   JADIS, SI JE ME SOUVIENS BIEN...

1. Cette première section est un rappel de tout ce qui a conduit l'écrivain à sa situation présente.

2 Ce paragraphe trouvera son explication dans «Délires II».

3. On peut donner deux sens à l'expression «dernier *couac*!»: soit près de mourir (il s'agirait alors de l'affaire de Bruxelles), soit près d'émettre une fausse note (il s'agirait alors de l'incapacité à écrire).

4. La phrase se nie en un raccourci saisissant : un recours à la charité est impossible ; s'il y est fait allusion, cela prouve qu'on est en pleine rêverie.

Page 178.

1. Le mot *en* ne renvoie à rien de précis. C'est des mots *pavots* et *appétits* qu'il faut tirer l'idée que l'auteur a ingurgité avec trop d'appétit le poison d'oubli.
2. On a pensé que ce «cher Satan» était Verlaine. Cela paraît peu probable.
3. Les «petites lâchetés en retard» peuvent désigner les projets d'ouvrages laissés en souffrance.

MAUVAIS SANG

4. Après un historique de la crise, il s'agit maintenant d'une sorte de géographie : l'auteur se cherche des points de repère, qu'il énumère tout en les soumettant à un examen critique.
Le titre joue probablement sur deux sens. D'un côté, on se fait du «mauvais sang», au sens populaire du terme ; de l'autre, on est issu d'un «mauvais sang» ou d'une «race inférieure».
5. C'est dans les *Mémoires d'outre-tombe* (VII, 5) que Chateaubriand signale que Chilpéric s'enduisait les cheveux avec du beurre.

Page 179.

1. En se référant à l'adjectif *inférieure* (deux lignes plus haut), il faut comprendre : les loups sont inférieurs à la bête qu'ils n'ont pas tuée.
2. *Solyme* : Jérusalem.
3. Au temps de Rimbaud, *bivaqué* est déjà une forme archaïque pour *bivouaqué*.
4. La nation et la science sont deux idéologies qui dominent le xixe siècle : la première est illustrée notamment par Michelet, la seconde par Renan, Taine ou Claude Bernard.

Page 180.

1. Cette idée que «l'Évangile a passé» est illustrée par quelques pages que Rimbaud écrit, à la même époque, en marge des textes sacrés.
2. La plage armoricaine est symboliquement perçue comme un lieu primitif.
3. Ce vice est interprété soit comme l'homosexualité (Jean-Luc Steinmetz), soit plus vraisemblablement comme «la faiblesse native, celle du prolétaire» (Pierre Brunel).

Page 182.

1. Il faut comprendre que l'auteur est de la race des criminels qui revendiquent leur crime jusqu'au moment du châtiment.

2. *Cham*: ce fils de Noé passe pour être aux origines de la race noire.

Page 184.

1. Le «siècle des cœurs sensibles» est le XVIIIe siècle.

Page 185.   NUIT DE L'ENFER

1. Le brouillon de ce passage s'intitule «Fausse conversion». Certes, l'auteur pose ses problèmes en termes religieux, mais tout s'arrête là. L'enfer, c'est d'être prisonnier d'une tradition, fût-elle parfois tentante.

2. Une partie de la critique prend ce mot au sens littéral: le poison s'assimilerait à des stupéfiants. Une autre interprétation est de considérer ce poison au point de vue moral et d'y reconnaître la foi chrétienne, le doute ou le désespoir.

3. Le thème de la soif était déjà perceptible dans un certain nombre des poésies de 1872.

4. L'italique met en évidence la présence de cet alexandrin au milieu de la prose. Il se trouve que ce vers clôt le poème «Lunes I», dans *Parallèlement* de Verlaine. On ne sait lequel des deux poètes a l'antériorité. Peut-être se réfèrent-ils tous deux, comme par un clin d'œil complice, à une source commune qui nous échappe.

Page 186.

1. *Ferdinand*: selon Delahaye ce serait le surnom du diable dans la région de Vouziers.

2. *La lanterne*: il s'agit de la lanterne magique.

3. Selon le Coran, les *houris* peuplent le paradis de Mahomet. Rimbaud désigne par là des femmes très belles.

Page 187.   DÉLIRES

1. Dans les deux textes qui suivent Rimbaud va «liquider» deux expériences antérieures qu'il considère désormais comme des égarements de l'esprit: l'une est purement biographique, c'est sa liaison avec Verlaine; l'autre est d'ordre littéraire, il s'agit de la poétique de la voyance qu'illustraient d'une part les lettres de mai 1871 à Izambard et Demeny, d'autre part les poésies de 1872.

I. Vierge folle

2. Le titre s'inspire de la parabole des Vierges sages et des Vierges folles (saint Matthieu, XXV, 1-13). La critique est à peu près unanime pour reconnaître en ce texte une évocation du couple Verlaine (la Vierge)-Rimbaud (l'Époux).

Page 188.

1. *Confidence* signifie *aveu*. Comme le fait remarquer Pierre Brunel, confidence n'est pas confession.

2. De leur côté, plusieurs pièces des *Illuminations* sont à la recherche du nouvel amour.

Page 191.

1. Dans le fatras de noms et prénoms, on reconstitue un Armand Duval, héros de *La Dame aux camélias* d'Alexandre Dumas fils. Dans la phrase suivante, Rimbaud en résume l'intrigue de façon pittoresque et cavalière.

Page 192.   II. Alchimie du verbe

1. Aux yeux de Rimbaud, il s'agit bien encore de «Délires», ou de l'histoire d'une de ses folies : c'est folie, en effet, d'avoir mis sa confiance dans la poétique qu'il pratiquait un an plus tôt. Il tourne la page et se sert même des poèmes de cette époque (à l'exception de «Voyelles» qui est antérieur) pour illustrer son échec. Ces autocitations posent un problème, car elles comportent des variantes notables avec le texte initial. On a pensé que cela pouvait provenir du fait que Rimbaud citait ses poèmes de mémoire et que celle-ci n'était pas fidèle. Peut-être aussi se livre-t-il, à l'égard de son propre texte, à un travail de dérision et de destruction parodique.

2. *À moi* signifie vraisemblablement : à mon tour de reprendre la parole.

3. Les critiques ont observé que dans le poème «Voyelles» l'énumération procédait selon un ordre différent et se terminait par *O*, oméga comme l'écrit Rimbaud, autrement dit fin de toute chose et plongée dans l'inconnu. Ici, les voyelles retournent à leur habituelle succession, c'est-à-dire à la banalité.

Page 194.

1. Le mot *romances* n'est pas sans rappeler les *Romances sans paroles* de Verlaine dont quelques poèmes ont été écrits durant la période de vagabondages avec Rimbaud.

Page 196.

1. Ce poème ne nous est connu que par la seule citation que Rimbaud en fait dans ce passage d'*Une saison en enfer*. Nous n'en connaissons aucun autographe ou copie.

2. *Cédron* : petit cours d'eau entre Jérusalem et le Mont des Oliviers. Certaines traditions en faisaient le lieu du Jugement dernier.

Page 197.

1. On voit souvent dans cette phrase une allusion à Verlaine.

2. *Cimmérie* : c'était, pour les Anciens, le pays le plus au nord du monde connu. Dans l'*Odyssée*, il est décrit comme brumeux ; c'est aussi le lieu où Ulysse évoque les morts.

Page 198.

1. *Ad matutinum, Christus venit* : au petit matin, le Christ est venu.

Page 199.   L'IMPOSSIBLE

1. Face aux tentations et aux répulsions exercées par l'Occident, se dressent les mirages de l'Orient.

Page 200.

1. Monsieur Prudhomme est un personnage créé par le dessinateur et écrivain Henry Monnier qui en fait le représentant de la sottise bourgeoise.

2. Selon la Genèse, l'Éden se trouvait situé à l'Orient.

Page 201.   L'ÉCLAIR

1. Ce texte introduit un faux espoir qui se nie en s'exprimant : « Le travail humain ! c'est l'explosion qui éclaire mon abîme de temps en temps. »

2. L'Ecclésiaste rappelait, en effet, que tout est vanité. L'orgueil moderne croit, au contraire, en sa puissance et sa domination.

3. Dans cette construction archaïque, le verbe *échapper* prend le sens de *éviter*.

4. Certains voient ici une allusion au séjour de Rimbaud à l'hôpital Saint-Jean après le coup de revolver de Bruxelles.

Page 202.

1. *Aller mes vingt ans* . accomplir vingt ans d'existence.

MATIN

2. Sans doute, du fond de l'enfer une lumière a-t-elle lui. Mais il est encore bien lointain le temps où l'on chantera « Noël sur la terre ». Cette section n'est pas si optimiste que son titre pourrait le laisser croire.

Page 203. ADIEU

1. À qui ou à quoi est-il dit adieu ? À Satan et à l'enfer, sans doute ; toutefois, si tout espoir n'est pas perdu, « l'heure » reste « sévère ». Des commentateurs ont voulu considérer cet adieu comme un congé définitif donné à la littérature. Cette position ne paraît pas tenable.

2. *Goule* désigne ici la mort.

3. Rimbaud préfère la graphie anglaise *comfort* (pour *confort*), au demeurant courante à son époque.

Page 205. ILLUMINATIONS

Longtemps le problème des *Illuminations* n'a été soumis qu'à une seule question : ce « livre » a-t-il été écrit avant ou après *Une saison en enfer* ? Du vivant même de Rimbaud, ses amis émettent les opinions les plus différentes : pour Delahaye, ces textes sont de 1872 et une partie de 1873 ; pour Verlaine, ils ne sont pas antérieurs à la période qui va de 1873 à 1875. Peut-être ont-ils raison tous les deux. On a voulu chercher une réponse irréfutable dans l'examen et la datation des manuscrits : il se trouve qu'ils sont constitués par des copies, qui nous apprennent beaucoup de choses, sauf en ce qui concerne la date de composition. Nous avons déjà vu quel était l'enjeu d'une telle question : montrer qu'*Une saison en enfer* est la dernière œuvre de Rimbaud et qu'elle atteste de sa part un retour à des valeurs traditionnelles. C'est à quoi s'étaient employés la sœur du poète, Isabelle, et son mari, Paterne Berrichon, relayés en cela par Paul Claudel

En fait, le problème n'est pas si simple. Les *Illuminations* prouvent le désir de Rimbaud de se consacrer à une forme d'écriture toute nouvelle : le fragment en prose constitué de notations éclatées. On peut objecter que l'on connaissait, depuis Aloysius Bertrand ou Baudelaire, une forme de « prose poétique, musicale sans rhythme et sans rime, assez souple et assez heurtée pour s'adapter aux mouvements lyriques de l'âme, aux ondulations de la rêverie, aux soubresauts de la conscience», ainsi que la définit l'auteur du *Spleen de Paris* au début de son ouvrage. Mais ce n'est pas absolument le projet de Rimbaud, qui prétend saisir des instants ou des éclairs d'évidence plutôt que des synesthésies.

Verlaine, en novembre 1872, fait allusion à des poèmes en prose que son ami aurait abandonnés rue Nicolet. Deux ans plus tard, à Londres avec Germain Nouveau, Rimbaud recopie quelques-uns des poèmes qui prendront place dans le recueil ultérieur. Nouveau prend sa part de ce travail en laissant malheureusement d'assez nombreuses fautes dans les deux textes («Villes I» et «Métropolitain») dont il assure la transcription. Il est peu probable que ce travail de mise au net se soit fait sans que l'auteur introduise quelques corrections, peut-être quelque texte inédit, ni qu'il n'ait conçu, même vaguement, quelque projet de recueil. C'est donc sur une durée d'au moins deux à trois ans (et à cheval sur *Une saison en enfer*) que s'élaborent, puis se regroupent divers poèmes en prose que Rimbaud ne conduisit pas jusqu'à une publication. Ainsi s'expliqueraient d'ailleurs certaines différences de ton entre les diverses pièces. L'essentiel du dossier constitué à Londres fut remis en 1875 à Verlaine, puis expédié à Germain Nouveau, avant d'échouer entre les mains de Charles de Sivry (demi-frère de l'ex-Madame Verlaine), puis dans celles du poète Louis Le Cardonnel, puis d'un certain Louis Fière, en 1886 enfin dans celles de Gustave Kahn, poète et directeur d'une petite revue littéraire nommée *La Vogue*. Quel parcours !

Kahn confia à Félix Fénéon le soin de publier les textes de Rimbaud dans *La Vogue*. Ce qui fut fait entre le 13 mai et le 21 juin 1886, dans les numéros 5, 6, 8 et 9. Un tirage à part fut exécuté peu après. Ces publications appellent deux observations : d'une part, sous le titre commun *Illuminations*, les éditeurs de *La Vogue* mêlent indifféremment des proses que nous connaissons aujourd'hui sous ce titre et un certain nombre des poésies de 1872 (les lecteurs qui, à l'époque, découvrirent cette œuvre la lurent donc comme un mélange de vers et de proses) ; d'autre part, entre la publication en revue et la publication en plaquette l'ordre des textes s'est trouvé modifié. Fénéon a reconnu, plus tard, avoir lui-même accompli les divers classements et folioté les manuscrits. Une chose est sûre, nous ne savons pas (ou plus) comment Rimbaud eût réalisé son livre, à supposer qu'il en ait eu le projet arrêté. Nous sommes livrés aux conjectures. Et d'abord, quant au titre. C'est Verlaine qui nous le révèle et qui l'explique ainsi *«painted plates»* ou *«coloured plates»*, soit «enluminures». Il considérait *Illuminations* comme un mot anglais et le prononçait – et même l'écrivait – «Illuminecheunes». Ces équivalences ont eu le résultat

malencontreux d'inciter beaucoup de commentateurs à chercher un référent réel à la plupart des textes du recueil. Ainsi se
trouverait posé en principe le fait qu'on n'y trouve que trans-
positions autobiographiques ou choses vues. D'autres y voient
des constructions purement intellectuelles ou métaphysiques.
Il en est découlé un délire d'interprétation auquel la période
structuraliste des années 1960-1970 a pensé mettre fin en
déclarant que ces œuvres n'avaient aucun sens préétabli et
qu'elles reprenaient signification nouvelle avec chaque lecteur.
C'était remplacer un mal par un autre, plus paresseusement
pernicieux. Il faut d'abord s'attacher à la matérialité du texte,
à sa forme. Il faut ensuite considérer que chaque poème est un
fragment autonome, qu'il est explicable en lui-même et par lui-
même, et ne saurait être qu'exceptionnellement rapporté au
tout que constituent *Illuminations*. Il faut enfin considérer
qu'il y a un écart entre les mots et les choses qu'ils prétendent
dire et que c'est dans cet espace – mouvant mais cohérent – que
s'insère la suggestion poétique, au sens moderne du terme.

Vient l'heure des choix. Pour le texte, nous suivons celui des
manuscrits quand nous les connaissons. Pour la succession des
poèmes, nous suivons l'ordre traditionnel, tel qu'il a été établi
par Henri de Bouillane de Lacoste dans son édition critique
publiée au Mercure de France en 1949. André Guyaux a présenté des arguments en faveur d'un autre classement (*Illuminations*, À la Baconnière, Neuchâtel, 1985). J'ai partiellement
suivi ses suggestions, d'une part en rapprochant «Villes II» de
«Villes I», d'autre part en considérant «Ô la face cendrée» et
[«Phrases II»] comme des ensembles indépendants.

Page 207.   APRÈS LE DÉLUGE

1. Texte du manuscrit de la Bibliothèque Nationale de
France (BNF), nouvelles acquisitions françaises (n.a.fr.) 14123,
F°1. En dépit du déluge, la pureté primitive des choses se
dégrade et la civilisation reprend ses droits. Il faudrait un nouveau déluge (curieusement issu des profondeurs) pour refaire
un monde neuf qui serait, en même temps, le monde originel
retrouvé. On a parfois rapproché ce texte de «L'Orgie parisienne ou Paris se repeuple» et l'on en a fait une lecture communarde: c'est lui donner un sens trop étroit.

2. *Idée*: le déluge figuré dans l'abstrait et l'absolu (contraire-
ment à la vision concrète qui en sera donnée à la fin du texte).

3. On peut voir dans ce sceau un rappel de l'arc-en-ciel
(2e paragraphe) qui, selon la Bible, marquait la réconciliation
de Dieu avec ses créatures.

4. *Mazagran*: café froid additionné d'eau. L'usage de cette

boisson remonte à l'époque de la conquête de l'Algérie, vers 1840, et tire spécialement son nom de la ville de Mazagran.

Page 208.

1 Le nom de *Splendide Hôtel* a pu être inspiré à Rimbaud par celui de l'hôtel qui se situait au coin de la rue de la Paix et de l'avenue de l'Opéra. Il avait brûlé en mai 1872.

2. *Eucharis*: nom d'une nymphe dans *Télémaaue* de Fénelon. Elle symbolise la grâce et le naturel

ENFANCE

3. Texte du manuscrit de la BNF (n.a.fr. 14123, f°2-5). On observe que les fragments réunis sous le titre général d'«Enfance» se terminent tous sur des phrases de portée négative. Par ailleurs, on aurait tort de vouloir y chercher des souvenirs trop précis de l'enfance de Rimbaud lui-même. Ce qui caractérise ces cinq poèmes, c'est une expérience du vide et de l'absence.

4. *Enfantes*: mot forgé par Rimbaud sur le modèle de *géantes*

Page 209.

1. Ce *le* ne renvoie à rien; peut-être à un *je* précisément absent du texte?

Page 211.					CONTE

1. Texte du manuscrit de la BNF (n.a.fr., 14123 f°5). Le Prince est le Génie et inversement, cela veut peut-être dire, comme le suggère Jean-Luc Steinmetz, que «je est un autre», «fable où Rimbaud expose l'étrange loi qu'il a découverte: l'excès permet à chacun de trouver sa vérité intime».

Page 212.					PARADE

1. Texte du manuscrit de la BNF (n.a.fr. 14123, f°6). Ce texte, qui devrait décourager l'explication puisque seul l'auteur possède la clef, a cependant suscité un véritable délire interprétatif. On admet généralement qu'il s'agit d'une parade foraine, thème fort à la mode alors. Mais peut-être, comme dans «Enfance II», n'y a-t-il «rien à voir là-dedans». Ou, plus exactement, ce qu'il y a de plus intéressant à voir est caché, puisque la parade n'est qu'un spectacle fragmentaire qui pique la curiosité sans révéler cependant le programme complet qui se jouera à l'intérieur du théâtre.

Page 213.

1. *Chérubin*, dans *Le Mariage de Figaro* de Beaumarchais. représente une figure d'adolescent frêle.

2. *Prendre du dos* n'est pas une expression claire. Peut-être faut-il comprendre *se pavaner.*

3 *Moloch* : dieu cité par l'Ancien Testament (*Lévitique*, 18, 21) et auquel on sacrifiait des enfants.

ANTIQUE

4. Texte du manuscrit de la BNF (n.a.fr. 14123, f°7). Si l'on doit comprendre le titre au sens de «statue antique», c'est une singulière sculpture qui nous est donnée à voir : rien d'immobile en elle, au contraire tout y est mouvement et aspiration au départ.

5. On trouve une lèvre «brunie et sanglante» dans «Tête de faune» (p. 113) qu'on rapproche souvent de «Antique» – quoique l'inspiration des deux poèmes ne soit guère semblable.

Page 214. BEING BEAUTEOUS

1. Texte du manuscrit de la BNF (n.a.fr. 14123, f°7). Le titre anglais vient peut-être de Longfellow («Footsteps of Angels» dans *Voices of the Night*). Dans la forme *being*, il y a le sens d'un devenir ou d'un mouvement : précisément tout est ici «sur le chantier». L'être de Beauté (traduction que Rimbaud donne à son titre) se forme devant nous à travers l'écriture.

Ô LA FACE CENDRÉE...

2. Texte du manuscrit de la BNF (n.a.fr. 14123, f°7). Ces lignes sont quelquefois rattachées à «Being Beauteous». André Guyaux a montré qu'elles constituent un fragment indépendant.

Page 215. VIES

1. Texte du manuscrit de la BNF (n.a.fr. 14123, f°8-9). On lit, dans *Une saison en enfer*, que plusieurs autres vies sont dues à chaque être. Voici des échantillonnages de vie, dans lesquels passe le mirage de l'Orient.

2. *Proverbes* : on désigne ainsi le livre des *Védas*, recueil de sagesse orientale.

3. *Clef* combine à la fois le sens de solution (ou explication) et de tonalité dans laquelle on exécute une partition musicale

Page 216.　　　　　　　DÉPART

1. Texte du manuscrit de la BNF (n.a.fr. 14123 f°9). Le désir d'aller de l'avant (ou d'être moderne) doit s'accompagner d'un abandon de tout le déjà connu.

ROYAUTÉ

2. Texte du manuscrit de la BNF (n.a.fr. 14123, f°9). C'est un apologue, de la même manière que, plus haut, un autre fragment se donnait pour un conte. Être roi (c'est-à-dire parler «de révélation, d'épreuve terminée») n'est possible qu'à la condition de maîtriser les oppositions ou de dépasser l'ambivalence : celles du Prince et du Génie, ou celle de l'hermaphrodite d'«Antique». Il s'agit d'aller vers une unité ou, comme il est dit à la fin d'*Une saison en enfer* : «de posséder la vérité en une âme et un corps». Tout dualisme est récusé.

Certains commentateurs voient dans ces lignes un souvenir du couple Verlaine-Rimbaud.

Page 217.　　　　　　　À UNE RAISON

1. Texte du manuscrit de la BNF (n.a.fr. 14123, f°10). On notera d'abord l'article indéfini *une* (et non *la*). Cette raison est celle qui préside à la métamorphose des choses, ce que Lacan exprime différemment : «on change de raison, c'est-à-dire on change de discours».

2. *Lots* : les parts qui reviennent à chacun.

MATINÉE D'IVRESSE

3. Texte du manuscrit de la BNF (n.a.fr. 14123, f°10-11). On peut lire dans ce texte la transposition d'une expérience du haschich et la nouvelle poétique qui en découle. Baudelaire a plusieurs fois évoqué cette drogue ; il y a une filiation entre ses textes et celui de Rimbaud. On rencontre, dans la seconde moitié du XIXᵉ siècle, toute une littérature relative à la drogue (chez Nerval, par exemple, ou Gautier) que Rimbaud n'a pas dû ignorer.

4. Il n'existe pas un Beau ou un Bien (on retrouve des catégories de la pensée antique) qui soit immuable ou infaillible. L'un et l'autre sont, au contraire, personnels et changeants.

5. *Chevalet* : instrument de torture.

6. *Tournant* peut se comprendre (Jean-Luc Steinmetz) au sens de *devenu aigre*, comme on dit que le lait tourne ou devient

aigre. C'est-à-dire que les sons émis par la fanfare, en devenant « aigres », deviennent du même coup inharmoniques.

Page 218.

1. *Assassins* : sur le manuscrit le mot est écrit en grosses lettres soulignées. Il dérive de *Haschischins* et désignait une secte de fumeurs de drogue qu'ont évoquée Michelet, Baudelaire et Nerval. Henry Miller a donné cette phrase pour titre à un essai sur Rimbaud (1955 ; traduction française : *Le Temps des assassins* 1970).

PHRASES

2. Texte du manuscrit de la BNF (n.a.fr. 14123, f°11). Sans doute s'agit-il bien ici de fragments. Sont-ils de simples notations destinées à être développées plus tard, ou forment-ils, chacun pris à part, un tout achevé ? J'opterais pour la seconde hypothèse. Quelques mots (« bois noir », « deux enfants », « luxe inouï » – que Rimbaud a d'ailleurs placés entre guillemets) peuvent constituer des échos au Verlaine de *La Bonne Chanson* et des *Romances sans paroles*.

Page 219.   [PHRASES II]

1. Texte du manuscrit de la BNF (n.a.fr. 14123, f°12). Le titre que je propose n'est pas de Rimbaud. Il est d'ailleurs possible qu'une coupure du manuscrit, en bas et en haut, ait fait disparaître d'autres phrases.
2. *Rouies* : fleurs trempées (par analogie avec l'opération pratiquée sur les fibres textiles pour en séparer la matière filamenteuse) et exhalant une odeur désagréable.

Page 220.

1. *Fêtes de fraternité* : il n'est évidemment pas question, comme on l'a dit, des fêtes du 14 juillet qui ne furent établies qu'en 1880. Peut-être s'agit-il d'une festivité locale quelconque.

OUVRIERS

2. Texte du manuscrit de la BNF (n.a.fr. 14123, f°13). Avant le titre, on lit un article défini, *Les*, qui a été biffé. On a fait observer que le poète reprend ici des procédés de l'écriture naturaliste (les petits faits vrais), ce qui pourrait laisser penser que Rimbaud cultive une attitude ambiguë à l'égard de ce style.
3. *Sud* : vent du sud.
4. Cette *Henrika* a plus de chance d'être un personnage ima-

ginaire qu'une femme réellement aimée par Rimbaud, ou même Verlaine, comme on l'a prétendu.

5. *Flache* : flaque d'eau.

Page 221.   LES PONTS

1. Texte du manuscrit de la BNF (n.a.fr. 14123, f°13-14). On a souvent dit que les ponts de Londres avaient suscité cette rêverie. C'est bien possible. Ce qui me frappe davantage, c'est que le sujet proprement dit est presque évacué au profit d'un jeu harmonieux entre les formes, les lignes et les couleurs. Il y a ici, appliquée au domaine de l'écriture, une tentative que la peinture fera aussi, pour sa part, mais plus tardivement.

2. Ainsi employé au pluriel, le terme *ciels* relève du vocabulaire pictural. Toutefois, il peut désigner aussi les bandes d'étoffes peintes qu'on utilise, au théâtre, pour masquer les cintres.

3. *Cordes* : à la fois *cordages* et sonorités des *instruments à cordes*.

VILLE

4. Texte du manuscrit de la BNF (n.a.fr. 14123, f°14). Ville étrange, avec laquelle il est difficile d'entretenir des rapports humains, car elle est fondée sur un urbanisme de l'absence (pas de monuments, ni de goût, ni d'idiome subtil).

Page 222.

1. *Amènent* a le sens de *mènent*.

2. *Comme* a ici un sens intensif : *combien*.

3. *Érinnyes* : déesses grecques de la vengeance.

ORNIÈRES

4. Texte du manuscrit de la BNF (n.a.fr. 14123, f°14). Lorsque Rimbaud dit à Izambard, au début de 1871 : « vous roulez dans la bonne ornière », il indique bien que l'ornière est une trace à suivre. Ici, il s'agit d'un cheminement au cours duquel ce qui était un « défilé de féeries » devient un spectacle funèbre. Il n'est pas sûr, comme l'a écrit Delahaye, que la venue d'un cirque à Charleville ait inspiré ce poème

5. *Bossés* : sculptés en relief.

6. La phrase évoque les corbillards garnis de plumets noirs.

Page 223. VILLES

[I]

1. Texte du manuscrit de la BNF (n.a.fr. 14123, f°16-17). Il est recopié de la main de Germain Nouveau, ce qui explique peut-être certaines leçons discutables, comme si le scribe ne comprenait pas toujours ce qu'il avait sous les yeux.

Villes imaginaires, certes, dont certains éléments, pris séparément, renvoient cependant à des cités réelles, Londres en particulier. Ce qui fascine Rimbaud, comme beaucoup de ses contemporains, c'est le caractère hétéroclite et moderne des grandes métropoles. Observons qu'il «géométrise» ces villes : en lignes, points, cercles, carrés disposés dans l'espace.

2. *Hampton-Court* : résidence royale à proximité de Londres.

3. Rimbaud utilise constamment la graphie *Norwège* ou *norwégien* (voir «Ophélie», «Comédie de la soif»).

4. *Squares* : au sens anglais de carré ou quadrilatère.

5. *Circus* : encore un mot anglais au sens de cercle ou rondpoint.

Page 224. [II]

1. Texte du manuscrit de la BNF (n.a.fr. 14123, f°15-16).

Page 225.

1. *Mab* : reine des fées dans les féeries anglaises.

2. Littré précise que ce verbe peut s'écrire avec ou sans accent aigu (*téter* ou *teter*); dans le second cas, le *t* redouble devant *e* muet (*il tète* ou *il tette*).

VAGABONDS

3. Texte du manuscrit de la BNF (n.a.fr. 14123, f°16). Dans une lettre, Verlaine écrit qu'il est mis en scène sous les traits du satanique docteur. La critique voit donc, généralement, dans ce texte, des souvenirs du couple Rimbaud-Verlaine. On observe que, pour le narrateur, tout cela est du passé.

Page 226.

1. *Bande* a ici le sens de l'anglais *band* (orchestre).

2. *Vin des cavernes* est ici l'équivalent de *eau de source*.

VEILLÉES

3. Texte du manuscrit de la BNF (n.a.fr. 14123, f°18 pour I et II, f°19 pour III). Ces trois textes, fort différents les uns des autres, semblent avoir été regroupés arbitrairement pour constituer un ensemble analogue à ceux de «Vies» et d'«Enfance». Le ton comme l'écriture changent de l'un à l'autre fragment (le premier, par exemple, joue – à la façon de rimes – avec les sons *é/i*). Ces textes se singularisent même par rapport à la plupart des *Illuminations*. Le premier évoque le repos dans l'absolu de la sensation ; on peut lui reconnaître des parentés verlainiennes. Le second construit un univers ludique et onirique à partir d'un vocabulaire théâtral. Dans le dernier, après de nouvelles hallucinations et à l'abri de toute action (il n'y a pas un verbe dans la dernière phrase et deux seulement dans tout le texte), l'aube vient décolorer et disperser les visions de la nuit.

Page 227.

1. *Steerage* : entrepont arrière d'un navire. Rimbaud avait d'abord écrit «sur le pont», mais le mot anglais est plus dépaysant.

2. Je crois qu'il ne faut pas chercher à identifier cette Amélie : elle est une des multiples figures qui traversent les *Illuminations* et excitent l'imagination du lecteur.

MYSTIQUE

3. Texte du manuscrit de la BNF (n.a.fr. 14123, f°19). Rimbaud compose ce texte comme un tableau que caractérise la fragmentation des éléments, l'absence de perspective, l'étagement des plans en hauteur. À propos de ce texte, on a souvent évoqué le tableau de Van Eyck (*L'Agneau mystique*). Le rapprochement n'est pas convaincant.

Page 228. AUBE

1. Texte du manuscrit de la BNF (n.a.fr. 14123, f°19). Une fois de plus, c'est dans la mobilité et la métamorphose que se développe un projet que l'on peut lire comme un rêve, comme une poursuite amoureuse ou comme l'attente d'une aube inspiratrice.

2. *Wasserfall* : mot allemand qui signifie cascade.

Page 229. FLEURS

1. Texte du manuscrit de la BNF (n.a.fr. 14123, f°20). Fleurs étranges et minéralisées que celles que nous voyons ici. Et pourtant elles n'ont rien de figé, car on assiste à leur naissance, à leur arrivée à l'existence dans la mobilité et l'étrangeté. Ainsi, finissent par apparaître des fleurs imaginaires comme cette *rose d'eau* du deuxième paragraphe.

NOCTURNE VULGAIRE

2. Texte du manuscrit de la BNF (n.a.fr. 14123, f°21). Songerie au coin d'un feu : rien ne pourrait être plus vulgaire. En fait, c'est le point de départ d'une hallucination autour d'un voyage, de sa poursuite possible, de sa dispersion.

3. *Opéradiques* : à la manière de l'opéra (le mot se trouve chez les Goncourt). C'est-à-dire que des ouvertures, des perspectives se dessinent au milieu des flammes comme sur la scène d'un opéra au moment des changements de décors à vue.

Page 230.

1. *Solyme* : Jérusalem.

MARINE

2. Texte du manuscrit de la BNF (n.a.fr. 14123, f°22 [= v° du f°21]). La prosodie de ce texte et de «Mouvement» les a fait exclure de plusieurs éditions des *Illuminations* pour les publier à part. Il faut cependant rattacher à ce recueil ce qui, sans être l'un ou l'autre, oscille entre poème en prose et vers libre.

Ces quelques vers fondent en une unité essentielle deux spectacles : bateaux près d'une jetée, labours en campagne. Tout est dans la façon d'écrire cette surimpression visuelle, où la mer devient terrestre et la terre fluctuante dans un vertigineux mouvement de lumière (voir aussi le début de «Mouvement»).

FÊTE D'HIVER

3. Texte du manuscrit de la BNF (n.a.fr. 14123, f°22). Le temps et l'espace s'abolissent dans cette fête imaginaire librement inspirée du XVIIIe siècle – Watteau ou Boucher –, probablement par l'intermédiaire des Goncourt ou du Verlaine des *Fêtes galantes*.

Page 231.

1. *Méandre*: fleuve de Turquie remarquable par ses nombreuses sinuosités.

2. *Horace*: poète latin. La référence à la coiffure Premier Empire à propos d'Horace n'est pas anachronique: en effet, l'Empire avait remis en honneur la mode antique.

3. *Boucher*: peintre (1703-1770) remis à la mode par les Goncourt et Verlaine. Boucher avait effectivement peint un certain nombre de «chinoiseries».

ANGOISSE

4. Texte du manuscrit de la BNF (n.a.fr. 14123, f°23). On ne sait trop qui est cette «Elle» du début: se confond-elle avec la Vampire dont il est question plus loin? Est-ce la Vie comme le pense Albert Henry? En tout cas, même si elle rend «gentil», elle ne procure nullement le calme, puisque le texte se termine sur des images de blessures, supplices et tortures.

MÉTROPOLITAIN

5. Texte du manuscrit de la BNF (n.a.fr. 14123, f°23). À partir du mot *arqué* (début du troisième paragraphe) l'écriture paraît être celle de Germain Nouveau. On a beaucoup répété que ce poème avait sa source dans le métropolitain de Londres, qui fut mis en service en 1868. Cela n'éclaire que peu de choses dans ces lignes. Elles marquent cinq étapes dont la dernière est la confrontation avec *Elle* – comme dans «Angoisse» – contre qui il faut toujours lutter, avec peut-être un meilleur espoir que dans le poème que nous venons de citer.

6. *Ossian*: barde écossais. Les mers d'Ossian sont donc les mers du nord.

Page 232.

1. *Samarie*: ancienne ville de Palestine. Si l'on se réfère aux «Proses en marge de l'Évangile» (ci-dessus p. 172), Rimbaud prétend que le Christ n'aurait pas pu y faire entendre sa parole.

2. *Guaranies*: ancien peuple indigène d'Amérique du Sud, colonisé au XVIIe siècle par les jésuites.

BARBARE

3. Texte du manuscrit de la BNF (n.a.fr. 14123, f°24). Nous sommes ici au-delà du temps pour faire retentir la symphonie

d'un nouveau monde sur lequel on pourra planter d'étranges drapeaux et où s'assouvira le désir.

4. *Pavillon*: peut signifier soit *drapeau*, soit *abri*.

Page 233. SOLDE

1. Texte du manuscrit de la BNF (n.a.fr 14124, f°1). Encore que *solde* ait pris le sens de *braderie* postérieurement à la date ultime où les *Illuminations* peuvent avoir été écrites, les commentateurs se partagent en deux partis opposés: les uns voient dans ce texte une entreprise de liquidation à bon compte et en font assez volontiers le dernier mot de l'œuvre; les autres, au contraire, considèrent que l'auteur s'y fait le camelot de toutes sortes de nouveautés. Si l'on s'en tient au vrai sens du mot *solde*, à l'époque, il y a un peu des deux dans ce texte: on brade certains articles pour mieux en promouvoir d'autres.

Page 234.

1. *Inquestionable*: le mot est forgé par Rimbaud à partir de l'anglais. Il ne fait pas de difficulté: *qui ne peut être questionné*.
2. La *commission*, c'est le pourcentage dû sur une opération commerciale (une vente notamment). On en déduit que le mot *voyageur*, au début de la phrase, peut avoir le sens de *voyageur de commerce*.

FAIRY

3. Texte du manuscrit de la BNF (n.a.fr. 14124, f°2). *Fairy*, c'est-à-dire «fée» ou «féerie», peu importe. L'essentiel, c'est cette Hélène mythique qui emprunte ses caractéristiques à diverses sources et qui représente le pouvoir de la beauté.
4. On a vu dans cette Hélène soit le personnage homérique, soit le personnage du second *Faust*, soit celui du *Songe d'une nuit d'été* de Shakespeare. Un peu tout cela à la fois, sans doute.
5. *Ornamentales*: on a le choix entre un anglicisme (qui s'accorderait bien au titre du fragment) ou une étourderie orthographique pour *ornemental*.

Page 235. GUERRE

1. Texte du manuscrit de la BNF (n.a.fr. 14124, f°4). Avant le titre, le manuscrit comporte une division *II*, et «Fairy», de son côté, portait un *I* sous le titre. Je ne maintiens pas ces divisions qui ne paraissent pas destinées à unir deux textes aussi disparates que «Fairy» et «Guerre».
2. *S'émurent*: se mirent en mouvement.
3. *Chassent*: poursuivent.

JEUNESSE

4. Texte du manuscrit de la BNF (n.a.fr. 14124, f°3) pour *I*; et de la fondation Martin Bodmer (Cologny, Suisse) pour *II*, *III*, *IV*. Il n'est pas sûr que, en dépit de leur numérotation, ces quatre textes constituent un ensemble homogène.

5. Rimbaud a su, avant Laforgue, évoquer la langueur des dimanches.

6. *Desperadoes* : hors-la-loi (mot courant dans le vocabulaire journalistique du XIXe siècle).

Page 236.

1. Le titre du poème paraît tout simplement provenir du fait que le texte remplit exactement quatorze lignes du manuscrit, comme ferait un sonnet.

2. Le manuscrit porte à cet endroit le signe + que j'interprète comme l'abréviation de *plus*.

3. *Chasser* : dévier du chemin.

Page 237.   PROMONTOIRE

1. Texte du manuscrit de la Bibliothèque municipale de Charleville-Mézières. Entre la chose vue (on a parlé de Scarborough, mais cela ne suffit pas) et la chose imaginée, il y a place pour une poétique que Pierre Brunel définit ainsi : «Rassembler tout le connu pour créer l'inconnu»

2. *Fanum* : mot latin pour *temple*.

3. *Théorie* : au sens étymologique, *procession*.

4. *Embankments* : en anglais, le mot désigne les quais d'un fleuve.

5. *Scarbro'* : pour *Scarborough*, ville anglaise.

Page 238.

1. Le dernier mot du texte pose un problème. Est-il, pour un motif qui nous échappe, la simple reprise du titre ? Constitue-t-il une phrase à lui seul ? Enfin – dans la mesure où il n'est pas évident, sur le manuscrit, si la ponctuation qui précède est un point ou un tiret – est-il un mot composé : *Palais-Promontoire* (du même type que le *Pâtre-Promontoire* de Victor Hugo dans «Pasteurs et troupeaux» des *Contemplations*) ?

SCÈNES

2. Texte d'après le fac-similé du manuscrit de la collection de M. Pierre Berès. Plus que jamais, il s'agit ici de jeux de théâtre.

et c'est dans le sens dramatique qu'il faut entendre le mot *scène*. L'envers du décor n'est peut-être jamais très beau ; mais c'est avec cela qu'on bâtit la féerie

3. *Pier* : en anglais, *jetée*.

4. Ces oiseaux des mystères peuvent représenter des oiseaux qui apparaissent dans des mystères du Moyen Âge ou des apparences d'oiseaux dans le costume desquels sont mystérieusement dissimulés des comédiens (dans le manuscrit le mot *mystères* surcharge le mot *comédiens*).

5. *Béotiens* : jadis, les habitants de cette partie de la Grèce passaient pour bornés.

6. *Feux* : les feux de la rampe.

Page 239.   SOIR HISTORIQUE

1. Texte de l'édition Hartmann (Club du meilleur livre, 1957) établi d'après le manuscrit de M. Pierre Berès. Le soir historique sera celui au cours duquel se trouveront balayés les illusions bourgeoises et les façons serviles de voir.

2. *Malle* : malle-poste.

3. *Nornes* : dans la mythologie scandinave, les trois déesses qui donnent la loi au monde, créent la vie et décident du sort des mortels. Leconte de Lisle avait évoqué ces déesses dans *Les Poèmes barbares*.

Page 240.   BOTTOM

1. Autographe de la collection de M. Pierre Berès, d'après le fac-similé reproduit par Henri de Bouillane de Lacoste (*Rimbaud et le problème des Illuminations*). Le titre primitif du poème était «Métamorphoses». C'est bien ce qui arrive à Bottom, personnage du *Songe d'une nuit d'été* de Shakespeare : il se trouve transformé en âne. C'est aussi ce qui arrive au locuteur qui devient, en outre, ours ou oiseau. Cette échappatoire à la réalité n'empêche pourtant pas d'y retomber de façon dégradée et dégradante.

2. Ces *Sabines de banlieue* se jettent au-devant des combattants, non pour les séparer – comme les Sabines de l'Antiquité –, mais pour en faire leurs proies, comme de vulgaires et modernes prostituées qu'elles sont.

H

3. Autographe de la collection de M. Pierre Berès, d'après le fac-similé reproduit par Henri de Bouillane de Lacoste (*Rimbaud et le problème des Illuminations*). C'est encore une devi-

nette que nous soumet Rimbaud ; mais nous n'aurons pas la solution. Naturellement, mille et une explications, plus ingénieuses les unes que les autres, ont été proposées. La plus généralement admise est celle qui, par analogie avec le sens que Rimbaud donnait au mot *H*abitude, voit, dans «la mécanique érotique» évoquée ici, une allusion à l'onanisme. Cela dit, – qui explique *H* –, n'explique pas *Hortense*.

4. *Hydrogène clarteux* : on ne peut mieux obscurcir une réalité lumineuse ; il s'agit du gaz d'éclairage.

Page 241.   MOUVEMENT

1. Manuscrit de la collection de M. Pierre Berès. Texte d'après le fac-similé de la collection William J. Jones (Université de Springfield, Missouri). Comme «Marine», «Mouvement» possède un statut à part dans les *Illuminations*, même si on lui dénie d'être écrit en vers libres. Ce couple isolé sur l'arche, au milieu d'un autre déluge, paraît bien chanter l'avènement d'un nouveau monde.

2. *Étambot* : pièce de bois élevée à l'extrémité de la quille sur l'arrière d'un bâtiment.

3. *Passade* : mouvement rapide d'allée et venue.

4. *Strom* : mot allemand pour désigner un fort courant.

5. *Comfort* : on trouve cette orthographe dans «Solde», et dans *Une saison en enfer* («Adieu»).

Page 242.   DÉVOTION

1. Pas de manuscrit connu. Texte de la première publication dans *La Vogue* (21 juin 1886). Ce texte est une suite d'énigmes non résolues aboutissant à un sens ambigu, car le mot *plus* de la dernière phrase peut aussi bien signifier *davantage* que *plus jamais*. C'est probablement une réaction de refus et d'abomination que suscite cette dévotion.

2. *Baou* : le mot n'a pas reçu d'explication satisfaisante. Équivalent du mot de Cambronne ? Exemple d'une «langue caniche» comme dans *Le Chat Mürr* d'Hoffmann ?

3. *Spunck* : ce mot a peut-être ici le sens de l'anglais *spunk* (*sperme*). On retrouverait alors l'«habitude» présente dans «H».

DÉMOCRATIE

4. Pas de manuscrit connu. Texte de la première publication dans *La Vogue* (21 juin 1886). Il est probable que Rimbaud ne prend pas à son compte ce texte, placé entre guillemets : il le prête ironiquement à quelque conquérant. Se démarque-t-il totalement ?

5. Ce *tambour* représente celui des peuplades que les conquérants viennent soumettre

Page 243.

1. *Poivrés* : producteurs de poivre, et d'épices en général.

GÉNIF

2. Le manuscrit appartient à M. Pierre Berès. Que ce dernier soit remercié de m'avoir permis de le voir. Char commente le sens de ce poème en disant du Génie (être divin, mais différent et au-delà) : «Lui qui ne s'est satisfait de rien, comment pourrions-nous nous satisfaire de lui ? »

Page 245. LETTRE DU 14 OCTOBRE 1875

1. Cette lettre contient, à notre connaissance, les deux derniers « poèmes » écrits par Rimbaud (des lettres, en revanche, il en écrira jusqu'en 1891). Ils s'imbriquent étroitement dans une missive adressée à son ami Delahaye alors professeur à Soissons, aussi ne peut-on les séparer de leur contexte. Rimbaud, revenu pour quelque temps à Charleville, intercale un rêve débridé entre la menace du service militaire et le projet (un de plus) de préparer le baccalauréat ès sciences. Il n'accomplit jamais ni l'un ni l'autre.

La lettre, quasi codée, rappelle le ton de la correspondance échangée entre Delahaye-Rimbaud-Verlaine dans les mois et les années qui précèdent : elle est remplie d'allusions, de clins d'yeux, de plaisanteries parfois lourdes. Dès leur publication en juillet 1914 dans *La Nouvelle Revue Française*, les deux poèmes contenus dans la lettre ont retenu l'attention d'André Breton qui voit dans « Rêve » le « testament spirituel et poétique de Rimbaud » (*Anthologie de l'humour noir*).

Le texte est celui du manuscrit qui a figuré dans la collection Jean Hugues (vente à l'Hôtel Drouot, le 20 mars 1998).

2. *V.* : Verlaine. Ce dernier se trouvait alors en Angleterre : d'où le mot anglais *Postcard*, pour carte-postale. C'est encore Verlaine que Rimbaud désigne, plus bas, sous le nom de *Loyola*, fondateur des Jésuites.

3. Les mots entre guillemets sont peut-être des citations de la convocation officielle reçue par Rimbaud comme conscrit de la classe 1874. En fait, comme son frère s'était engagé pour trois ans, son propre appel avait été différé.

4. *Lefèbvre* (ou, plus exactement, *Lefèvre*, correctement orthographié plus bas) était le fils des propriétaires des Rimbaud à

Charleville. L'orthographe *Lefebvre* est peut-être intentionnelle : elle peut évoquer un célèbre maréchal d'Empire.

5. Le député *Keller* (1828-1909) était partisan du service militaire de trois ans.

Page 246.

1. *Absorbère* : prononciation provinciale de l'infinitif, peut-
être : mais aussi jargon de complicité entre Delahaye et Rimbaud ; et enfin... réponse au son *-ère* de *Gruère*, resté sans rime
à l'avant-dernier vers de « Rêve » !

2. *Petdeloup* : le principal du collège où enseigne Delahaye,
par analogie avec le nom d'un personnage de principal dans
Môssieu Réac. de Nadar.

3. *Gluant* : jeune élève.

Page 247.

1. *En «passepoil»* : Steve Murphy (« La faim des haricots : la
lettre de Rimbaud du 14 octobre 1875 », *Parade sauvage*, nº 6,
juin 1989) suppose que Rimbaud désigne ainsi la correspondance officielle.

2. *Némery* : déformation caricaturale pour Hémery, ancien
ami de Rimbaud.

INDEX DES TITRES
OU DES INCIPIT

Table 339

COLLECTION FOLIO

4754.	Andrea Levy	*Hortense et Queenie.*
4755.	Héléna Marienské	*Rhésus.*
4756.	Per Petterson	*Pas facile de voler des chevaux.*
4757.	Zeruya Shalev	*Théra.*
4758.	Philippe Djian	*Mise en bouche.*
4759.	Diane de Margerie	*L'Étranglée.*
4760.	Joseph Conrad	*Le Miroir de la mer.*
4761.	Saint Augustin	*Confessions. Livre X.*
4762.	René Belletto	*Ville de la peur.*
4763.	Bernard Chapuis	*Vieux garçon.*
4764.	Charles Juliet	*Au pays du long nuage blanc.*
4765.	Patrick Lapeyre	*La lenteur de l'avenir.*
4766.	Richard Millet	*Le chant des adolescentes.*
4767.	Richard Millet	*Cœur blanc.*
4768.	Martin Amis	*Chien Jaune.*
4769.	Antoine Bello	*Éloge de la pièce manquante.*
4770.	Emmanuel Carrère	*Bravoure.*
4771.	Emmanuel Carrère	*Un roman russe.*
4772.	Tracy Chevalier	*L'innocence.*
4773.	Sous la direction d'Alain Finkielkraut	*Qu'est-ce que la France ?*
4774.	Benoît Duteurtre	*Chemins de fer.*
4775.	Philippe Forest	*Tous les enfants sauf un.*
4776.	Valentine Goby	*L'échappée.*
4777.	Régis Jauffret	*L'enfance est un rêve d'enfant.*
4778.	David McNeil	*Angie ou les douze mesures d'un blues.*
4779.	Grégoire Polet	*Excusez les fautes du copiste.*
4780.	Zoé Valdés	*L'éternité de l'instant.*
4781.	Collectif	*Sur le zinc. Au café avec les écrivains.*
4782.	Francis Scott Fitzgerald	*L'étrange histoire de Benjamin Button* suivi de *La lie du bonheur.*
4783.	Lao She	*Le nouvel inspecteur* suivi de *Le croissant de lune.*
4784.	Guy de Maupassant	*Apparition et autres contes de l'étrange.*
4785.	D. A. F. de Sade	*Eugénie de Franval.*
4786.	Patrick Amine	*Petit éloge de la colère.*
4787.	Élisabeth Barillé	*Petit éloge du sensible.*
4788.	Didier Daeninckx	*Petit éloge des faits divers.*
4789.	Nathalie Kuperman	*Petit éloge de la haine.*
4790.	Marcel Proust	*La fin de la jalousie.*

Composition Interligne
Impression Maury-Imprimeur
45330 Malesherbes
le 28 juin 2010.
Dépôt légal : juin 2010.
1ᵉʳ dépôt légal dans la collection : avril 1999.
Numéro d'imprimeur : 156671.

ISBN 978-2-07-040900-6. / Imprimé en France.

177745